SO-AJN-574

Frans de Waal

Far la pace
tra le scimmie

Traduzione di
Luca Limongelli

Rizzoli

Proprietà letteraria riservata
© *1989 by Frans B. M. de Waal*
First published by Harvard University Press, Cambridge, Massachusetts
© *1990 RCS Rizzoli Libri S.p.A., Milano*
Revisione scientifica della traduzione italiana a cura di
Elisabetta Visalberghi e Giampaolo Barosso

ISBN 88-17-84059-9

Titolo originale dell'opera:
PEACEMAKING AMONG PRIMATES

Prima edizione: novembre 1990

Far la pace tra le scimmie

Ai miei genitori,
ai miei cinque fratelli e a Catherine,
le persone con cui ho avuto infinite riconciliazioni.

M Scimpanzé (*Pan troglodytes*) F

M Bonobo (*Pan paniscus*) F

M   Macaco reso (*Macaca mulatta*)   F

M   Macaco orsino (*Macaca arctoides*)   F

PREFAZIONE

Non c'è dubbio: un'aggressione suscita l'interesse assai più della coesistenza pacifica. Infatti i libri di storia registrano un continuo succedersi di guerre, con brevi periodi di pace a fare da semplice riempitivo. E così come gli storici si sono maggiormente interessati a stabilire i processi di causazione dei momenti di rottura, piuttosto che a individuare le strategie attraverso le quali viene raggiunto e mantenuto un equilibrio di pace, analogamente hanno fatto anche gli studiosi di comportamento animale.

Il parallelismo sembra continuare ancor oggi, con la netta inversione di tendenza prodottasi in campo sia storico che etologico. Il 1989 è stato l'anno in cui si è celebrato il bicentenario di quella Rivoluzione che segnò il passaggio dal dispotismo alla compartecipazione al potere di nuove classi sociali. Ed è stato l'anno in cui ha preso avvio — almeno tutte le indicazioni sono per ora in questo senso — il più inaspettato e radicale cambiamento politico-sociale col minimo spargimento di sangue della storia d'Europa. E questo stesso 1989 ha visto anche il più deciso cambiamento di rotta mai avvenuto negli studi sulle basi biologiche dell'aggressività umana.

Sono passati più di venticinque anni da quando Konrad Lorenz, premio Nobel per l'etologia, ha scritto *Il cosiddetto male* (titolo originale *Das sogenannte Böse*, tradotto dagli anglosassoni col titolo *On Aggression*). Questo best-seller, le cui tesi suscitarono un gran vespaio, sosteneva che l'aggressività umana ha precise radici biologiche ed è un aspetto fondamentale della socialità. Ciò che Lorenz rilevava era soltanto che all'uomo manca la capacità di controllare efficacemente l'aggressività al fine di evitare lotte sanguinose, guerre e massacri. Il libro di Lorenz poteva indurre a liquidare il problema e a ritenere che, siccome l'uomo era per natura aggressivo, le guerre non fossero che una conseguenza logica e inevitabile delle sue attività sociali. E di fatto, molti giunsero a questa conclusione. Altri, però, vollero studiare con rigore scientifico sino a che punto le affermazioni lorenziane — e di tutta una serie di divulgatori pseudoscientifici — fossero suffragabili con dati sperimentali. Frans de Waal è fra questi.

Il lavoro decennale di de Waal ha riguardato non soltanto le dinamiche aggressive nei primati non umani, ma soprattutto quei meccanismi che permettono di ristabilire la pace dopo un confronto. Egli ha messo in luce come, accanto a tendenze competitive e agonistiche, fossero presenti meccanismi atti a ristabilire una convivenza pacifica. Come lo stesso de Waal scrive nella sua premessa, il problema è che vincere significa a volte perdere un amico, un alleato, un individuo che in altre circostanze è stato o potrà essere di aiuto, di valido sostegno. Di fronte a un potenziale conflitto si può scegliere tra due approcci opposti: essere tolleranti, lasciar perdere, accettare e far finta di nulla, oppure essere aggressivi e scatenare la lotta. Ma per un individuo che fa parte di un gruppo sociale, mantenere un buon rapporto con gli altri è un elemento decisivo per la sopravvivenza. Ed è per questo che qualora si giunga a uno scontro fisico occorre poi riparare ai danni fatti. Per «danni» de Waal intende non solo le eventuali lesioni fisiche ma, cosa forse più grave, l'instabilità psicologica che necessariamente si crea nei contendenti dopo il conflitto. Come fidarsi ancora di un individuo che si è comportato da nemico? Come poterne tollerare di nuovo la vicinanza? Come evitare che si allei con altri e ribalti i rapporti di forza?

I primati non umani sono capaci di riconciliarsi dopo uno scontro e sanno mettere in atto elaborate strategie per perseguire questo obiettivo cui sembrano attribuire un valore fondamentale. In questo volume, Frans de Waal descrive in modo particolareggiato i comportamenti che quattro specie di primati non umani adottano per rappacificarsi. C'è grande varietà e fantasia: si passa da abbracci e baci — come nel caso degli scimpanzé — a comportamenti più marcatamente sessuali per i bonobo e i macachi orsini. Mentre i resi si limitano ad accostarsi di più l'uno all'altro. In ciascun caso i diversi comportamenti svolgono la medesima funzione: riparare la relazione incrinata, permettere agli avversari di tornare a una pacifica coesistenza all'interno del gruppo. Le modalità comportamentali della riconciliazione sono patrimonio della specie e ogni individuo ha bisogno di esperienze sociali appropriate per metterle a punto. La riconciliazione avviene con maggiore frequenza tra certi individui che non fra altri, e l'iniziativa viene presa più da alcune scimmie che non da altre. Spesso sono i soggetti dominanti a tentare per primi la rappacificazione. Questa selettività risponde al principio che gli individui con i quali è più importante riconciliarsi sono in generale quelli con cui è maggiormente necessario mantenere un certo rapporto di forza.

Dalla lettura di *Far la pace tra le scimmie* non solo apprendiamo come i primati, gli animali filogeneticamente più vicini a noi, abbiano sviluppato procedure molto elaborate ed efficaci per gestire i propri rapporti sociali, ma l'analisi del loro comportamento suscita riflessioni illuminanti sui modi tenuti da noi umani nell'affrontare analoghi conflitti. Quella frase che per i bambini rappresenta una specie di imperativo spontaneo: «e dai... facciamo la pace» sta all'origine delle motivazioni profonde e dei processi mentali che da adulti ci spingono a riconciliarci con i nostri avversari. A volte fare il primo passo costa moltissimo, ma tenere duro e lasciare che la tensione suscitata dal conflitto finisca con l'erigere un muro invalicabile fra noi e il nemico è una scelta spesso ancor più costosa. Ai bambini si insegna a chiedere scusa; per un adulto la decisione autonoma è guidata da un bilancio emotivo e cognitivo dove non è mai facile tirare le somme. Spesso la decisione viene presa alla luce di una valutazione del rapporto globale che abbiamo con l'avversario e delle conseguenze che una rottura definitiva potrebbe avere.

Nell'uomo vi è poi un'altra, più profonda dimensione: il bisogno di far pace con se stessi. La tranquillità dell'adulto nasce non solo dalla rappacificazione con gli avversari, ma dal superamento dei dolorosi conflitti interiori che hanno segnato il primo formarsi della nostra personalità. Per dirla con Hugo von Hofmannsthal, quel che ogni uomo dovrebbe riuscire a fare è riconciliarsi con la propria infanzia.

Proprio a noi uomini è dedicato l'ultimo capitolo del libro. Su di noi — che pure tra le specie cosiddette superiori siamo la più comune, la più facile da reperire sul pianeta — su di noi, sui modi che seguiamo per riconciliarci, ricerche sistematiche, per strano che possa sembrare, ne sono state fatte pochissime. De Waal, non avendo studiato il comportamento umano in prima persona, è costretto a trattarne facendo ricorso a fonti indirette, ad aneddoti storici e persino a ritagli di giornale (raccolti con affettuosa pazienza dalla madre). Le sue osservazioni — che potranno sembrare un po' ingenue ai lettori più impegnati e politicizzati — più che un contributo scientifico sono da prendere come un serio invito a studiare maggiormente i meccanismi del comportamento di riconciliazione nell'uomo. Meccanismi che (forse perché ci stanno costantemente sotto gli occhi) attirano scarsa attenzione, sebbene divampino ovunque e di continuo conflitti di ogni genere: dalle liti familiari, alle risse negli stadi, alle più sanguinose lotte fra gruppi etnici e religiosi. Dobbiamo, come dice de Waal con una metafora musicale, «identificare sia i temi sia le variazioni di quella gigantesca "fuga" di cui noi siamo una parte». E gli studi sui primati possono fornire una chiave scientifica per una prima interpretazione del comportamento umano.

Gli studi di de Waal hanno aperto la strada a una serie di nuove ricerche, e le ipotesi discusse in *Far la pace tra le scimmie* sono destinate a connotare sempre più le future indagini primatologiche. Il tema della riconciliazione è già stato affrontato in relazione ad altre specie, e studiato in natura oltre che in laboratorio. I primi risultati sono molto incoraggianti. Si è visto che i meccanismi di rappacificazione descritti da de Waal agiscono anche in condizioni naturali e pertanto non sono, come alcuni avevano inizialmente pensato, un artefatto della cattività. Anzi, come de Waal stesso aveva suggerito, molte delle peculiarità osservate in cattività trovano spiegazione in una dimensione funzionale e adattativa nell'ecologia della specie. È in questa chiave che è possibile dare ragione, per esempio, del fatto che gli scimpanzé maschi si riconciliano con frequenza molto maggiore rispetto alle femmine. A loro, non mantenere buoni rapporti con gli altri maschi (ovverosia non avere alleati in caso di scontri con gruppi limitrofi di conspecifici) può costare la vita, mentre per le femmine un rischio analogo non esiste. Altri studi hanno mostrato come la riconciliazione funzioni per diminuire le probabilità di nuovi scontri: contendenti che dopo un conflitto si rappacificano, tornano in contrasto tra loro con minore frequenza di chi invece non compie atti di riconciliazione.

De Waal ha preso in esame le modalità di riconciliazione anche in quanto indizi di complessità cognitiva e consapevolezza. Gli scimpanzé, come ci viene raccontato nei due capitoli loro dedicati, sembrano rendersi conto dell'importanza non solo di fare la pace, ma di far fare la pace. Allo zoo di Arnhem, una femmina adulta di scimpanzé può avvicinare strategicamente due contendenti e compiere opera di mediazione a fini di pace. Tipicamente la femmina si fa seguire da uno degli avversari per portarlo passo passo nelle vicinanze dell'altro e facilitarne così la riconciliazione. Nei macachi un comportamento del genere sembra invece mancare: ma se non sono stati osservati atti intesi a promuovere la riconciliazione fra terzi, queste scimmie ne compiono tuttavia altri, che si configurano come tentativi di non ostacolarla.

C'è infine un altro tema di indagine che promette sviluppi nei prossimi anni e al quale de Waal non mancherà di fornire un contributo di rilievo. Si tratta del tema dell'intelligenza in ambito sociale comparata con l'intelligenza che le scimmie mostrano in altri campi. In quale misura, e sulla base di quali prove, test, compiti, è possibile comparare le prestazioni sociali e non sociali? C'è un andamento parallelo tra i due tipi di comportamento? I dati raccolti sull'intelligenza sociale sono ancora largamente insufficienti: quasi nulla si sa di specie solitarie come gli oranghi, o di specie filogeneticamente molto distanti dall'uomo, come i cebi.* Mentre le loro capacità cognitive sono studiate da anni in Italia e all'estero, solo da alcuni mesi in altri laboratori (fra cui quello di de Waal) hanno preso avvio ricerche specifiche sull'intelligenza sociale dei cebi. Comparazioni fra questo tipo di dati potrebbero fornire risposte per comprendere meglio natura e funzionamento di quell'indefinibile cosa che nella varietà delle sue espressioni si chiama intelligenza.

Libri e riviste che parlano di animali sono spesso illustrati da fotografie, anzi da veri e propri servizi fotografici, non di rado tesi al mero effetto spettacolare. L'immagine assume così un tale rilievo da far passare in secondo piano la qualità del testo. Anche a questo riguardo il libro di de Waal si distingue in positivo. Le fotografie non sono commissionate a terzi, ma scattate dall'autore. E oltre a essere belle, riescono a raccontare, a volte forse meglio delle parole, gli eventi descritti. Se la tecnica de Waal l'ha imparata in un corso di fotografia seguito da ragazzo, va anche detto che immagini come queste sono rese possibili solo da una profonda conoscenza dei «modelli». Se non si è bravi primatologi è ben difficile prevedere come e quando una certa sequenza comportamentale avrà luogo ed essere pronti a fissarla con l'obiettivo.

Frans de Waal conferma in questo libro le ottime doti di divulgatore scientifico che aveva già dimostrato nel 1982 con *La politica degli scimpanzé* (trad. it., Bari 1984). De Waal ha la capacità di stemperare le statistiche negli aneddoti, ovvero di scegliere e raccontarci un caso che per la sua tipicità rappresenta un compendio chiarificatore di analisi lunghe e minuziose basate su una moltitudine di casi analoghi. L'ampiezza del materiale raccolto e la finezza concettuale e metodologica dell'elaborazione interpretativa sono documentate con tabelle, grafici, analisi statistiche nei moltissimi lavori che de Waal ha pubblicato sulle più autorevoli riviste del settore. Talvolta egli riporta anche episodi emblematici capaci di suggerire ipotesi indubbiamente stimolanti ma non ancora sufficientemente saggiate. Anche in questi casi l'Autore è trasparente e onesto, e subito mette in guardia il lettore dal prendere per verità scientifica quella che per il momento è solo un'ipotesi suggestiva.

Gran parte dei dati riportati nel volume, e negli articoli scientifici pubblicati sulle riviste specializzate, sono stati raccolti in Giardini Zoologici. I buoni zoo possono infatti fornire ottime op-

---

* Scimmie sudamericane che si sono separate circa 40 milioni di anni fa dai primati che hanno poi dato origine agli ominidi.

portunità di ricerca per approfondire le conoscenze su molte specie animali. Gli studi che vi si svolgono sono indispensabili anche per una efficace e oculata politica volta alla conservazione delle specie in condizioni naturali. Tutti i primati rischiano l'estinzione. Per alcune specie gravemente in pericolo, come per esempio il Leontocebo, solo progetti internazionali di studio, allevamento e riproduzione in Giardini Zoologici, accompagnati da una politica di protezione e immissione nell'ambiente naturale, hanno permesso di scongiurarne la totale scomparsa. Ricerche etologiche come quelle compiute da de Waal su primati in cattività prendono forza da indagini sul campo che da decenni altri colleghi hanno condotto in condizioni naturali, e a loro volta le rafforzano fornendo approfondimenti essenziali e altrimenti impossibili.

Chi, come me, studia il comportamento delle scimmie sa come riesca talvolta difficile trovare il giusto equilibrio fra il necessario distacco scientifico e l'attaccamento affettivo suscitato, direi quasi inevitabilmente, dalla frequentazione assidua di queste creature. Non è del tutto un caso, credo, se le persone che più a lungo hanno studiato in condizioni naturali le scimmie antropomorfe sono, o sono state, donne: Jane Goodall per gli scimpanzé, Dian Fossey per i gorilla e Biruté Galdikas per gli oranghi. Così come da donne sono stati scritti molti dei testi di divulgazione scientifica sui primati (anche nel panorama dei libri sulle scimmie tradotti in lingua italiana c'è una predominanza femminile). In generale in questi libri si respirano una grande ricettività affettiva e trasporto emotivo verso gli animali descritti, una tenerezza e una vicinanza quasi infantili, un autentico amore per queste creature. De Waal ha un atteggiamento diverso; non perché non voglia bene alle sue scimmie, di cui racconta le vicende con grande partecipazione, ma perché riesce a parlarne con maggiore distacco. L'emozione che aveva tenuto con fiato sospeso e membra contratte Jane Goodall o Dian Fossey la prima volta che avevano toccato una delle loro scimmie, è paragonabile all'emozione di de Waal quando dopo un duro conflitto ha visto i due avversari abbracciarsi e baciarsi, mentre i loro compagni scimpanzé accompagnavano l'evento con versi e clamori. Era il primo atto di riconciliazione di cui de Waal era stato consapevole testimone. E la sua emozione era anche l'emozione che ci dà ogni nuova, importante scoperta: in questo caso, la scoperta di una fondamentale e rassicurante dimensione dell'agire sociale negli animali che più ci somigliano.

Elisabetta Visalberghi
Istituto di Psicologia, CNR

Far la pace tra le scimmie

*L'aggressività può certo esistere senza la sua con-
troparte, l'amore; ma, al contrario, non esiste
amore senza aggressività.*

KONRAD LORENZ

PREMESSA

Le fiamme divampano, ma poi scemano e muoiono. Per quanto questo sembri ovvio, gli scienziati che si occupano dell'aggressività, una sorta di fuoco sociale, hanno sempre ignorato il modo in cui le «fiamme» vengano sedate. Noi siamo in possesso di molte informazioni sui fattori che sono alla base dei comportamenti aggressivi sia nell'uomo sia negli animali, che vanno da attività ormonali e cerebrali, a influenze culturali. Ciononostante sappiamo molto poco su come i conflitti vengano evitati, su come le relazioni sociali vengano riconsolidate e normalizzate dopo un contrasto. È per questo che, spesso, la gente pensa che la violenza sia parte integrante della natura umana più della pace.

Gli etologi hanno divulgato questo messaggio pessimistico negli anni Sessanta e non hanno cambiato atteggiamento anche durante il decennio successivo. L'approccio dominante in biologia è stato quello di pensare alla vita come a una «continua lotta per la sopravvivenza», uno «spettacolo di gladiatori», come propugnava un secolo fa Thomas Henry Huxley, pubblico difensore di Darwin. Tutto è incentrato su una spietata competizione e sui benefici che gli animali ottengono dalle trattative con gli altri. Che gli animali lottino per la loro esistenza è innegabile, infatti essi possono essere incredibilmente violenti quando si crea un conflitto di interessi, ma non tutto quello che fanno è a spese degli altri. Molte specie formano gruppi basati sulla collaborazione, e che danno, il più delle volte, un'impressione di armonia.

I nostri parenti più stretti, i primati, formano relazioni sociali stabili, in cui i membri sono simultaneamente amici e rivali, competono per il cibo e gli accoppiamenti, eppure dipendono gli uni dagli altri e hanno un grande bisogno di contatto fisico. Animali come questi devono affrontare il fatto che, a volte, non si può vincere una battaglia senza perdere un amico; l'unica soluzione a questo dilemma è di evitare la competizione oppure di riparare il danno quando è già avvenuto. La prima soluzione è nota come *tol-*

leranza, la seconda come *riconciliazione*. I primati non umani hanno familiarità con ambedue i sistemi e riescono a vivere in gruppi mediante meccanismi di «raffreddamento» altamente sviluppati, che prevengono il possibile surriscaldamento, esplosione o disintegrazione della macchina sociale. Si comportano un po' come famiglie umane, molte delle quali, pur essendo travagliate da continue discordie, riescono a restare unite per venti anni e oltre.

Poiché la mia ricerca riguarda i princìpi della coesistenza pacifica, in questo libro darò maggiore importanza a questo aspetto, che non alla competizione, e a come terminano le lotte, più che a come iniziano. La riconciliazione è un momento cruciale: dopo aver lottato i due avversari tendono a stare lontani, finché, dopo un certo tempo, uno dei due si avvicina alla ricerca di un contatto amichevole. La durata del processo è variabile; mentre le scimmie fanno pace, in genere, entro pochi minuti dal conflitto, gli uomini possono impiegare giorni, anni e, a volte, perfino generazioni. È facile dunque immaginare quale sia stato il mio interesse quando papa Giovanni Paolo II ha incontrato Mehemet Ali Agca nella sua cella in prigione. In quella occasione il Pontefice prese teneramente la mano del suo mancato assassino e gli rivolse parole di perdono («Gli ho parlato come a un fratello, cui tutto ho perdonato e che ha la mia completa fiducia»). Molti commentatori definirono la scena come un esempio di clemenza cristiana, mentre io, potendola raffrontare con i processi di riavvicinamento che ho studiato nei primati, vi intravidi radici ben più profonde.

Nel trattare i comportamenti di rappacificazione, come biologo mi trovo del tutto d'accordo, sia nella sostanza che nello spirito, con la «Dichiarazione di Siviglia sulla violenza». Questo documento decisivo, una vera pietra miliare, fu redatto nel 1986 a Siviglia, in Spagna, durante un incontro fra i maggiori esperti internazionali di aggressività. La mia approvazione del documento ha comunque delle riserve. Infatti per raggiungere la conclusione che «la biologia non condanna l'umanità alla guerra», gli autori scelsero di minimizzare l'importanza del nostro retaggio evolutivo. Le mie opinioni, invece, nascono dalla biologia e non negano, ma arricchiscono le intuizioni del passato. Io considero il comportamento aggressivo come una caratteristica fondamentale della vita degli uomini e degli animali, ma penso che esso non possa essere compreso appieno se scisso dai potenti meccanismi di mantenimento dell'equilibrio, che si sono evoluti per mitigarne gli effetti.

Sebbene mi trovi spesso a confrontare il comportamento umano con quello animale, perfino a livello di politica internazionale, non sono alla ricerca di un modello animale per la nostra specie. Ogni organismo, infatti, merita attenzione di per sé, e non in quanto modello per un'altra specie. La parola «primati» del titolo originale del libro si riferisce tanto alla specie umana che alle altre circa duecento dell'ordine, che andrebbero, dunque, studiate tutte altrettanto a fondo. Questo implica che nessun confronto è da escludersi, perché sono interessanti sia le somiglianze sia le differenze fra le specie, e che, se si considera possibile una estrapolazione dal comportamento delle scimmie reso a quello degli scimpanzé, a maggior ragione si considererà valido un confronto analogo fra uomini e scimpanzé, anche perché in quest'ultimo caso i caratteri biologici in comune sono ancora più numerosi.

In questo tipo di confronti è molto importante trattare la nostra specie nello stesso modo in cui consideriamo le altre scimmie, antropomorfe e non antropomorfe;* infatti non c'è motivo di porci sul solito piedistallo. Inoltre è fondamentale che il nostro giudizio non sia moralistico; «buono» e «cattivo» sono vocaboli troppo facilmente usati in questo campo. Valutazioni di questo tipo ostacolano un'analisi obiettiva, e sebbene l'aggressività sia parte di ogni relazione sociale, la nostra pronunciata tendenza a deprecarla fa a volte sorgere il dubbio che essa andrebbe forse esclusa dal novero dei fenomeni sociali.

Questo atteggiamento erroneo è dovuto, in parte, all'identificazione dell'aggressività con la violenza; ma la violenza ne è, in realtà, soltanto la manifestazione più estrema, non la più comune. Un'altra ragione che spesso porta a negare la natura sociale dell'aggressività è che essa non è sempre palese. L'antagonismo può essere tenuto sotto controllo così efficacemente, che tutto ciò che osserviamo alla superficie è pace e armonia. Georg Simmel, un filosofo sociale dell'inizio di questo secolo, ha sottolineato come le società non siano fondate esclusivamente sull'amicizia. Infatti per raggiungere un'organizzazione definita esse necessitano di attrazione e repulsione, integrazione e differenziazione, cooperazione e competizione. Il conflitto e la sua risoluzione servono a superare questi dualismi, e a raggiungere una certa forma di unitarietà. Simmel vedeva le soluzioni pacifiche dei conflitti sociali come una peculiare forma di sintesi, un raffinato ingranaggio che include unioni e contrasti.

* La distinzione fra scimmie e scimmie antropomorfe ha un significato molto profondo. Gorilla e scimpanzé sono antropomorfe, babbuini e macachi sono scimmie. Le antropomorfe non hanno coda e sono più grandi, hanno maggiore sviluppo toracico, braccia più lunghe che possono ruotare sull'articolazione della spalla. Dato che gli uomini condividono con questi primati le caratteristiche che li distinguono dalle scimmie, uomini e antropomorfe vengono classificati insieme nella superfamiglia *Hominoidea*.

Nel 1963, Konrad Lorenz, il padre dell'etologia, pubblicò il suo noto libro *Il cosiddetto male* (*Das sogenannte Böse*). La parola «sogenannte» corrisponde all'aggettivo «cosiddetto» e sottolinea l'arbitrarietà di una definizione; infatti il titolo originale di Lorenz voleva suggerire che l'aggressività non è poi così dannosa come viene comunemente considerata. Eppure, sebbene il suo libro trattasse dell'importanza dell'aggressività proprio in connessione ai sentimenti di affetto e amore, questa parte del suo messaggio fu adombrata dall'affermazione centrale che negli uomini è presente un istinto aggressivo che essi non sono in grado di controllare.

Questa tesi generò una notevole controversia, soprattutto nel mondo anglosassone. Il risultato fu la pubblicazione di libri «di risposta», in cui venivano descritte società umane pacifiche e gentili, sopravvissute fino ai nostri giorni in angoli remoti del mondo. Oltre a cercare questo tipo di eccezioni, i critici di questa teoria, a sostegno della loro ipotesi, fornivano anche confronti con i nostri parenti più stretti. In quel periodo, infatti, le grandi antropomorfe erano conosciute come esseri pacifici e vegetariani; la loro vita, apparentemente fondata sugli ideali rousseauiani, era utilizzata frequentemente contro la teoria di Lorenz sulla natura umana. Ironicamente tutte queste estrapolazioni furono fatte proprio da quella categoria di scienziati che normalmente era contraria a ogni confronto fra uomini e animali. Alla luce dei dati più recenti, questi oppositori di Lorenz devono sentirsi davvero un po' sciocchi: infatti nell'ultimo decennio gli studi sul campo di Dian Fossey, Jane Goodall, Toshisada Nishida, Akira Suzuki e altri hanno rivelato che gorilla e scimpanzé occasionalmente uccidono membri della propria specie. Inoltre, è stato anche scoperto che gli scimpanzé cacciano, si nutrono di carne e praticano il cannibalismo.

La natura aggressiva degli uomini è innegabile; basta accendere il televisore al momento del telegiornale o leggere i libri di storia di un qualunque paese per averne la riprova. È evidente, allora, che il problema non è come eliminare l'aggressività da questo pianeta (un'impresa senza speranza), quanto di mantenerla sotto controllo. Le persone valutano, fra l'altro, le loro relazioni sociali proprio in base a quanto esse resistono a rivalità e disaccordi. È giunto, dunque, il momento di studiare seriamente i meccanismi naturali di risoluzione dei conflitti, poiché questi fanno sì che il comportamento aggressivo non sia necessariamente disgregante, e che all'interno di un conflitto interpersonale vi siano aspetti sia costruttivi che distruttivi.

Mi resi conto per la prima volta che questo tema può essere studiato in altre specie oltre che nell'uomo, dopo aver assistito a un conflitto fra gli scimpanzé dello zoo di Arnhem in Olanda. Accadde durante l'inverno del 1975, quando la colonia era tenuta al chiuso. Nel corso di una carica, il maschio dominante aveva attaccato una femmina, causando un caos incredibile, con tutti gli animali che urlando si precipitavano nella mischia per difenderla. Quando alla fine il gruppo si calmò, c'era un silenzio insolito, nessuno si muoveva, come se stessero aspettando qualcosa. Improvvisamente l'intera colonia esplose in poderosi schiamazzi, mentre uno dei maschi produceva un frastuono assordante con grossi tamburi di metallo, in un angolo della sala. Al centro di quel pandemonio due scimpanzé si abbracciavano e baciavano.

Per quanto strano, in quell'occasione mi ci vollero ore per capire cosa era successo. Pensavo a quell'abbraccio e a come tutto il gruppo avesse risposto con grande eccitazione; in effetti quegli eventi costituivano qualcosa di più di un'interessante sequenza comportamentale: ad abbracciarsi, infatti, erano stati proprio il maschio e la femmina che si erano fronteggiati. È stato allora che la parola «riconciliazione» mi ha illuminato, rendendomi chiara la connessione. Da allora cominciai a osservare che i «riavvicinamenti» fra vittime e aggressori erano un fenomeno comune e ovvio, tanto che diventava difficile capire come mai potesse essere sfuggito per tanto tempo a me e a schiere di altri etologi.

Lo zoo di Arnhem possiede la colonia di scimpanzé più numerosa al mondo. Molti zoo tengono gorilla e oranghi in spaziosi recinti, mentre si vedono ancora gli scimpanzé in gabbie antiquate. Nella colonia di Arnhem, dall'epoca della sua fondazione, nel 1972, fino al 1980, tutto andò bene, ma in quell'anno due maschi si coalizzarono per eliminare un rivale. Quel sanguinoso incidente influenzò profondamente le mie opinioni sulla risoluzione dei conflitti. Fino a quel momento avevo considerato la riconciliazione da un punto di vista un po' romantico; ora invece ho una visione più pragmatica di ciò che può accadere quando i conflitti vengono risolti con mezzi non pacifici.

Tenendo a mente queste considerazioni, e sapendo che l'argomento riconciliazione necessita di studi su più di una specie, negli Stati Uniti ho progettato studi sui bonobo e su due specie di macachi, i reso e quelli a coda mozza.* I bonobo sono conosciuti come antropomorfe gentili e pacifiche, mentre i macachi reso hanno la reputazione di essere fra le scimmie più aggressive e intolleranti.

* In questo libro vengono trattate in dettaglio cinque specie di primati: Scimpanzé (*Pan troglodytes*); Reso o Macaco Reso (*Macaca mulatta*); Macaco orsino (*Macaca arctoides*); Bonobo o Scimpanzé nano (*Pan paniscus*); Uomo (*Homo sapiens*). [*N.d.T.*]

Sebbene io condivida questa opinione, ho finito per amare queste piccole pesti; considero, infatti, un po' una sfida dimostrare che anche le scimmie reso hanno forme adeguate di riconciliazione. In effetti, per un animale che preferisca la vita di gruppo alla solitudine, non esistono alternative alla riconciliazione.

Dopo molti anni di ricerca in questo campo, ho deciso di comunicare le mie scoperte a un pubblico più vasto, una decisione che non è stato difficile prendere ma che comporta alcuni rischi. Infatti, è praticamente impossibile soddisfare le esigenze di rigore scientifico dei miei colleghi e allo stesso tempo interessare il profano. Dato che ho scelto di destinare questo libro al lettore comune, esporrò le mie idee prevalentemente con descrizioni, aneddoti e con le fotografie che io stesso ho scattato durante i vari progetti. Essere scettici di fronte a questo genere di spiegazioni è comprensibile; qualunque ricercatore pretende di vedere dati statistici prima di accettare un'affermazione scientifica, e io stesso applico questo criterio alle mie ricerche.

Gli etologi basano le loro conclusioni su comportamenti osservabili, seguendo metodi rigorosi di raccolta dei dati. Se si vuole classificare una certa azione come «aggressiva», per esempio, essa deve includere una specifica serie di comportamenti che precedenti analisi hanno dimostrato essere associati con altri, quali inseguire e mordere. In questo modo si elimina ogni interpretazione soggettiva. Io ho seguito costantemente questi criteri: per ogni aneddoto raccontato in questo libro centinaia di dati sono stati immessi nel nostro computer. Coloro fra i lettori che volessero valutare di persona la serietà delle mie affermazioni possono fare riferimento alla bibliografia per una lista dei miei articoli scientifici.

Il mio intento principale in questa sede è di modificare la desolante visione della condizione umana che la biologia ha proposto finora. In anni in cui la pace è diventato l'argomento di maggiore interesse pubblico, è essenziale far sapere che per l'uomo fare pace è altrettanto biologicamente naturale che fare la guerra.

1

FALSE DICOTOMIE

È scientificamente scorretto dire che nel corso dell'evoluzione umana ci sia stata una particolare selezione a favore del comportamento aggressivo, più che a favore di altri tipi di comportamento.

«Dichiarazione di Siviglia sulla violenza»

La mia è una politica di pace, che non è fondata su parole, gesti o meri accordi scritti; essa deriva da un alto prestigio nazionale e da una intera rete di patti e trattati che cementano l'armonia fra i popoli.

BENITO MUSSOLINI

La ricerca sull'aggressività è stata finora dominata da tre distinte dicotomie. Una prima dicotomia consiste nella suddivisione dei comportamenti in buoni e cattivi. In secondo luogo, i biologi, nel corso dell'ultimo decennio, hanno accentuato l'importanza dell'individuo rispetto al gruppo sociale. Le idee di Simmel sulla funzione del conflitto nella società, sono state messe in ombra dall'idea che il conflitto servisse unicamente agli interessi della parte vincente. Esiste, infine, una distinzione fra studi condotti su animali in condizioni naturali e studi su animali in condizioni di cattività. Mentre alcuni scienziati considerano la ricerca sul campo l'unica valida, altri la ritengono un esperimento incontrollato e inconcludente. Ognuna di queste dicotomie ha una sua utilità, ma in questo capitolo cercherò di confutarle tutte. Infatti io sono profondamente convinto della complementarità di approcci e di concetti differenti.

La « buona » aggressività

I capi di due villaggi Eipo-Papua stavano per compiere il loro primo viaggio in aereo. Avevano contribuito alla costruzione di una pista di atterraggio sugli inaccessibili altipiani della Nuova Guinea e in cambio Wulf Schiefenhövel, un etologo tedesco, il quale mi ha poi raccontato la storia, li aveva invitati a fare quel volo. I due Papua, per nulla spaventati di salire sull'aereo, fecero una strana richiesta: volevano che uno dei portelli laterali rimanesse aperto. Wulf spiegò che in cielo fa molto freddo, e visto che loro erano praticamente nudi, a parte il tradizionale perizoma, si sarebbero congelati. I due risposero che non importava, e poi espressero il desiderio di poter portare con loro un paio di pietre pesanti. «Perché volete fare una cosa simile?» chiese Wulf stupefatto. La risposta fu che se il pilota fosse stato così gentile da sorvolare il villaggio dei nemici, loro lo avrebbero colpito con le pietre, gettandole dal portello aperto. Ovviamente la loro richiesta non fu accolta, e la sera Schiefenhövel annotò sul suo diario che aveva assistito di prima persona all'invenzione della bomba da parte di uomini dell'età della pietra.

La mente dell'*Homo sapiens*, evidentemente, segue ovunque lo stesso oscuro percorso. D'altronde, molti di noi affermano di essere amanti della pace. Per capire questo paradosso occorre distinguere tra rapporti interni al gruppo e rapporti esterni. Tutte le comunità umane operano infatti una distinzione fra l'uccidere all'interno della comunità, un atto giudicato e punito come omicidio, e l'uccidere estranei, un atto di coraggio e un servizio alla comunità. Il venir meno dei meccanismi inibitori dell'aggressività, descritto da Lorenz, a mio parere, si ha soprattutto durante le guerre e altre forme di violenza fra persone di comunità differenti.

Se così non fosse, sarebbe difficile spiegare la coesione e la complessità delle società umane. Una banda di assassini incontrollati costituirebbe, infatti, un tipo di società molto diverso, simile alla descrizione che George Myers fa di un terrorizzante banco di voracissimi piranha: «I pesci nuotavano lentamente, tenendosi ben distanti uno dall'altro e manifestando chiaramente di non volere nessuno alle spalle, da dove si può venire attaccati di sorpresa. Mi facevano pensare a un gruppo di killer, ognuno con la pistola in tasca e ben consapevole del fatto che anche gli altri erano pronti a usarla a ogni istante».

L'evoluzione di misure di sicurezza contro i danni dell'aggressività ebbe inizio con le cure parentali. Perfino i coccodrilli, animali arcaici dalle mascelle potenti, li si può vedere con la bocca piena di piccoli fiduciosi, che guardano il mondo attraverso i denti della madre come turisti su un autobus. Tanto maggiore è la complessità della vita in gruppo di una specie, tanto più forti sono le inibizioni all'aggressione, sia verso i consanguinei sia verso i non parenti. I primati non umani hanno sistemi di controllo molto sviluppati per limitare gli eccessi di aggressività; alcuni di questi sistemi sono innati, altri vengono imposti dal gruppo. Per esempio, i pesanti attacchi dei giovani maschi verso le femmine vengono spesso bloccati dagli altri membri del gruppo. I maschi di età maggiore hanno imparato a controllare la loro aggressività verso le femmine.

Analoghe regole sociali e inibizioni acquisite sono presenti anche nella vita sociale umana. Per esempio, se una donna colpisce il marito in pubblico, questo gesto non viene considerato (tranne, forse, che dal malcapitato) così socialmente riprovevole, quanto lo sarebbe in caso d'inversione delle parti. Nel primo caso penseremmo: «Che temperamento!»; nel secondo invece disapproveremmo: «Che bruto!». Ricordo un fumetto dei Peanuts dove Lucy, con un perfido sorriso, punzecchia Charlie Brown dicendogli: «Non mi puoi picchiare, Charlie Brown! Sono una *ragazza*!». La differenza di forza fisica rende la mancanza di rispetto di un uomo verso una donna una faccenda grave. In privato le regole di combattimento fra i sessi non sempre vengono rispettate, come diventa ogni giorno più evidente. Se vengono meno i meccanismi di equilibrio e di controllo sociale, l'aggressività maschile può sconfinare in delitti violenti. Senza dubbio la capacità degli uomini di controllare la propria ira, dipende anche molto dall'educazione e dagli esempi ricevuti da ragazzi.

Il modo più immediato per evitare un aumento esplosivo dell'aggressività è il ricorrere a espressioni dolci e al contatto fisico. Il controllo della tensione mediante carezze, abbracci e *grooming*,* si basa sul profondo bisogno di contatto che caratterizza l'ordine dei primati. Lorenz studiava principalmente uccelli e pesci, ma avete mai provato a calmare un uccello o un pesce spaventati? Quando le mie taccole erano agitate non volevano assolutamente che le si toccasse. Se lisciavo loro le penne, soprattutto quelle del collo, riuscivo sì a calmarle, ma solo quando il pericolo era passato. Invece i primati cercano il contatto fisico proprio quando sono agitati, e spesso si calmano solo dopo un po' di *grooming* e di abbracci. Le giovani scimmie non antropomorfe vivono a stretto contatto con la madre per circa un anno, mentre i piccoli scimpanzé le restano vicini anche fino a quattro anni. Non è, quindi, sorprendente che conservino il bisogno di essere confortati attraverso il contatto. Scimpanzé adulti di venti anni o più mostrano ancora la reazione di aggrappamento tipica dei piccoli: nei momenti di pericolo o di confronto con rivali si abbracciano strettamente l'uno all'altro, urlando. C'è chi sostiene che al fronte i soldati spaventati si comportino allo stesso modo.

* Vedi de Waal *La politica degli scimpanzé*. [*N.d.T.*]

In una serie di esperimenti, William Mason riuscì a dimostrare che prendendo in braccio un giovane scimpanzé si può calmare l'agitazione dovuta a dolore fisico. Un simile fatto sembra tanto ovvio che uno si chiede se ci sia bisogno di dimostrarlo sperimentalmente. La ricerca di Mason, comunque, avvenne quando, almeno negli Stati Uniti, le spiegazioni del comportamento umano e animale si basavano esclusivamente su semplici schemi di premio e punizione. Non si prestava alcuna attenzione a bisogni più profondi. Il più noto rappresentante della scuola comportamentistica, B. F. Skinner, vedeva i sentimenti come sottoprodotti senza significato del condizionamento.

I forti legami fra madre e figlio, presenti in tutti i mammiferi, venivano spiegati con il premio costituito dal latte materno. Per i comportamentisti non occorreva altra spiegazione. Harry Harlow, fondatore del Wisconsin Regional Primate Research Center, respinse una spiegazione così semplicistica, dimostrando che il bisogno di contatto è un fattore cruciale, forse anche più del latte stesso. Se a scimmiottini privati della madre si offriva la scelta fra un «surrogato» di madre fatto di filo metallico ma dotato di biberon, e una «madre» senza biberon, ma coperta da un panno morbido e caldo, gli scimmiotti formavano un legame con quest'ultimo tipo di «mamma», passavano la giornata su di «lei» e facevano solo brevi visite all'altra «madre» per bere il latte.

Le ricerche pionieristiche di Harlow, su quello che egli definì il sistema affettivo delle scimmie reso, sono state e sono tuttora molto influenti in ambito scientifico, anche se le sue conclusioni hanno spesso incontrato resistenze. Alcuni scienziati accettano con difficoltà che le scimmie possano avere sentimenti. In *The Human Model* (dove si afferma l'utilità dell'uomo come modello del comportamento delle scimmie!) Harlow e Mears descrivono un incontro pieno di tensione: «Harlow si servì del termine "amore"; a questo termine lo psichiatra presente contrappose quello di "prossimità". Harlow allora provò a usare "affetto", lo psichiatra insistette con "prossimità". Harlow allora cominciò a irritarsi, ma poi lasciò perdere, rendendosi conto che per lo psichiatra il massimo dell'amore non era mai andato oltre la prossimità».

I primati, giovani e adulti, usano il contatto come forma di rassicurazione e riconciliazione; le conseguenze delle aggressioni non sono perciò sempre quelle che ci si aspetterebbe. La dispersione, il processo con cui gli individui si distribuiscono su una certa area, viene sovente considerata la conseguenza principale dell'aggressi-

Uno scimpanzé adolescente (*a destra*) cerca rassicurazione dalla madre, mentre osserva un intenso conflitto nella comunità. (Yerkes Primate Center.)

vità. In alcuni testi, ormai superati, si attribuisce all'aggressività proprio la funzione di spaziare gli animali fra loro. Nei primati, invece, le lotte più violente sono seguite da un'ondata di *grooming* e altri contatti amichevoli. È dunque verosimile che grazie a questi meccanismi, un moderato antagonismo rafforzi anziché indebolire i legami. Ovviamente, non è l'aggressione in sé ad avere questo effetto, occorre che vi sia prima un legame o un'interdipendenza fra gli individui.

I maschi delle amadriadi rafforzano l'unità del loro harem mordendo sulla nuca le femmine che cercano di allontanarsi. Al morso fa seguito una «fuga al contrario», ossia la femmina attaccata, anziché allontanarsi dal maschio, come parrebbe ovvio, corre verso di lui e riprende la sua posizione accanto a lui. È stato anche dimostrato che, nelle scimmie, l'attaccamento del piccolo si rafforza, quando la madre lo rifiuta e lo punisce. Esistono, inoltre, teorie sugli effetti di rinforzo che l'aggressività può avere in relazione al

Tra i babbuini selvatici il *grooming* è il contatto amichevole più comune. Oltre a pulire la pelliccia ha un effetto calmante, come risulta evidente dalla posizione rilassata di questa femmina adulta di babbuino, che accoglie beatamente le attenzioni di un giovane. (Gilgil, Kenya.)

rango. Queste teorie mettono in evidenza il grande interesse che viene rivolto agli individui dominanti, i quali vengono così a trovarsi al centro sia dell'attenzione visiva sia delle attività di cura del pelo dei subordinati. È una situazione analoga a quella dei cani che «leccano la mano di chi li picchia». Ovviamente questo avviene solo in animali che hanno un forte senso della gerarchia; non aspettatevi un comportamento simile dal vostro gatto!

Un analogo uso umano dell'aggressione a fini di rafforzamento dei legami, può essere individuato per esempio nei processi di iniziazione. Io stesso, quand'ero matricola all'università, ho dovuto sottostare a un numero incredibile di scherzi e di umiliazioni, compresa la rasatura dei capelli, considerati necessari per entrare a far parte di una confraternita. A quei tempi l'iniziazione non era del tutto priva di rischi; si sa di ferimenti, o addirittura di casi di morte. Anche qui il desiderio di far parte del gruppo è un prerequisito. È infatti assai improbabile che l'ostilità e il venir messi in ridicolo possano dare origine a un legame in chi non sia minimamente interessato a far parte del gruppo. Solo in combinazione con questo desiderio di essere accettati, trattamenti così pesanti possono servire a mettere alla prova i nuovi membri e a rafforzarne il desiderio di appartenenza e la lealtà. La presenza di riti di iniziazione dolorosi in una grande varietà di culture umane rende improbabile l'ipotesi che i meccanismi psicologici coinvolti in questo processo di formazione di legami siano un'invenzione indipendente di ciascuna società.

In termini molto generali (non ne sappiamo abbastanza per essere più precisi), sembra allora che l'aggressività risulti spesso così bene integrata in altre relazioni di per sé positive, da contribuire al loro rafforzamento. L'aggressività comporta dei rischi e deve essere contenuta, ma può anche riuscire utile al conseguimento di soluzioni e compromessi, in caso di interessi contrastanti. Se non vi fosse la possibilità di un aperto contrasto, gli individui finirebbero con l'allontanarsi l'uno dall'altro e non saprebbero più quali siano le reciproche intenzioni. Come stiamo cominciando a capire, l'aggressione e la successiva rappacificazione rafforzano le relazioni sociali, cosicché, paradossalmente, alcune forme di sopraffazione possono rinforzare il legame. In psichiatria non mancano casi in cui sopraffazioni su donne e bambini risultano correlati a un attaccamento molto forte e ambivalente.

Una teoria ormai superata sosteneva che l'ira e altre tendenze omicide sono come l'acqua che si accumula in un invaso dietro una diga. Secondo questo modello «idraulico» o «ventilazionista», lo scaricarsi dei comportamenti violenti è spontaneo e inevitabile. Io preferisco la metafora dell'aggressività come fuoco. Una fiamma pilota brucia di continuo dentro di noi, e noi ne facciamo uso quando la situazione lo richiede, in un modo che non è interamente razionale e conscio, ma neanche del tutto istintivo, cieco, come se ci dovessimo liberare di un eccesso di energia. Quando le situazioni sfuggono al nostro controllo, il che succede regolarmente, noi non pensiamo che il fuoco sia una cosa cattiva in sé, e ci rendiamo conto che è indispensabile.

Il controllo sul fuoco è stato uno dei passi fondamentali della storia dell'uomo, ma il controllo dell'aggressività dev'essere stato raggiunto molto tempo prima. Un'indicazione che i primati sanno gestire i conflitti meglio di molti altri animali, compresi i ratti che Lorenz spesso paragonava a noi, proviene da recenti studi sugli effetti del sovraffollamento. Quando un gran numero di ratti è costretto a vivere in spazi angusti, si verificano uccisioni e anche fenomeni di cannibalismo, mentre esperimenti simili con le scimmie hanno avuto effetti molto meno drammatici. Finora gli studi più particolareggiati al riguardo sono quelli svolti da Michael McGuire e collaboratori, che hanno confrontato gruppi di cercopitechi in libertà con gruppi tenuti in recinti di varie dimensioni. Nel corso di questi esperimenti non accadde nulla di paragonabile al bagno di sangue dei ratti, anche nelle condizioni di massimo sovraffollamento. Man mano che lo spazio vitale si riduceva le scimmie prestavano sempre meno attenzione ai loro compagni. Guardavano in ogni direzione (il cielo, il pavimento, l'ambiente esterno), tranne verso gli altri individui, come se cercassero di ridurre l'input sociale. Questo è un buon modo di evitare irritazioni e attriti, analogo al comportamento dei passeggeri di una metropolitana affollata che fissano il buio dei finestrini, per evitare il contatto visivo con gli altri.

L'unico studio sul sovraffollamento nelle antropomorfe indica che esse fanno un passo in più rispetto alle altre scimmie, riducendo attivamente la tensione sociale. La numerosa colonia di scimpanzé dello zoo di Arnhem trascorre l'inverno in un locale riscaldato venti volte più piccolo del grande recinto estivo. Confrontando il comportamento all'interno e all'esterno, io e Kees Nieuwenhuijsen scoprimmo che l'aumento di aggressività durante il sovraffollamento era sorprendentemente esiguo. Poiché ci accorgemmo che nel locale interno gli animali si facevano reciprocamente molto più *grooming*, e si scambiavano molti più gesti di pacificazione, pensammo che ricorressero a questi comportamenti per ridurre le ostilità al minimo.

La stessa relazione fra rapporti sociali tesi e intensificazione dei contatti la osservammo durante i cambiamenti di dominanza fra i maschi adulti di alto rango della colonia. I conflitti per la conquista del dominio iniziavano sempre durante i periodi trascorsi nel recinto esterno, presumibilmente perché in un ambiente chiuso ci sono poche possibilità di fuga, e ciò rende molto pericoloso sfidare il maschio al potere in quel momento. I periodi estremamente tesi in cui avvengono i cambiamenti di dominanza sono individuabili con facilità nei nostri grafici relativi ai tassi di *grooming*; i maschi non si fanno mai tanto *grooming* come quando la loro posizione è in pericolo. Inoltre l'attività più intensa avviene proprio fra i due rivali principali. Anche qui si può notare come i primati gestiscano gli antagonismi, invece di lasciare che questi distruggano i loro rapporti.

La pace «cattiva»

Nella letteratura scientifica esistono centinaia di definizioni dell'aggressività. In italiano questa parola ha un significato molto ampio, e viene usata in frasi come «un radiocronista aggressivo» o «un aggressivo concerto per pianoforte». Anche quando si riferisce strettamente ad attacchi fisici inferti o minacciati, il termine assume significati diversi per persone diverse. Molti scienziati considerano l'aggressività un comportamento antisociale; questa definizione però non mi convince molto, dal momento che l'aggressività è profondamente connessa anche con i potenti meccanismi che ne mitigano gli effetti.

Con la parola «pace» si crea il problema opposto: le persone considerano sempre pace e riconciliazione come obiettivi desiderabili. Vorrei fornire alcuni esempi umani per dimostrare che la parola «pace» può essere altrettanto ambigua della parola «aggressività». Le connotazioni e i valori morali collegati a questi termini ci costringono a creare false dicotomie, mentre nella vita reale raramente si incontrano «forme pure». In mancanza di informazioni adeguate sui processi di pacificazione interindividuali fra uomini, ho tratto i miei esempi dagli avvenimenti di politica internazionale, ambito nel quale l'argomento della pace viene trattato regolarmente.

Mentre la pace in termini generali può essere considerata buona, il problema fondamentale è: buona per chi? La Pax Romana deve essere stata una grande benedizione per i romani, ma potremmo dire lo stesso per i popoli assoggettati? Ognuno desidera la pace, ma alle proprie condizioni. Ed è per questo che alcune relazioni pacifiche possono diventare intollerabili per una delle parti, tanto che la guerra o la rivoluzione possono diventare un mezzo per cambiare proprio le condizioni di pace. Perfino il Comitato norvegese per il Nobel si è trovato di fronte a questo fenomeno. È evidente come il movimento di Solidarność di Lech Wałesa, più che favorire l'armonia, minacciava lo status quo in Polonia; ciononostante egli ricevette nel 1983 il Premio Nobel per la Pace. Agli occhi degli occidentali il movimento era in lotta per una giusta causa, da ciò la curiosa interpretazione di una rivolta come gesto a favore della pace.

Conor Cruise O'Brien, già direttore dell'«Observer», racconta che, negli anni Cinquanta, la stesura di una risoluzione delle Nazioni Unite richiese l'approvazione di un consigliere tibetano del Dalai Lama. Il testo includeva il termine «vittoria», e il consigliere si oppose a una parola così forte, dicendo che il suo popolo credeva in una religione di pace. Cruise O'Brien gli domandò, allora, se i buddhisti non si trovino mai in conflitto, e come descriverebbero una situazione nella quale fossero i vincitori. «Noi abbiamo parole per questa eventualità,» rispose il consigliere «la chiamiamo pace ottima ed eccellente.»

La parola «pace» è una specie di dolce melodia per i politici di tutto il mondo. Lo slogan «La guerra è pace» del libro *1984* lo si può ritrovare nell'uso di espressioni come «pacificazione» per descrivere la distruzione di interi villaggi in Vietnam, «le forze di pace» per descrivere l'esercito britannico nell'Irlanda del Nord, e «Portatore della Pace» per un missile micidiale. Quando il presidente Ronald Reagan scelse questo grazioso nome per il nuovo missile MX, Eugene Carroll, un ammiraglio della Marina USA in pensione, disse che era come definire la ghigliottina un rimedio per il mal di testa.

Un'altra scelta fuorviante di parole riguarda il cosiddetto Movimento per la Pace nell'Europa orientale. Negli intenti questo movimento condivideva appieno gli ideali del forte movimento pacifista occidentale, senonché uno dei suoi obiettivi era la smobilitazione non di tutti gli eserciti, ma solo di quelli dei Paesi occidentali confinanti. I governi dei Paesi comunisti sembravano incoraggiare questo movimento, ma contemporaneamente arrestavano i cittadini che si dichiaravano pubblicamente contrari a un aumento degli armamenti da *entrambi* le parti.

«Masticava la parola pace con la stessa foga con cui si mastica un chewing-gum» scrisse la giornalista Oriana Fallaci in *Intervista con la storia* a proposito di re Hussein di Giordania. Il re, infatti, insisteva che egli stava cercando di raggiungere un accordo con i combattenti palestinesi che si trovavano nel suo Paese, e che non aveva alcuna intenzione di espellerli: «Io ho scelto di tenere i feddayn e tengo fede alla mia scelta, anche se il mio atteggiamento può sembrare donchisciottesco o ingenuo». Qualche mese dopo l'intervista con la Fallaci, le truppe di Hussein compirono un attacco a sorpresa contro i feddayn; ne uccisero a migliaia, comprese persone indifese nei campi profughi. Le truppe furono spietate, tagliarono braccia, gambe e perfino i genitali alle loro vittime legate, altri furono decapitati. Il massacro noto come Settembre Nero conferì al re la reputazione di macellaio dei palestinesi. Ciononostante, quattordici anni più tardi, nel 1984, egli fu baciato e abbracciato pubblicamente dal capo dell'Organizzazione per la Liberazione della Palestina Yasser Arafat. Un quotidiano definì l'evento «La riconciliazione dell'Irriconciliabile». Arafat era stato costretto a questa drammatica iniziativa di pace dall'aver perso tutte le sue posizioni in Libano.

Riconciliazioni di tipo opportunistico sono prevedibili in ogni organizzazione in cui il potere dipende da coalizioni e dal supporto del gruppo. Gli scimpanzé hanno all'incirca questo tipo di organizzazione sociale, anche se in forma molto meno istituzionalizzata. I loro leader, infatti, se costretti dalle circostanze, sanno accettare compromessi con i rivali. La colonia dello zoo di Arnehm è stata dominata per molti anni da una coalizione di due maschi adulti. Il più giovane dei due, Nikkie, era diventato capo del gruppo con l'aiuto di un maschio più vecchio, Yeroen, molto più esperto negli intricati giochi di potere. Nikkie era fisicamente superiore a Yeroen, ma allo stesso tempo dipendeva fortemente da lui, poiché vi era nella colonia un terzo maschio che non temeva nessuno dei due, quando erano da soli. Finché Nikkie e Yeroen andavano d'accordo, come di solito accadeva, non vi erano problemi. Insieme potevano agevolmente sottomettere l'altro maschio.

Il problema si presentava quando iniziavano uno dei loro occasionali litigi. Nikkie e Yeroen si inseguivano urlando per tutto l'isolotto, e quanto più a lungo durava il litigio, tanto più il terzo maschio rizzava il pelo. In quelle occasioni egli si esibiva in spettacolari parate di intimidazione, urlando e scagliando rami e pietre in tutte le direzioni, con il pelo completamente ritto per sembrare più imponente. Questo maschio, Luit, gettava anche lo scompiglio nel gruppo, terrorizzando le femmine ed esibendosi sempre più vicino ai due litiganti. C'era un solo un modo per fermarlo: ricostituire la coalizione in tutta fretta. Nel bel mezzo di un duro conflitto Nikkie cominciava a rivolgere gesti pacificatori a Yeroen, ten-

Dopo un rumoroso e aspro conflitto Nikkie si avvicina, con un gran ghigno sulla faccia, al suo avversario Yeroen (*a destra*). Yeroen alza un braccio, in segno di invito. Il successivo abbraccio tra i due maschi dominanti sancisce la pace nella colonia. (Zoo di Arnhem.)

dendogli la mano e, con un largo ghigno nervoso sulla faccia, gli chiedeva di fare pace. Non appena Yeroen cedeva e accettava di farsi abbracciare, Nikkie si precipitava sul comune rivale per ribadire la propria posizione, avvicinandoglisi con il pelo ritto e con le labbra chiuse e pressate, in una esibizione di dominanza. Luit, allora, rispondeva inchinandosi e grugnendo. Aveva capito che la riconciliazione fra gli altri due maschi significava che loro, ancora una volta, avevano costituito un fronte comune.

Anche altri membri del gruppo di Arnhem sembravano conoscere bene questo meccanismo. Ho visto Mama, la femmina più anziana del gruppo fare efficacemente da mediatrice nei conflitti fra i due membri della coalizione. In una di queste occasioni la vecchia femmina prima andò da Nikkie e gli mise un dito in bocca, un gesto di rassicurazione comune fra gli scimpanzé; intanto oscillava la testa, tendendo la mano verso Yeroen, che poco dopo si avvicinò e diede a Mama un lungo bacio sulla bocca; subito dopo la femmina si ritrasse così che Yeroen si trovò ad abbracciare Nikkie, ancora agitato. Dopo questa rappacificazione i due maschi, fianco a fianco, inseguirono Luit che aveva iniziato a pavoneggiarsi con il pelo ritto. Era dunque stata Mama a porre termine allo scompiglio creatosi, ricostituendo di fatto la coalizione al potere.

La riconciliazione è un processo complesso, che dipende sia da considerazioni strategiche sia dal desiderio di stabilire relazioni congeniali. Quest'ultimo fattore, altamente soggettivo, viene a volte esaltato come l'unico che conti. Alla gente piace immaginare un mondo idilliaco, un giardino in cui lupi e agnelli giochino serenamente insieme, oppure dove, per esempio, soldati russi e americani si scambino mazzi di fiori. Secondo l'ex presidente Richard Nixon, la pace utopica si può raggiungere solo in due casi: davanti alla macchina da scrivere e nella tomba. Quel tipo di pace non ha significato pratico in un mondo in cui i conflitti sono persistenti e diffusi: «Se la pace deve esistere, esisterà insieme alle ambizioni, all'orgoglio e all'odio degli uomini». L'espressione «coesistenza pacifica» coniata dal premier russo Nikita Krusciov sottintende un analogo concetto. Dopo la morte di Stalin i sovietici erano decisi a migliorare la loro reputazione internazionale e Krusciov aveva detto che, dal momento che né i Paesi capitalisti né quelli comunisti volevano fare un viaggio su Marte, bisognava che trovassero il modo di convivere su un solo pianeta.

Forse Nixon e Krusciov possono non essere persone da cui poter prendere lezioni di pace, ma è proprio da persone come loro che dipende il nostro futuro. La loro cinica opinione riguardo la necessità di basare la pace internazionale sulla paura reciproca, invece che sulla fiducia reciproca, è in stridente contrasto con gli ideali di molti pacifisti, che propongono come soluzione una riduzione unilaterale degli armamenti. Con la loro visione profondamente ottimistica della natura umana, i pacifisti operano in base a un concetto di pace fondamentalmente diverso. Per quanto non condivida il loro ottimismo (un eccessivo sbilanciamento di forze fra le due potenze mi spaventerebbe moltissimo), mi riesce ugualmente difficile vedere l'attuale corsa agli armamenti come un'impresa sensata. Nell'uomo, l'illusione della razionalità può sfiorare il ridicolo, poiché tutto quello che facciamo sembra essere una rozza catena di azioni e reazioni.

Tutte le parti coinvolte nel dibattito sul controllo degli armamenti (forse il dibattito pubblico più importante di tutti i tempi) desiderano apporre alla propria causa la stessa etichetta. Questa competizione per il diritto di parlare di «pace» rivela l'incredibile potere di questa parola e ci ammonisce al riguardo. Un giornalista inglese, Bernard Levin, ha detto di non approvare l'uso che ne viene fatto dai pacifisti. «La parola "pace" è stata strappata dalla sua onorevole posizione nella nostra lingua e usata per sostenere che chi pensa che la pace possa essere raggiunta più facilmente e con minori rischi usando la forza non stia affatto aspirando a essa. Spesso quanti sono favorevoli al disarmo vanno oltre e si dichiarano "contro la guerra", con la chiara implicazione che coloro che non appoggiano la loro causa sono "a favore della guerra"» (dal «Times» di Londra, 7 luglio 1983).

Le relazioni interindividuali nei gruppi di primati, di cui parlerò in questo libro, hanno ovviamente un peso assai minore degli equilibri fra le superpotenze. Ciò che le due cose hanno in comune, è che per entrambe una descrizione in termini di «pace» e «aggressione» è insensata, a meno che non si precisino le circostanze. Sappiamo bene quale sia il significato di queste parole, ma noi siamo soliti utilizzarle applicando loro dei qualificativi. Nelle nostre relazioni raramente confondiamo una pace basata sulla fiducia con una basata su considerazioni opportunistiche, sulla paura reciproca, o sul predominio di una delle parti; quando studiamo i primati dobbiamo tenere presenti le stesse considerazioni.

L'individuo e il gruppo

Una persona che non ha mai sentito parlare della danza delle api non saprebbe riconoscere tale fenomeno guardando questi insetti. Karl von Frisch non si accorse della sua esistenza per molto tempo, sebbene avesse studiato le api per molti anni e con grande attenzione, finché nel 1919 fece la sua straordinaria scoperta. Il suo intuito aveva riportato ordine all'apparente caos che c'è in un alveare, cambiando per sempre la visione che gli etologi hanno delle api e della comunicazione animale in generale. La prospettiva di un osservatore dipende dall'influenza di precedenti scoperte, dagli studi che ha compiuto, dagli sviluppi teorici che avvengono nel suo campo e perfino dal clima socioculturale.

È sempre utile tenere presente il retroterra culturale di riferimento di un ricercatore. Esistono complessivamente tre prospettive da cui il comportamento sociale può essere studiato: dal punto di vista del gruppo nel suo insieme, da quello dell'individuo e infine da quello del patrimonio genetico. Per quanto astruso possa sembrare, quest'ultimo approccio riceve molta attenzione in una branca dell'etologia conosciuta come *sociobiologia*.

Da un punto di vista teorico, le basi genetiche del comportamento sono di grande interesse. Un comportamento ereditato da forme ancestrali deve aver permesso loro di sopravvivere agevolmente senza danneggiarle, altrimenti non sarebbero sopravvissute e non avrebbero potuto riprodursi. I caratteri innati hanno superato con successo, nel corso di migliaia di anni, il severo vaglio dell'evoluzione. Se questa visione darwiniana è portata alle sue estreme conseguenze, gli animali e gli uomini possono essere visti come semplici «macchine per la sopravvivenza», il cui unico compito è di moltiplicare il loro materiale genetico. Il futuro di un gene dipende interamente dal successo riproduttivo dei portatori, ossia di quegli individui nei cui cromosomi si trova quel gene. Se questi portatori non riescono a produrre una discendenza, il gene non sarà presente nella generazione successiva. I geni di successo, secondo questa teoria, producono comportamenti che permettono agli individui di trovare il cibo, attrarre membri del sesso opposto e allevare i piccoli. Anche i geni che producono comportamenti altruistici verso i propri consanguinei sono favoriti, perché i membri di una stessa famiglia hanno molti geni in comune. Per il gene, infatti, non ha molta importanza attraverso quale di questi individui venga trasmesso. Un organismo può dunque essere visto come un automa al servizio dei propri geni: «Essi sono dentro di te e dentro di me; ci hanno creato, corpo e mente, e la loro conservazione è lo scopo ultimo della nostra esistenza». Questa sorprendente citazione è tratta dal libro di Richard Dawkins, *Il gene egoista*, un'esposizione di piacevole lettura di queste controverse teorie.

La visione sociobiologica domina attualmente gran parte della ricerca etologica. Ciononostante, quando vedo una coppia di pappagalli lisciarsi l'un l'altro le penne con paziente tenerezza, il mio primo pensiero non è mai che i due uccelli si stanno comportando in quel modo per favorire la sopravvivenza dei loro geni. In realtà è scorretto parlare in questi termini impiegando il presente; questo tempo verbale non si addice alle spiegazioni di tipo evolutivo, che riguardano solo il passato. Personalmente tendo a considerare il comportamento soprattutto dal punto di vista dell'animale; cerco di analizzare, cioè, i sentimenti, le aspettative e l'intelligenza che fanno sì che un animale si comporti in un certo modo. Che cosa vede il pappagallo maschio in questa particolare femmina? Che cosa lei vede in lui? Questa, in realtà, è l'origine psicologica più che biologica del comportamento. Secondo la mia prospettiva, le cure reciproche fra questi uccelli sono un'espressione di affetto e amore o, per essere più oggettivi, il segno e la misura di un legame esclusivo. Ovviamente, è difficile immedesimarsi così quando si studia il comportamento di lumache, rane o farfalle, ma dato che tutte le mie ricerche riguardano le antropomorfe e le scimmie, credo profondamente nel valore di questo tipo di approccio. La capacità di prendere decisioni, su cui si fonda gran parte del comportamento di questi animali, ci è sorprendentemente familiare. L'antropomorfismo, quando è basato su una conoscenza profonda ed è verificabile sperimentalmente, è un utile primo passo per la comprensione di una psicologia simile alla nostra e quasi altrettanto complessa.

Un terzo approccio al comportamento sociale è a livello del gruppo. Fino a poco tempo fa, i biologi sostenevano, senza tante esitazioni, che l'interesse del gruppo o, perfino, quello della specie potessero essere l'obiettivo dell'individuo. Noi oggi sappiamo però che la selezione naturale eliminerebbe ben presto gli animali che ponessero l'interesse del gruppo al di sopra del proprio; infatti, contribuire alla vita sociale deve necessariamente essere vantaggioso per l'individuo, anche se in modo indiretto. Tutto ciò è vero, almeno in generale, anche per le società umane. Per esempio il fornaio all'angolo produce pane per l'intero quartiere, ciononostante lo fa nel proprio interesse. Le panetterie, dunque, servono a una doppia funzione: forniscono pane alla società e guadagni al fornaio. I sociobiologi vorrebbero sapere come un certo comportamento sia stato selezionato, e ciò, ovviamente, dipende dal guadagno che ne traggono chi lo compie e i suoi parenti. Dato che, dal punto di vista sociobiologico, i benefici che vanno alla società nel suo insieme in realtà non contano, alcuni di loro considerano le società delle pure astrazioni.

Secondo me, questo modo di pensare è riduttivo; ogni individuo sicuramente persegue i suoi obiettivi personali, ma la società è qualcosa di più complesso che la somma di tali obiettivi. In realtà, il gruppo può essere studiato come un'unità indipendente, così come alcuni botanici studiano le foreste e altri gli alberi. Per esempio, quando Mama ricostituì la pace della colonia intervenendo nel conflitto fra i due maschi dominanti, Yeroen e Nikkie, l'intera comunità ne trasse giovamento. Simili atti di mediazione contribuiscono alla stabilità del gruppo e, a lungo andare, possono impedirne la disgregazione. D'altronde, però, sarebbe ingenuo pensare che Mama non avesse le sue ragioni personali per comportarsi in quel modo, o che i due maschi avessero accettato di riconciliarsi per il bene del gruppo. A seconda del livello che si considera, si possono distinguere funzioni differenti. In un certo senso, è come se confrontassimo una vita sociale di tipo «socialista» basata sugli interessi della collettività (al livello del gruppo), con una di tipo «capitalista» basata sugli interessi del singolo (al livello dell'individuo). Qualunque cosa sostengano gli ideologi sia di destra sia di sinistra, ogni società deve raggiungere un equilibrio fra questi due princìpi fondamentali.

Per comprendere una società, i motivi che spingono gli individui a contribuire a tale complessa struttura possono non essere importanti, eppure io trovo estremamente interessanti proprio queste motivazioni individuali. I primati costituiscono e mantengono le loro comunità allo stesso modo in cui i coralli si associano a formare le grandi barriere oceaniche, ossia ciecamente, senza un'idea del prodotto finale? Oppure, come gli uomini, hanno un'immagine mentale della loro società, di come essa è, o dovrebbe essere, organizzata? Tutto questo è di particolare importanza per la riconciliazione; società complesse sono impensabili senza dei metodi di risoluzione dei conflitti. Gli animali sono capaci di appianare le discordie, tenendo presente il complesso quadro sociale in cui vivono? Quando, per esempio, un gruppo di scimmie si confronta regolarmente con un altro gruppo per motivi territoriali, questo porta ciascun gruppo a perdonare e dimenticare le rivalità *interne*, per una maggiore unità e forza del gruppo? Se questo accadesse, e non mi stupirei, dovremmo essere aperti alla possibilità che esista, negli animali, una coscienza di gruppo.

Ricapitolando, in un momento in cui gli scienziati danno grande importanza alle basi genetiche del comportamento, bisogna tener sempre presente che questo è solo uno dei livelli esplicativi, e che, per quanto riguarda i mammiferi più evoluti, uomo compreso, non è detto che sia il più significativo. Tre approcci complementari meritano uguale attenzione: l'evoluzione genetica del comportamento, le esperienze e le motivazioni dell'individuo, e l'impatto del comportamento sulla società nel suo insieme.

Studi in cattività e studi in natura

Nei prossimi capitoli descriverò vari casi di lotte fra primati per dimostrare che fare la pace non è una forma di superfluo edonismo. La pace e la guerra sono intimamente connesse e la riconciliazione può essere meglio compresa se consideriamo quanto la violenza possa essere una minaccia. Né l'ostilità né la pace sono condizioni stabili. Fra questi due estremi vi è un rapporto dialettico, un'interazione, come fra i princìpi Yin e Yang della filosofia cinese. Così come lo Yang, avendo raggiunto il massimo potere, inizia la sua discesa favorendo lo Yin, analogamente quest'ultimo, giunto al suo apice, declina a favore dello Yang. Non esiste l'eterna concordia nei sistemi sociali. La pace assoluta sarebbe come un oceano senza onde né maree; l'aggressività pura, invece, porterebbe ben presto alla distruzione di chi la pratica, di chi la subisce o di ambedue. In realtà, ciò che noi osserviamo è un continuo oscillare fra questi estremi, piuttosto che uno solo di questi.

Questo equilibrio dinamico però, a volte, viene turbato. Un esempio particolarmente drammatico mostra quanto l'aggressività sia un problema reale per i primati, un problema che essi devono necessariamente imparare ad affrontare. Il prezzo di un'aggressività incontrollata è, infatti, intollerabile. I primati non sono le creature affascinanti e divertenti che molte persone credono: in alcuni casi possono arrivare a uccidersi a vicenda. L'esempio che sto per riportare riguarda animali che vivevano in condizioni tanto innaturali da impedire una normale risoluzione del conflitto.

Nel 1925 i funzionari della Zoological Society di Londra «liberarono» non meno di cento scimmie a Monkey Hill, una collina rocciosa di 20×30 m di superficie. Gli animali erano amadriadi, noti anche come babbuini sacri, un tempo onorati dagli egiziani. Questa specie può sembrare l'incubo di una femminista: i maschi sono grandi il doppio delle femmine e hanno canini enormi. Difendono il loro harem dagli altri maschi con ardore e, praticamente, considerano le femmine una loro proprietà. Per colmo di sfortuna nel recinto di Monkey Hill vi erano soltanto sei femmine, e il risultato fu un bagno di sangue. I maschi lottavano per le femmine trascinandosele dietro a viva forza, non appena se ne impossessavano. Le femmine, così catturate, a volte per giorni e giorni, non potevano rilassarsi o mangiare. Furono allora aggiunte trenta femmine al gruppo, ma questo non fermò né rallentò il massacro. Sei anni e mezzo dopo, le poche femmine sopravvissute furono tolte. Sessantadue maschi e trentadue femmine, più di due terzi della popolazione iniziale, erano morti per lo stress e le ferite; ora ciò che restava era una comunità di maschi relativamente tranquilla.

Solly Zuckerman, anatomista, nel 1932 ha descritto questo massacro nel suo autorevole libro, *The Social Life of Monkeys and Apes* (La vita sociale delle scimmie e delle antropomorfe). Come risulta evidente dal titolo ambizioso, era un'epoca in cui le ipergeneralizzazioni erano molto frequenti. Infatti, non sapendo che gli harem sono una specializzazione delle amadriadi e non una caratteristica dei primati in generale, Zuckerman speculò a ruota libera sulle origini della nostra società, definendo la monogamia umana un «compromesso». Egli aveva inoltre notato che le femmine di babbuino in calore usano il loro fascino per ottenere speciali privilegi. Paragonando questi comportamenti con la prostituzione uma-

La differenza di dimensioni tra il maschio e la femmina di amadriade è accentuata dalla magnifica pelliccia del maschio. (Zoo di Arnhem.)

na, esaltò eccessivamente le componenti sessuali della vita sociale: «Il legame sessuale è più forte del rapporto sociale, e un maschio adulto, diversamente da una femmina, non appartiene a nessun altro individuo».

Un'intera generazione di primatologi ha lottato contro alcune di queste generalizzazioni. Gli studi su altre specie di scimmie hanno dimostrato, per esempio, che molte di esse mantengono una rete di rapporti sociali durante tutto l'anno, pur avendo soltanto una breve stagione di attività sessuale. Il risultato più sorprendente si ebbe proprio da quegli studi che Zuckerman aveva utilizzato per le sue illazioni. L'anatomista inglese non era stato un cattivo osservatore; le sue descrizioni erano molto accurate e dettagliate, né può essere incolpato per le scarse conoscenze di quei tempi. Ciononostante, non si era accorto della natura del tutto eccezionale del caos e della violenza che regnavano a Monkey Hill. La possibilità che quegli eventi fossero del tutto innaturali è menzionata soltanto in una nota.

Negli anni Cinquanta un etologo svizzero, Hans Kummer, studiò accuratamente un più piccolo gruppo di amadriadi, la ben avviata colonia dello zoo di Zurigo, e, in seguito, andò a osservare quelle stesse scimmie nel loro habitat naturale, il deserto dell'Etiopia. I suoi studi sono ormai così noti in primatologia che le amadriadi potrebbero essere ribattezzate le scimmie di Kummer. Io stesso sono stato molto influenzato dalle intuizioni di questo scienziato su quelle che egli ha definito relazioni tripartite, ossia quei rapporti fra due individui che dipendono dalle loro relazioni con un terzo individuo. A questo proposito, un esempio è il meccanismo che inibisce i maschi a lottare per le femmine, esattamente ciò che non si era verificato nella colonia dello zoo di Londra.

Dopo aver osservato che in condizioni naturali un maschio di amadriade si rende conto che un gruppo di femmine può appartenere a un altro maschio, Kummer e i suoi collaboratori elaborarono un esperimento per verificare come ciò si origina. Per prima cosa, si dimostrò che se si liberava una femmina in una gabbia con due maschi, questi iniziavano subito a combattere per il suo possesso. Se la femmina, invece, veniva posta in una gabbia con un solo maschio, mentre un altro osservava la scena da una gabbia adiacente, il risultato era molto diverso. Bastava che la femmina trascorresse un po' di tempo con uno solo dei due maschi, perché l'altro riconoscesse il legame fra i due, non appena messo insieme a loro. Anche grossi maschi dominanti erano inibiti ad attaccare e, per contro, guardavano il cielo, giocherellavano a terra con piccoli oggetti, oppure tutti intenti si mettevano a osservare il panorama fuori dal recinto, come se avessero visto qualcosa di estremamente interessante che tuttavia Kummer non riuscì mai a identificare.

Queste reazioni di imbarazzo erano caratteristiche di maschi che si conoscevano l'un l'altro, mentre fra maschi estranei, a volte, si verificavano delle aggressioni. Visto che il conoscersi l'un l'altro è la norma nei gruppi di babbuini, il rispetto per le femmine altrui, dimostrato da questo semplice esperimento, può essere sufficiente a mantenere la pace. La sua efficacia a livello del gruppo è notevole, dato che permette la complessa organizzazione, estesa a più livelli, descritta da Hans Kummer: ogni maschio vive con il proprio harem, gli harem viaggiano raggruppati in bande, e più bande insieme formano branchi di centinaia di individui che trascorrono la notte insieme su pareti rocciose. Che società ben ordinata in confronto alla colonia dello zoo di Londra! I metodi usati a Monkey Hill avevano davvero liberato la «belva» nascosta nelle amadriadi. Normalmente capaci di vita di gruppo, queste scimmie si erano viste strappare di dosso quella patina di civiltà, quando si trovarono costrette a vivere ammassate, con un rapporto numerico fra i sessi sbagliato.

Contrariamente a quanto affermato da Zuckerman, che «poche differenze significative sono riscontrabili fra i diversi pri-

Un violento scontro tra due maschi di babbuino, una specie strettamente imparentata con l'amadriade. Lotte fra i primati avvengono sia in cattività sia in natura. (Gilgil, Kenya.)

mati, a livello dei principali meccanismi sociali», oggi sappiamo che è possibile dimostrare la «naturalità» di praticamente tutte le strutture sociali, basta scegliere la specie giusta. La varietà, all'interno dell'ordine è infatti immensa. In ogni specie è sempre presente un forte legame fra la madre e il piccolo, ma a parte questo esiste di tutto, dalla monogamia alla promiscuità, dal dispotismo assoluto all'egalitarismo. Ai nostri giorni, quando si guarda all'uomo da un punto di vista biologico, si cerca di definire la sua posizione fra i primati, considerando separatamente sia le somiglianze sia le differenze rispetto ai suoi parenti evolutivi. I semplicistici elenchi di tratti in comune fra l'uomo e *il* primate non sono più accettati.

Per comprendere l'intero spettro di possibilità, gli etologi, negli ultimi decenni, hanno studiato i primati in ogni sorta di circostanze: in natura, in ampi gruppi negli zoo e in laboratorio. Per molto tempo è esistita una dicotomia fra studi in natura e studi in laboratorio; oggi questi approcci hanno iniziato a fondersi. I ricercatori sul campo che catturano gli animali, raccolgono anche campioni di sangue e misure morfologiche prima di rilasciarli. I campioni di sangue vanno poi a laboratori specializzati sui primati per determinare, per esempio, il grado di consanguineità all'interno dei gruppi in libertà. D'altro canto, coloro che conducono le loro ricerche in laboratorio conoscono bene anche la letteratura scientifica sui primati in natura, e questo li aiuta a interpretare il comportamento dei loro animali e a ideare esperimenti attinenti al cibo, ai suoni, alla temperatura e ad altri fattori presenti nell'ambiente naturale. Quasi a fare da ponte fra queste due categorie, esistono poi ricercatori come me, che sono specializzati nello studio di primati in cattività che vivono in gruppi numericamente simili a quelli naturali.

Il rapidissimo aumento delle conoscenze su questi animali, verificatosi negli ultimi anni, ha portato a concetti più sfumati. Per esempio, chiamare, come in precedenza ho fatto anch'io per semplicità, le unità familiari delle amadriadi «harem» è discutibile. Se c'è una specie cui questo termine si addice, questa è proprio l'amadriade, ma anche nella loro società la femmina non è soltanto merce, infatti essa ha una certa facoltà di scelta. Christian Bachmann ha misurato in laboratorio la preferenza delle femmine per certi maschi, riuscendo a dimostrare che le femmine con un forte attaccamento al loro partner vengono incluse meno facilmente in altri harem. È come se il maschio rivale percepisse l'attaccamento della femmina per l'altro e fosse, di conseguenza, meno interessato ad acquisire una compagna riottosa, piuttosto che una felice di cambiare partner.

Considerando insieme le esperienze di Monkey Hill, le osservazioni sul campo, e i risultati sperimentali, abbiamo ottenuto una comprensione più profonda della società delle amadriadi, che se avessimo utilizzato quelle informazioni separatamente. Il futuro della primatologia è rappresentato da un'equilibrata combinazione dei diversi approcci. In nessun modo gli studi in cattività possono sostituire la ricerca in natura, ma il loro pregio è di poter fornire informazioni molto *dettagliate*. Inoltre, le nostre conoscenze sui primati sono così aumentate rispetto agli anni Venti che, in tutto il mondo, ci sono molti gruppi di scimmie che vivono ottimamente in cattività. Questi gruppi permettono ricerche approfondite, che durano anni e anni, sugli aspetti più nascosti della vita sociale. Ricerche altrettanto prolungate sono impensabili con gli animali in natura. Qualche anno fa un primatologo americano ritornò da uno studio nella giungla dello Zaire durato due anni su uno dei primati più elusivi e timidi, il bonobo, con in tutto solo sei ore di osservazione. In un solo inverno allo zoo di San Diego ho potuto osservare e filmare dieci individui della stessa specie per un totale di trecento ore. Ovviamente le mie osservazioni avevano dei limiti, ma anche gli studi sul campo ne hanno (devo aggiungere, comunque, che negli ultimi anni sono state fatte alcune altre spedizioni in Africa, più fortunate della precedente).

Saper riconoscere i lati positivi e i difetti di ciascun metodo, e collegare fra loro i risultati come pezzi di un mosaico, permette di ottenere un'immagine di tutto il potenziale comportamentale di una specie, compresi gli effetti dei diversi ambienti.

2

SCIMPANZÉ

La piccola creatura, punita per la prima volta, indietreggiò ed emise uno o due gemiti strazianti, guardandomi terrorizzata, le labbra più protruse che mai. Un attimo dopo mi gettava le braccia al collo, fuori di sé, calmandosi solo a poco a poco mentre la accarezzavo. Il bisogno di venire perdonati, di cui questo episodio è un esempio, è un fenomeno frequentemente osservato nella vita emotiva degli scimpanzé.

WOLFGANG KÖHLER

Henry: Perché non mi dai un bacio e facciamo pace?
Martha Jane: Non è così facile! Non si può cancellare un'offesa con una cosa tanto semplice come un bacio. Forse tu ci riesci, ma io non posso così facilmente.

ANITA CLAY KORNFELD

Rianne Scholten e Brigitte Kint, in piedi nell'osservatorio che sovrasta l'isola degli scimpanzé, si comportano come se stessero prendendo nota del comportamento degli animali. Per molti visitatori la cosa non è sorprendente, poiché il progetto di ricerca sugli scimpanzé dello zoo di Arnhem è molto noto in Olanda. In realtà, le due studentesse stanno raccogliendo dati sul comportamento umano. Il visitatore medio passa tre minuti e mezzo a guardare le scimmie. Le persone sole trascorrono davanti all'isolotto circa il doppio del tempo rispetto ai gruppi o alle famiglie. I più impazienti sono gli uomini adulti che, più spesso degli altri, pronunciano frasi del tipo: «Dài, andiamo!». Inoltre accade spesso che le persone che si trattengono solo per pochi minuti, nell'allontanarsi esclamino: «Oh, avrei potuto star lì a guardarli per ore!».

Il «Progetto Arnhem»

È proprio questo, che *noi* facciamo. Fra il 1975 e il 1981 credo di aver passato circa seimila ore a osservare la colonia di Arnhem.

Per gran parte del tempo, io e i miei studenti abbiamo raccolto i dati registrando le osservazioni su nastro. Questo metodo ci permetteva di non distogliere gli occhi dagli scimpanzé, descrivendo a voce quello che facevano. Il problema con gli scimpanzé è che fanno ben poco per gran parte del tempo. Si muovono lentamente, mangiano erba, dormono a lungo, si puliscono il pelo l'un l'altro. Durante tutto questo tempo l'osservatore deve star lì e aspettare. Ma quando gli scimpanzé si risvegliano e provocano agitazione nel gruppo, l'osservatore non riesce in alcun modo ad annotare con carta e matita tutto quello che sta succedendo. Per seguire i soggetti quando si spostano rapidamente, dobbiamo correre lungo il fossato che circonda l'isola. Andare sull'isola sarebbe un po' troppo pericoloso (gli scimpanzé sono più forti di noi e non sempre amichevoli); ma anche muoversi lungo il fossato comporta rischi. Conservo ancora la registrazione di un'esplosione di attività fra gli animali, dove la voce eccitata dell'osservatore è interrotta di colpo dal rumore di un tuffo.

L'isola ha una superficie di due acri e mezzo, è coperta di erba, sabbia, e ci sono cinquanta grandi alberi, la maggior parte dei quali è protetta da una rete elettrificata che impedisce ai venti e più scimpanzé di mangiarne la corteccia. Il gruppo comprende quattro maschi adulti, dieci femmine adulte e un numero crescente di piccoli, giovani e adolescenti, nati ad Arnhem. Gli adulti provengono da vari zoo europei; la maggior parte sono nati in libertà, e hanno dai quindici ai trent'anni, età non particolarmente avanzata per uno scimpanzé. Ogni sera gli animali tornano nell'edificio principale e lì vengono fatti entrare a piccoli gruppi nelle gabbie notturne, dove ricevono il cibo. Nell'edificio vi sono anche due ampi locali adoperati durante l'inverno e un posto di osservazione per gli etologi.

I visitatori dello zoo sono tenuti a distanza, in modo che non possano provocare le scimmie gridando, dando cibo o imitandole. Al contrario di quanto comunemente si crede, gli uomini imitano le scimmie più che viceversa. Alla sola vista di una scimmia gli uomini provano l'irresistibile desiderio di saltare su e giù, di grattarsi furiosamente e di urlare. Ciò deve indurre gli animali a chiedersi come mai una specie peraltro così intelligente si affidi a mezzi di comunicazione tanto primitivi. L'isola degli scimpanzé di Arnhem è stata ideata per lo studio e la ricerca, più che per permettere interazioni fra animali e pubblico. La gente deve imparare ad avere pazienza per vedere come gli scimpanzé si comportano fra loro. A tale scopo la colonia è l'ideale, essendo di dimensioni e composizione simili alle piccole comunità in libertà. Ciò permette di osservare molte più cose che nelle antropomorfe tenute in condizioni più tradizionali.

La ricerca sui nostri parenti evolutivi più prossimi è ancora agli inizi. Supponendo che psicologia e vita sociale degli scimpanzé siano complesse la metà di quelle umane, e io sono convinto che questa sia una notevole sottostima, per raggiungere un livello di comprensione paragonabile sarà necessario condurre sugli scimpanzé almeno metà della ricerca che si fa sulla specie umana. Interi eserciti di antropologi, sociologi, psichiatri e psicologi studiano il comportamento umano e non sono ancora giunti a ottenere risposte definitive. Come dunque poche dozzine di studiosi di scimpanzé possono aver fatto qualcosa di più che scalfire la superficie?

Riconciliazione e consolazione

Gli scienziati di un tempo cercavano di comprendere la vita sociale degli animali senza conoscere la storia degli individui, le loro relazioni a lungo termine, il sistema di parentele del gruppo. I primatologi furono i primi ad abbandonare questo approccio. Il passo decisivo fu quando cominciarono a identificare le scimmie individualmente e a seguirne la vita per lunghi periodi, il che significò anche dare loro dei nomi. Altri scienziati erano contrari a questi sviluppi, che consideravano minacce all'obiettività (infatti è ben diverso raccogliere dati su «Charlie» piuttosto che su uno «scimpanzé maschio»). Ma anche se l'effetto dei nomi è di farci sentire gli animali più vicini, rendendoli in un certo senso più umani, questo non ha danneggiato la scienza. Grazie al riconoscimento individuale sono stati infatti ottenuti risultati alquanto significativi. Ora sappiamo quanto importi a un primate avere a che fare con questo o con quello dei suoi compagni. Gli animali, come gli uomini, hanno amici e nemici, che non trattano certamente allo stesso modo.

Nell'analisi dei processi di riconciliazione, l'approccio individualizzato è un elemento cruciale. Un tempo, gli studiosi di comportamento animale, quando vedevano animali che cercavano reciproco contatto durante o dopo un evento perturbante, parlavano di «acquietamento», «pacificazione», «rassicurazione». La terminologia sottolineava gli effetti di certi comportamenti sullo stato interno e sul benessere psicologico degli animali. Questo modo di vedere, sebbene non scorretto, è tuttavia incompleto. Dopo una disputa i primati non si placano in maniera casuale. Il concetto di riconciliazione situa quegli stessi gesti di rassicurazione nel contesto delle relazioni in corso fra gli individui. Il bisogno di contatto dopo la lotta ha per oggetto l'avversario, dato che egli è l'unico individuo con cui è possibile riaggiustare le cose. Gli animali non cercano soltanto la stabilità psicologica, ma anche quella *sociale*.

Sia la riconciliazione sia il suo opposto, la vendetta, richiedono che i partecipanti ricordino con chi è avvenuto il conflitto. Come le scimmie devono conservare registrazioni mentali delle interazioni, così deve fare ogni osservatore che voglia stabilire se certi contatti sono o meno in relazione con una precedente aggressione. Riconoscere gli individui è la parte più facile del lavoro, in quanto gli scimpanzé differiscono talmente l'uno dall'altro, nel volto, nella voce, nell'andatura e nelle caratteristiche psicologiche, che bastano pochi giorni per riconoscere tutti gli individui della colonia di Arnhem. Tenere a mente un gran numero di eventi è molto più difficile, ma i sistemi di registrazione sono di grande aiuto. L'obiettivo è di osservare, oltre il contesto immediato del comportamento, l'intera catena di azioni e reazioni che avvengono nel corso di minuti, ore o giorni.

Le nostre ricerche ci hanno insegnato che gli scimpanzé hanno una memoria pari a quella proverbiale degli elefanti, e sono inoltre capaci di programmare in anticipo le loro azioni. L'osservazione della loro vita sociale rivela l'uso continuo che essi fanno di queste capacità. Un maschio adulto è capace di passare diversi minuti su un lato dell'isolotto, lontano dal resto del gruppo, a cercare la pietra più pesante, soppesandone accuratamente più d'una. Una volta effettuata la scelta, porta la pietra dall'altro lato dell'isola, dove, con il pelo irto, prende a fare esibizioni di forza davanti al suo rivale. Poiché le pietre sono armi (gli scimpanzé lanciano oggetti con notevole accuratezza), possiamo supporre che il maschio sapesse da prima che avrebbe sfidato l'avversario. Gli scimpanzé danno questa impressione in quasi tutto ciò che fanno: sono esseri pensanti proprio come noi.

La riconciliazione è connessa sia con il passato sia con il futuro; serve a cancellare avvenimenti del passato, con un occhio alle relazioni future. A seconda di quanto passato e futuro vengono tenuti in considerazione, possiamo parlare di razionalità nei processi di rappacificazione. Poiché i processi mentali dello scimpanzé somigliano ai nostri più di quelli di qualsiasi altro animale, lo studio del loro comportamento è di grande importanza. Questi animali spesso ritardano la loro reazione, aspettando pazientemente un'occasione migliore; sondano il terreno prima di prendere iniziative sociali, così come tirano pietre a un animale morto prima di toccarlo. Ne risulta che gli eventi nella società degli scimpanzé abbracciano periodi di tempo relativamente lunghi; ci vuole un po' di pratica per acquisire una visione complessiva, ma alla fine tutte le connessioni saltano agli occhi.

Prendiamo come esempio un individuo subito dopo un incontro aggressivo, incontro che di solito implica molte grida e pochi morsi. Gli scimpanzé, infatti, sono fra gli animali più rumorosi del mondo e quando si inseguono fanno un pandemonio indescrivibile. Ma raramente le loro lotte comportano vere e proprie ferite. Nel nostro esempio, Nikkie, il capo del gruppo, colpisce Hennie passandole accanto durante una carica. Allora Hennie, una femmina subadulta di nove anni, si siede in un angolo toccandosi il punto della schiena in cui è stata colpita, e dopo un po' sembra aver dimenticato l'incidente, infatti si sdraia sull'erba guardando in lontananza. Più di quindici minuti dopo, Hennie si alza e va dritta verso un gruppo che comprende sia Nikkie sia Mama, la femmina più vecchia. Hennie si avvicina a Nikkie e lo saluta con una serie di grugniti sommessi, poi allunga il braccio verso di lui offrendogli il dorso della mano per un bacio. Il baciamano di Nikkie consiste nel mettersi in bocca, senza tante cerimonie, l'intera mano di Hennie. Questo contatto è seguito da un bacio sulla bocca. A questo punto Hennie va verso Mama, con un ghigno nervoso sulle labbra. Mama le mette una mano sulla schiena, dandole colpetti rassicuranti, finché il ghigno non scompare.

Mama e Hennie hanno un rapporto molto speciale. Hennie aveva solo due anni quando arrivò ad Arnhem, dove fu quasi adottata da Mama. Quando nascevano problemi, la piccola riceveva sempre conforto e rassicurazione dall'influente femmina. Mama ha con tutti relazioni speciali, si comporta un po' come fosse la mamma del gruppo, per questo l'abbiamo chiamata così. Perfino maschi adulti, nel pieno del vigore fisico, a volte si comportano in modo infantile in sua presenza. Quando Mama intervenne in un prolungato conflitto fra Yeroen e Nikkie, si ritrovò seduta con un poderoso maschio adulto in ogni braccio. I due non avevano smesso di gridare, ma almeno non litigavano più. Poco dopo, Yeroen cercò improvvisamente di afferrare un braccio a Nikkie, ma Mama trovò la cosa inaccettabile e lo cacciò via. Alla fine i due maschi fecero la pace montandosi a vicenda, baciandosi, accarezzandosi reciprocamente i genitali, dopodiché scaricarono la tensione residua inseguendo insieme Dandy, un maschio di rango più basso.

Nel corso degli anni, vari miei studenti, in particolare Angeline van Roosmalen, Tine Griede e Gerard Willemsen, hanno raccolto dati sui comportamenti di riconciliazione. Dai loro studi è

Una sequenza di riconciliazione.

Hennie col suo piccolo (*sulla destra*) si avvicina a Nikkie dopo che lui l'ha colpita.
Hennie tende prima un braccio all'aggressore per un baciamano, poi i due si baciano sulla bocca.

Hennie va poi da Mama (*a sinistra*), che è rimasta a guardare, e le rivolge un ghigno nervoso. Mama consola la giovane femmina con un abbraccio. (Zoo di Arnhem.)

emerso che nel 40% circa dei casi gli avversari cercano il contatto reciproco entro mezz'ora dalla lite. Questa percentuale è molto alta, se si pensa che le dimensioni del recinto esterno permetterebbero agli animali di evitarsi facilmente. Che questi riavvicinamenti siano tutt'altro che casuali risulta evidente dalla loro notevole differenza dai contatti normali. Un gesto caratteristico di questa situazione consiste nel tendere il braccio con la mano aperta: gli scimpanzé lo compiono per chiedere il contatto fisico con un altro individuo. Quando gli scimpanzé si riavvicinano a un avversario, lo fanno con maggior contatto visivo, con guaiti e gridi sommessi; e la cosa più importante è che si scambiano molti più baci. Questi schemi di comportamento non solo si distinguono dalle forme normali di contatto nella colonia, ma sono diverse anche dalle forme di rassicurazione manifestate da chi assiste allo scontro. Il contatto da parte degli individui non coinvolti in un particolare conflitto viene chiamato *consolazione*, per distinguerlo dalla *riconciliazione*. Nella sequenza precedente Hennie si è prima riconciliata col suo avversario, Nikkie, e poi ha ricevuto consolazione da Mama. Le consolazioni comportano più abbracci che baci, nelle riconciliazioni accade il contrario. In altre parole, quando vediamo due scimpanzé baciarsi a lungo, è probabile che non molto tempo prima si siano affrontati; quando si abbracciano soltanto, è probabile che la tensione fosse dovuta a un terzo.

Purtroppo la scienza non sa quasi nulla dei comportamenti di riconciliazione nei rapporti privati umani; una delle ragioni di questa scarsità di dati sta forse nel fatto che gli psicologi sociali studiano le persone in situazioni sperimentali. Dato che i loro soggetti quasi mai si conoscono da prima dell'esperimento, non possono mostrare che relazioni superficiali. Al contrario, i terapisti della famiglia hanno molta dimestichezza con i fenomeni di riconciliazione, poiché è il loro lavoro; ma dato che intervengono attivamente controllando e influenzando il processo, la loro esperienza non riguarda la vita umana in «condizioni naturali». Molti, comunque, concordano sul fatto che il bacio, come forma di riconciliazione, è un tratto che condividiamo con gli scimpanzé. Tutto questo si riflette anche in cerimonie simboliche, come quella avvenuta nel 1982 quando, al momento dell'invasione britannica delle isole Falkland, i prelati cattolici d'Argentina e d'Inghilterra si scambiarono un bacio di pace, durante una messa papale.

Gli uomini si riconciliano in centinaia di modi diversi: rompono la tensione con uno scherzo, toccandosi gentilmente la mano o il braccio, scusandosi, mandando fiori, facendo l'amore, preparando il piatto preferito dell'altro e così via. Ciononostante, il bacio è il gesto conciliatorio per eccellenza. Un altro punto in comune con gli scimpanzé è il ruolo critico svolto dal contatto visivo, che fra le antropomorfe è un prerequisito per la riconciliazione. È come se gli scimpanzé si fidassero delle intenzioni degli altri solo dopo averli guardati negli occhi. Allo stesso modo noi non consideriamo un contrasto appianato, se la persona con cui questo si è verificato guarda il soffitto o il pavimento ogni volta che il nostro sguardo va nella sua direzione.

I nostri studi sugli scimpanzé indicano che, dopo che è stato stabilito un amichevole contatto corporeo fra gli avversari, i conflitti difficilmente si ripetono. Si deve comunque tenere presente che i nostri risultati sono di natura statistica; la relazione fra aggressione e successivo baciarsi è innegabile, ma vi sono eccezioni. È impossibile essere assolutamente certi che ogni singolo contatto amichevole fra due scimpanzé sia una rappacificazione, e non invece un evento casuale che si sarebbe verificato comunque, indipendentemente da precedenti disaccordi. Trovo questa incertezza frustrante, soprattutto quando assisto, dopo aver aspettato ore o tutto il giorno, a quella che io penso sia una riconciliazione. In quei momenti vorrei veramente poter lavorare con questionari.

Domanda 1: «Stavi pensando al litigio che hai avuto con lei stamattina, mentre la baciavi?». Domanda 2: «Dopo, ti sei sentito meglio?».

Di solito, negli scimpanzé, l'iniziativa di fare pace è presa in ugual misura sia dal dominante sia dal subordinato, ma dopo aggressioni molto violente in cui sono stati scambiati morsi possono esservi eccezioni. La riconciliazione dopo questi gravi combattimenti, peraltro rari, è intrapresa meno spesso dai dominanti. La loro scarsa propensione a far pace assume proporzioni vistose negli stadi finali di una lotta per il potere. Ho osservato cinque eventi di questo tipo fra i maschi adulti della colonia di Arnhem: tre di essi hanno comportato un rovesciamento dell'ordine gerarchico, negli altri due, invece, si ristabilirono le condizioni iniziali. Il processo richiede diversi mesi e consiste di molti incontri aggressivi, molte manifestazioni intimidatorie, ma pochi attacchi fisici. I rivali si alternano in scontri e riavvicinamenti emotivi e sedute di *grooming* particolarmente lunghe. Nondimeno, questi scambi amichevoli si diradano all'avvicinarsi della conclusione del processo.

Il maschio che risulterà vincitore inizia a negare la riconciliazione due o tre settimane prima della fine del periodo di tensione. Ogni volta che il rivale gli si avvicina o implora un contatto con la mano tesa, il futuro dominante gli volta le spalle e se ne va. I rifiuti continuano, finché il perdente non si sottomette formalmente.

Un maschio di quattro anni ha raggiunto l'età dello svezzamento. La madre interrompe la poppata mettendogli una mano sotto il mento e scostandogli gentilmente la testa. Le labbra protruse del giovane esprimono delusione. (Yerkes Primate Center.)

Fra gli scimpanzé il rango è comunicato in modo chiaro da grugniti ansimanti (*pant grunts*) e da profondi inchini da parte del subordinato. Non appena il perdente si fa deferente e saluta regolarmente l'altro con i grugniti caratteristici, la relazione si distende e i due tornano ad avere contatti normali.

Il meccanismo «niente sottomissione, niente pace» è una forma di *rassicurazione condizionale*; in altre parole, il dominante rassicura il subordinato con un gesto amichevole, soltanto se questo a sua volta lo rassicura sottomettendosi, riconoscendo, cioè, la differenza di rango. Ogni specie, in cui ci sono gerarchie, ha evoluto specifici segnali a questo scopo, paragonabili al saluto militare dei soldati al loro comandante. Il soldato che dimentichi di compiere questo rituale scoprirà ben presto che il meccanismo della rassicurazione condizionale è la spina dorsale di ogni sistema gerarchico. L'esistenza di tale meccanismo ci mette in guardia contro l'opinione comune che l'ordine gerarchico sia solo una scala di dominanza. La situazione è più complicata, la gerarchia lega gli individui fra loro con un patto di lealtà. Come è stato osservato da Rudolph Schenkel, riguardo ai segnali gerarchici nei lupi, «la sottomissione è lo sforzo dell'inferiore di ottenere una integrazione sociale armonica o amichevole».

La rassicurazione condizionale non è limitata alle relazioni di rango, ogni mammifero la sperimenta a pieno per la prima volta quando viene svezzato dalla madre. Negli scimpanzé, il piccolo ha circa quattro anni quando la madre inizia a rifiutarsi di allattarlo, minacciandolo, spingendolo da parte, o coprendosi il petto con un braccio. Questo fa sì che il giovane metta il broncio, piagnucoli con voce quasi umana, e a volte si lasci andare ad accessi d'ira in cui urla e si contorce come se fosse sul punto di morire. In questi casi, la madre offre il suo confortante contatto corporeo a condizione che il piccolo tenga la bocca ben lontana dai capezzoli, altrimenti lo scaccia di nuovo. Dato che la madre è una figura immensamente importante, da cui il piccolo continuerà a dipendere per anni anche dopo lo svezzamento, egli non può ignorare il problema. Minacce e rifiuti devono essere accettati e si sviluppa così una nuova relazione con il calore materno, condizionata ora dal comportamento del piccolo.*

È affascinante osservare la somiglianza fra comportamento adulto e infantile. A volte, grossi maschi adulti di scimpanzé, quando un rivale dominante dopo una lotta rifiuta i loro gesti conciliatori, si mettono a urlare rotolandosi a terra, battendo il terreno. Si comportano esattamente come piccoli che siano stati scacciati. È abbastanza strano che lo *hooting* (la vocalizzazione con cui i maschi sfidano e provocano i loro rivali) sia emesso con la stessa espressione con labbra protruse che un piccolo mostra quando è affamato, e che il sommesso *huu-huu* con cui inizia lo *hooting* somigli ai lamenti dei neonati (anche se la voce di un adulto è ovviamente più profonda). In breve, sembra esserci una continuità psicologica fra lo svezzamento e le contese per il potere fra adulti. Forse questo accade perché anche lo svezzamento è una questione di potere; è un rovesciamento del controllo sociale fra madre e piccolo. Lo svezzamento è il primo contatto di un individuo con un cambiamento drammatico in una relazione di cui non può fare a meno.

Herbert Terrace, che studiò la capacità di un giovane scimpan-

* A volte mi chiedo se il passaggio dall'allattamento naturale a quello artificiale, parziale o totale, che si è verificato nelle culture occidentali, non abbia modificato i nostri modelli di riconciliazione. Svezzare un bambino allattato al seno è un processo molto più fisico e traumatico del moderno svezzamento dal biberon. La minore intensità del conflitto madre-figlio e il minore bisogno di conforto che ne consegue possono benissimo essere fattori in grado di modificare la capacità del bambino di affrontare i rifiuti e le crisi dei rapporti, più avanti nella vita.

Scimpanzé in piena età adulta possono regredire a comportamenti infantili quando sono agitati. Questa femmina chiedeva cibo a un'altra femmina, ed è stata respinta. Urla per la frustrazione, dandosi colpi spasmodici con le braccia. (Yerkes Primate Center.)

zé di nome Nim Chimpsky di imparare il linguaggio gestuale dei sordi, ha descritto il funzionamento della rassicurazione condizionale in una relazione uomo-scimmia. Nim aveva imparato il significato di molti gesti che rappresentano parole nell'American Sign Language (ASL) e li usava per comunicare con i suoi istruttori. Ma non sempre era uno studente facile e, a volte, era necessario imporre un po' di disciplina. Il sistema più efficace era che l'istruttore si allontanasse, preferibilmente segnando «Tu cattivo», o anche «Io non amo te». A questa minaccia di separazione, Nim rispondeva con la cosiddetta routine di scusa-abbraccio. Con l'andar del tempo, però, questo metodo perdeva efficacia, a meno che gli istruttori non posticipassero il momento dell'abbraccio. L'alunno, a volte, si infuriava terribilmente, ma Terrace notò che dopo questi accessi il suo comportamento migliorava moltissimo, mentre se lo si rassicurava troppo presto, questo non succedeva.

Apparentemente gli scimpanzé sono estremamente sensibili a potenziali disturbi delle relazioni; li temono anche più delle spiacevoli conseguenze fisiche di un'aggressione. Questo rende possibile sia a umani sia a individui della stessa specie di richiedere cambiamenti di condotta, prima di normalizzare la relazione. Se l'aggressione è il bastone, la riconciliazione è la carota.

Differenze fra i sessi

Gli scimpanzé maschi sono più concilianti delle femmine. In base ad anni di osservazioni sistematiche della colonia di Arnhem, le riconciliazioni avvengono dopo il 47% dei conflitti fra maschi adulti, ma soltanto dopo il 18% dei conflitti fra femmine adulte, mentre le riconciliazioni tra individui dei due sessi si situano a metà. Questa differenza fra sessi è un rompicapo non ancora risolto. Ho tentato di collegarla con altre differenze sessuali, che pure non mancano nella specie; un non addetto ai lavori che consultasse i nostri archivi sul comportamento maschile e femminile in base ai soli dati non riuscirebbe mai a indovinare di avere a che fare con individui della stessa specie. Una differenza molto interessante fra sessi riguarda le relazioni di cooperazione. Fra i maschi la maggior parte della cooperazione sembra di natura transazionale, si aiutano vicendevolmente su una base del tipo «do ut des». Le femmine, al contrario, basano la cooperazione sulla parentela e le preferenze personali. Ambedue queste forme di sostegno reciproco permeano ogni aspetto della vita comunitaria degli scimpanzé, compresi i rapporti di potere. Uno studio delle strutture di potere, in questa specie, potrebbe far luce anche sulle differenze sessuali nel far la pace.

La legge della giungla non si addice agli scimpanzé, la loro rete di coalizioni limita i diritti del più forte; *tutti* hanno accesso alla stanza dei bottoni. Quando fra due antropomorfe scoppia una lite, le altre del gruppo accorrono per osservare la scena, emettendo grida acute di incoraggiamento, oppure intervengono in aiuto dei loro favoriti. Le coalizioni contro un singolo individuo possono essere formate da due a dieci aggressori, ma può succedere che anche la vittima riceva aiuto, tanto che si può arrivare a scontri su larga scala fra differenti sezioni della colonia. I «combattenti» cercano attivamente di reclutare sostenitori: attirano l'attenzione gridando a pieni polmoni, oppure mettono il braccio intorno alle spalle di un amico cercando di convincerlo a unirsi a loro, o ancora invocano soccorso dagli astanti con la mano tesa, o corrono da un protettore e, a distanza di sicurezza, gridano e gesticolano in direzione dell'avversario.

Le alleanze sono state il mio principale argomento di studio ad Arnhem; insieme a vari miei studenti, ho raccolto migliaia di dati del tipo «l'individuo A aiuta l'individuo B contro C». Il mio precedente libro *La politica degli scimpanzé* (1982),* spiega nei particolari l'importanza della popolarità nelle lotte per il potere, la tattica dell'isolare i rivali dagli individui del loro stesso rango e gruppo, e il ruolo delle femmine nelle prese di potere dei maschi. Ci sono somiglianze fra il comportamento di un candidato presidenziale che improvvisamente si interessa alle donne, ai loro problemi, abbraccia i bambini, e quello di scimpanzé maschi che, soprattutto durante le lotte per il potere, curano il pelo delle femmine e giocano coi loro piccoli. Ecco ora un breve sommario delle relazioni di forza con particolare riferimento alle differenze fra sessi.

Ogni membro del gruppo, quando interviene in un conflitto, ha le sue preferenze personali. Le preferenze delle femmine e dei giovani sono stabili, mentre quelle dei maschi adulti cambiano negli anni. La coalizione femminile più potente della colonia di Arnhem è quella fra Mama e la sua amica Gorilla (uno scimpanzé!); fin da quando la colonia fu fondata, nel 1971, Mama e Gorilla si sono sempre aiutate a vicenda con grande fervore contro i nemici più pericolosi. Le due femmine si conoscevano da prima di allora, dato che avevano vissuto insieme nello zoo di Lipsia fin dal 1959. W. Puschmann, il direttore dello zoo, in una lettera mi ha raccontato che, già allora, le due si davano man forte contro i loro compagni di gabbia. Quasi tutti i legami duraturi tra le femmine di Arnhem sono basati su storie in comune come questa. Invito a confrontare tutto questo con i rapporti fra Yeroen e Luit, che erano anche loro vissuti insieme in un altro zoo prima di giungere ad Arnhem. Qui, di anno in anno, hanno avuto diversi alleati, ma fra i due non c'è mai stata un'amicizia stabile.

* L'edizione italiana è del 1984. [*N.d.T.*]

Yeroen ha dominato la colonia per tre anni e, quando la sua posizione fu messa in pericolo dalla coalizione fra Luit e Nikkie, ebbe una massiccia protezione da parte delle femmine. Ciò non valse però a salvare Yeroen, e nell'autunno del 1976 Luit divenne il cosiddetto *maschio alfa*, ossia il maschio di massimo rango. A quel punto Nikkie, da principale sostenitore di Luit, divenne il suo più pericoloso nemico; ogni giorno i due entravano in competizione per assicurarsi il contatto con Yeroen, il leader decaduto. Entrambi cercavano di sederglisi vicino, di pulirgli il pelo, impedendo che l'altro facesse lo stesso. Fu Luit a perdere questa gara, che durò circa un anno, dato che Yeroen incominciò a mostrare una preferenza per Nikkie. Nel 1977, con l'aiuto del vecchio capo, Nikkie poté sfidare Luit e raggiungere il vertice. Comunque, appena avvenuta questa presa del potere, Yeroen tentò di nuovo, sempre spalleggiato dalle femmine, di detronizzare Nikkie. Il tentativo non riuscì perché le sue prolungate battaglie con Nikkie giocavano a favore di Luit. Luit, infatti, non poteva essere dominato da nessuno dei due maschi singolarmente; Yeroen, piuttosto che danneggiare ulteriormente la nuova coalizione, accettò la posizione, comunque influente, di secondo a Nikkie.

In generale, maschi che sono stati rivali un anno possono essere alleati l'anno successivo, e viceversa. Per comprendere questa flessibilità, bisogna distinguere fra *coalizioni*, che sono espresse come reciproco aiuto fra due individui, e *legami sociali* espressi da comportamenti affiliativi come il sedersi insieme e il *grooming* reciproco. Se assumiamo che le coalizioni siano parte dei legami sociali, una rete di alleanze flessibile può instaurarsi soltanto mediante cambiamenti nei legami fra individui. I nostri dati dimostrano che simili cambiamenti non avvengono; i legami tra maschi sono abbastanza stabili, le loro coalizioni, al contrario, non dipendono da questi legami. Mentre le femmine entrano in azione quasi soltanto per difendere i loro piccoli o i loro migliori amici, le coalizioni fra maschi sono molto più difficili da prevedere, dato che essi frequentemente si associano contro individui che di solito preferiscono come compagni di *grooming*, o per starvi a contatto.

Le coalizioni maschili sono strumenti per conseguire e mantenere uno status elevato e in questa strategia opportunistica c'è poco spazio per simpatie e antipatie. L'incongruenza fra le preferenze affiliative di un maschio e le sue coalizioni si accentua nei periodi in cui è in competizione per salire di rango. Gli scimpanzé adulti sembrano vivere in un mondo gerarchizzato, in cui i partner di coalizione possono essere cambiati in ogni momento e in cui esiste sempre un unico obiettivo: il potere. Le femmine adulte, invece, vivono in un mondo di relazioni sociali di tipo orizzontale. Le loro coalizioni avvengono sempre con particolari individui, e hanno per obiettivo la sicurezza. Alcune femmine, come Mama, esercitano un notevole potere nel gruppo, ma mai a spese di parenti e amici. Nel corso dei miei studi, non ho mai visto Mama rivoltarsi contro la sua amica Gorilla.

Da esperimenti di psicologia risulta che, nella cultura occidentale, uomini e donne mostrano differenze analoghe. Per esempio, se si pongono delle persone in una situazione competitiva, di solito un gioco in cui è possibile vincere solo attraverso la collaborazione con gli altri, gli uomini formano coalizioni e sono sensibili alla distribuzione del potere fra i giocatori, oltre che a considerazioni strategiche, mentre le donne scelgono i partner principalmente in base all'attrazione interpersonale. Dato che l'attrazione è più stabile dell'utilità strategica, gli uomini risultano avere una maggiore capacità di manovra. Questo tratto è evidente anche in politica; Tancredo Neves, ex presidente del Brasile, esemplifica chiaramente l'atteggiamento maschile in questo campo: «Non ho mai avuto amici da cui non potessi separarmi né nemici con cui non potessi allearmi».

Per scoprire quanto sia diffusa questa differenza fra sessi, e in quali circostanze essa si manifesti in modo più evidente, è necessario studiare una grande varietà di culture umane. Sono necessarie, comunque, anche osservazioni sugli scimpanzé in libertà. Le nostre attuali conoscenze su questa specie in natura tendono ad avvalorare la nostra ipotesi. Tali conoscenze sono dovute a due ammirevoli progetti in corso, ambedue in Tanzania. Il primo è stato iniziato nel 1960 nel Gombe National Park da Jane Goodall, l'altro nel 1965 nelle Montagne Mahale da Toshisada Nishida e altri primatologi giapponesi. Goodall è stata testimone di varie conquiste del potere nella sua comunità di scimpanzé e ha ripetutamente fatto notare l'importanza delle coalizioni maschili. Nishida racconta come un vecchio maschio, nel gruppo di Mahale, cambiasse regolarmente alleanza con due giovani maschi, ognuno bisognoso del sostegno del vecchio per dominare sull'altro. Nishida, che riuscì a seguire i due rivali attraverso la foresta per diversi mesi, parla di una «instabilità nelle alleanze»; in questo modo il vecchio maschio aveva un ruolo chiave, che gli conferiva privilegi sessuali.

Yeroen usò questa stessa tattica ad Arnhem durante il primo anno del regno di Nikkie; egli poteva contare sull'aiuto di Luit per allontanare Nikkie dalle femmine in estro, e sull'aiuto di Nikkie per allontanare Luit. Riuscendo abilmente a mettere i due maschi più giovani uno contro l'altro, Yeroen riuscì, in quel periodo, a realizzare il maggior numero di accoppiamenti nella colonia. Per comprendere una situazione di questo tipo è necessario fare una distinzione fra *rango formale* e *potere*. Il rango formale viene espresso in scontri rituali in cui il dominante si mostra con il pelo minacciosamente eretto al subordinato che risponde con inchini e versi di saluto. Sia il vecchio maschio di Nishida sia Yeroen hanno compensato la loro mancanza di dominanza formale su maschi più giovani e forti, con un notevole potere di manipolazione.

La gerarchia maschile è altamente formalizzata, cioè i maschi spesso comunicano il loro rango a un altro. Fra questi accesi contendenti, la formalizzazione della gerarchia è il presupposto per mantenere relazioni rilassate. Quando la comunicazione del rango viene interrotta, scoppiano lotte violente, e il vincitore applica il meccanismo della rassicurazione condizionale per ristabilirla. La gerarchia formale può essere vista come uno strumento per mantenere la coesione nonostante le rivalità, e in effetti i maschi di Arnhem, benché abbiano venti volte più scontri aggressivi delle femmine, si associano e si puliscono a vicenda il pelo almeno quanto le loro compagne. Al confronto la gerarchia femminile è piuttosto vaga. Poiché tra le femmine la comunicazione del rango è rara, risulta difficile e pressoché inutile ordinare le loro posizioni su una scala verticale. Questo vale anche per le femmine scimpanzé in natura.

L'alta frequenza di riconciliazione fra maschi, anche tenendo presente il più alto numero di conflitti cui partecipano, potrebbe essere correlata con queste differenze fra sessi. In primo luogo, una gerarchia ben definita costituisce, di per sé, uno schema rituale per le rappacificazioni dopo uno scontro; le riconciliazioni fra maschi sono spesso precedute da una conferma del rango formale. Per esempio, può accadere che il dominante stia in piedi con il pelo dritto e con gesto imponente passi il proprio braccio al di sopra del subordinato inchinato a terra, prima che baci e *grooming* inizino. In secondo luogo, l'infida, machiavellica natura dei giochi di potere dei maschi implica che ogni amico è un potenziale traditore, e viceversa. I maschi hanno buone ragioni per ristabilire relazioni in crisi; nessuno di loro sa quando potrà aver bisogno del suo peggior nemico. Rancori di lunga durata possono portare all'isolamento, che nel sistema di coalizioni equivale a un suicidio politico. Anche nella politica umana il successo richiede capacità di compromesso, di perdono, «dimenticare». Non stupisce che, nel suo paese, Tancredo Neves, vista la frase che abbiamo citato, fosse conosciuto come il Grande Conciliatore.

Per le femmine di scimpanzé la situazione è completamente diversa, le loro coalizioni resistono al tempo, rispecchiano spesso le preferenze personali e i legami di parentela e sono relativamente poco importanti nelle contese per la dominanza, verso la quale le femmine sono assai meno orientate. Per loro è di gran lunga più importante mantenere buoni rapporti con una piccola cerchia di familiari e amici; fare pace con gli altri dopo un litigio lo è molto meno. Nel corso degli anni ho maturato l'impressione che ogni femmina ad Arnhem abbia uno o due nemici giurati con cui fare pace è del tutto fuori discussione. Piuttosto che meno conciliatorie, le femmine sono, forse, più selettive: il confine che tracciano fra amici e nemici è molto più definito che non nei maschi.

I legami e la solidarietà fra le femmine di Arnhem sono più intensi che in condizioni naturali, questo perché, in uno zoo, la competizione per il cibo non è una questione di vita o di morte. In libertà, dove la disponibiltà di cibo è limitata, le femmine evitano un'eccessiva competizione disperdendosi nella foresta ognuna in compagnia dei figli minori di dieci anni. Questa tendenza alla vita solitaria spiega perché nelle femmine i meccanismi che permettono all'altro sesso di tenere le tensioni sociali sotto controllo siano meno sviluppati. I maschi adulti devono necessariamente saper affrontare la competizione, poiché spesso si spostano in bande. Oltre ai motivi personali che tengono uniti i maschi fra loro, vi è anche la necessità, di importanza vitale per i maschi di una comunità, di formare un fronte unito negli scontri con i maschi dei territori confinanti.

Non stupisce dunque, viste queste differenze nello stile di vita di maschi e femmine, che anche Jane Goodall, in *Lo scimpanzé di Gombe*, confermi le differenze fra i sessi osservate ad Arnhem. Anche in libertà, i combattimenti fra maschi sono seguiti da gesti di rassicurazione più spesso di quelli tra femmine.

Anche nella nostra specie esistono analoghe differenze fra i sessi? Questo è un argomento davvero scottante. Le opinioni sono discordi anche tra le femministe. Marilyn French, per esempio, in *Beyond Power* (Oltre il potere), definisce le strutture gerarchiche della nostra società come tipicamente maschili, e le relazioni di tipo paritario come una peculiarità femminile; questa distinzione somiglia a quella trovata negli scimpanzé. L'autrice, però, descrive le donne come le creature più pacifiche della terra, prive di ogni tendenza competitiva. Ritiene che, nella preistoria, la gente vivesse in società governate da donne: «Nel mondo matriarcale ogni bene veniva condiviso con gli altri, la comunità era legata da vincoli d'amicizia e d'amore, tutto era emotivamente incentrato sul focolare

Le femmine di scimpanzé intrattengono relazioni intime con una piccola cerchia di amici e parenti. Qui una femmina adulta tiene ferma la figlia mentre le pulisce la faccia. (Yerkes Primate Center.)

domestico e sulle persone, e ciò portava alla felicità ». A parte la mancanza di prove che un tale mondo di sogno sia mai esistito, considero la sua esistenza poco probabile anche sotto il profilo teorico.

È proprio vero che tutte le donne si amano e si aiutano fra loro? Tra poche amiche del cuore certamente sì, proprio come tra le femmine scimpanzé, ma in generale? Ed è proprio vero che le donne sono così accomodanti fra loro? Un'allenatrice olandese di nuoto, Marianne Ouderk-Heemskerk, in un'intervista con NRC-« Handelsblad » (5 marzo 1981), ha spiegato perché preferisce lavorare con i ragazzi. Durante i quindici anni della sua carriera l'allenatrice aveva avuto molti più problemi con le gelosie e i rancori delle ragazze che con la schietta competitività maschile: « Preferisco, per così dire, vedere due ragazzi prendersi a pugni per un disaccordo e poi bersi una birra insieme un'ora dopo, piuttosto che le discordie tra ragazze che possono durare mesi ».

Benché si tratti di stereotipi triti e ritriti, ciò non significa che siano infondati. Occorrono studi sistematici sulle relazioni all'in-

65

terno di conventi, fra le infermiere, nei collegi femminili, e così via, per verificare se *Woman the Dove* (La Donna Colomba) sia mito o realtà. Le femmine competono in molti modi sottili. Per esempio, negli scimpanzé, una femmina può istigare un amico maschio contro una rivale. Si siederà vicino al maschio, con un braccio sulle sue spalle, lanciando qualche acuto latrato verso la nemica. Quando il maschio acconsente e attacca l'altra femmina, ciò verrà descritto, nei dati che raccogliamo, come un altro caso di aggressività maschile; ma questo dipende solo dalle nostre misure troppo rozze. Anche fra gli umani, l'aggressività femminile può spesso sfuggire all'osservazione.

Da un punto di vista biologico, l'assenza di aggressività tra le femmine semplicemente non ha senso. Le risorse sono limitate e ogni individuo, maschio o femmina che sia, cerca di sopravvivere e riprodursi. Le primatologhe femministe hanno perciò cominciato a criticare la contrapposizione di un sesso litigioso con uno pacifico. Dati recenti riferiti da Sarah Hrdy in *The Woman that Never Evolved* (La donna che non si è mai evoluta) dimostrano che le scimmie femmine competono fra loro quanto i maschi, anche se per ragioni differenti; i maschi competono principalmente per l'accoppiamento, le femmine per il cibo necessario a loro stesse e alla progenie.

In un solo punto sono in disaccordo con la Hrdy; la sua descrizione delle femmine come fortemente orientate verso la dominanza. Questo può essere vero per molte specie di scimmie, come i babbuini e i macachi, dove le femmine formano gerarchie ben definite, ma non vale per i nostri parenti più stretti, le scimmie antropomorfe. I rituali di riconoscimento del rango sono molto rari tra le femmine di scimpanzé; in sei anni, tra alcune delle femmine di Arnhem, non ho mai assistito a un rituale del genere. Inoltre, mentre i maschi ingaggiano fiere lotte per la dominanza, tra le femmine questo non accade. Nei maschi il numero di aggressioni legate al rango è così alto che viene da chiedersi se la loro struttura sociale non favorisca l'aggressività, piuttosto che ridurla. Il punto cruciale è che questa struttura, e la rassicurazione reciproca fra dominanti e subordinati che ne deriva, rende la rivalità fra maschi *meno disgregante* che tra le femmine. La gerarchia maschile canalizza l'aggressione in direzioni prevedibili e unifica i contendenti.

Questo non deve però far credere che i maschi siano pacifici quanto le femmine; ciò sarebbe molto lontano dalla realtà: sia negli scimpanzé sia negli uomini i maschi sono più inclini alla violenza fisica e sono spesso loro a creare disordini. Quel che voglio dire è che non bisogna partire dal presupposto che le femmine non competano *affatto*. La differenza che mi sembra più interessante fra i sessi riguarda non già la quantità di competizione, bensì la forma che assume e l'effetto che ha sulle relazioni. L'immagine sbagliata delle donne quali esseri non competitivi nasce forse da una tendenza, analoga a quella delle femmine scimpanzé, a evitare i rivali. Come ha osservato Lillian Rubin: «Piuttosto che riconoscere il nostro spirito competitivo — sì, anche il desiderio di picchiarci — preferiamo allontanarci, danneggiando così quella intimità, che desideriamo profondamente proteggere».

Una coalizione si spezza

Quando non si riesce a raggiungere o si ignora volutamente una soluzione pacifica, scoppia la violenza. Questo pericolo non è sempre evidente; l'aggressività può essere repressa e controllata così bene che la pace che ne risulta viene spesso data per scontata. Finché la gerarchia fra i maschi di Arnhem si mantenne intatta, la violenza era praticamente sconosciuta; gli animali, infatti, difendevano con cura la struttura sociale con comportamenti di conferma dello status, gesti di acquietamento e *grooming*; perfino occasionali rovesciamenti di rango avvenivano senza lotte all'ultimo sangue. Sotto la superficie si avvertiva un'enorme tensione, soprattutto quando gli animali si aggiravano intorno a una femmina sessualmente ricettiva, facilmente riconoscibile dal rigonfiamento roseo dell'area genitale. Eppure tutto rimaneva sotto controllo e, dato che le cose erano andate in questo modo per nove anni, avevamo finito per credere che quella fosse la situazione normale. Dopo tanti anni di relativa calma eravamo impreparati ad affrontare il temporaneo collasso del sistema che si verificò nel 1980. Per narrare ciò che segue è necessario risalire a tre anni prima, quando si era formata la coalizione fra Yeroen e Nikkie.

Paradossalmente, Luit era stato sconfitto dagli altri due maschi nel 1977, proprio perché era l'unico in grado di camminare con le proprie gambe. In pochi mesi, dopo aver raggiunto il rango di maschio alfa, si era già conquistato un'ampia popolarità tra le femmine. Per tenere sotto controllo il suo rivale, Nikkie, gli bastava solo la neutralità del vecchio capo, Yeroen. Nikkie, invece, aveva bisogno dell'aiuto di Yeroen per avere la possibilità di essere il dominante. La decisione finale di Yeroen di aiutare Nikkie è comprensibile; accontentarsi di essere il braccio destro di un nuovo leader che dipende completamente da te è comunque meglio che unirsi a un alleato così forte che cercherà di sicuro, prima o poi, di monopolizzare i privilegi del rango. Il destino di Luit illustra la regola, nota nella teoria delle coalizioni umane, che «la forza è debolezza»; i partiti forti sembrano quasi *stimolare* la formazione di cooperazioni a loro danno.

Sebbene Nikkie fosse formalmente il maschio alfa, salutato con sottomissione da ogni membro della comunità, per tutto il primo anno la sua posizione rimase vacillante. Come già detto, non riusciva a impedire a Yeroen di avere il maggior successo negli accoppiamenti. Le femmine tributavano il loro rispetto a Yeroen più spesso che a Nikkie, la loro sottomissione a Nikkie non era spontanea. La sua posizione si rafforzò molto quando lui e Luit smisero di lasciar sfruttare a Yeroen la loro rivalità sessuale. Nel giro di una notte la partita del vecchio capo era chiusa. In seguito, occasionalmente, Yeroen si metteva ancora a urlare e a tendere la mano verso un maschio, quando l'altro si avvicinava a una femmina in estro, ma veniva ignorato da entrambi. Il risultato fu che durante il secondo anno la maggior parte degli accoppiamenti toccò a Nikkie e Luit. Successivamente il loro «trattato di non-intervento» si trasformò in una sorta di coalizione; insieme facevano esibizioni di carica per tutta l'isola, e insieme minacciavano Yeroen, se questi stava seduto troppo a lungo o troppo vicino a una femmina in calore.

Questa era la situazione nel 1979, quando ho scritto *La politica degli scimpanzé*. L'equilibrio nel triangolo dei maschi, che prima era stato creato dal basso da Yeroen, ora era determinato dall'alto da Nikkie. La sua cooperazione con Luit era strettamente limitata al contesto sessuale, e continuava a dipendere da Yeroen per essere dominante su Luit. Un elemento cruciale della strategia di Nikkie era di impedire il contatto tra gli altri due maschi. Uno dei miei studenti, Otto Adang, ha raccolto le osservazioni sui cosiddetti *interventi separatori*, in cui un individuo interrompe un contatto fra altri due, di solito esibendosi proprio di fronte a loro, lanciando bastoni e pietre, minacciando di caricare. Nikkie era protagonista di gran parte di questi interventi, che attuava soprattutto per separare Luit da Yeroen, e anche dalle femmine di alto rango. Naturalmente Luit conosceva le regole e bastava uno sguardo di Nikkie nella sua direzione, perché quello si grattasse la testa, guardasse per aria e si allontanasse silenziosamente da un compagno di *grooming*. Spesso Yeroen aiutava e talvolta istigava Nikkie a intervenire. Gridando forte Yeroen attirava l'attenzione di Nikkie su un contatto di Luit, e poi, insieme, caricando fianco a fianco, mettevano in fuga il gruppo di cui Luit faceva parte.

La coalizione tra Yeroen (*a sinistra*) e Nikkie ha dominato la colonia di Arnhem per più di tre anni. Nikkie, il più giovane e forte dei due, era formalmente il capo, ma dipendeva totalmente da Yeroen. (Zoo di Arnhem.)

Le gravi tensioni che scoppiarono nel 1980 nella colonia di Arnhem furono causate, credo, dalla crescente frustrazione di Yeroen. Egli aveva portato Nikkie al potere e continuava ad aiutarlo a tenere Luit socialmente isolato. Ma quando era in gioco il sesso Luit subiva una metamorfosi diventando, da sottomesso che era, molto sicuro di sé, grazie alla tolleranza di Nikkie. Queste situazioni non si verificavano molto spesso, perché solo le femmine che non allattano possono diventare sessualmente ricettive e soltanto durante quattordici giorni del loro ciclo mensile. Ciononostante i vantaggi che Yeroen ricavava dall'aiutare Nikkie sembravano ridursi.

Dopo innumerevoli piccoli incidenti, in cui gli accoppiamenti di Luit avevano accresciuto la tensione fra i due dominatori del gruppo, Yeroen e Nikkie, il primo vero attacco fu osservato il 4 luglio. Una femmina di nome Krom mostrava il tipico rigonfiamento rosa che tanto attrae i maschi. La mattina avevamo osservato un riavvicinamento fra Nikkie e Luit. Quando Yeroen rivolse un invito sessuale a Krom, gli altri due gli si fecero vicini con il pelo irto. Yeroen si allontanò dalla femmina ma diede una spinta a Nikkie e colpì Luit, dopodiché tutti e tre i maschi si misero a urlare e Nikkie e Luit si montarono brevemente a vicenda.

Dopo alcune ore tutti e tre i maschi erano seduti sotto un albero, con Krom sopra di loro fra i rami. Quando Luit cominciò ad arrampicarsi verso di lei, Yeroen lanciò un guaito e guardò prima Luit e poi Nikkie, al che Luit si affrettò a raggiungerli a terra e insieme schiamazzarono in coro. Qualche minuto dopo, comunque, Luit tornò sull'albero. Questa volta Yeroen esplose in una serie di alti urli, tendendo la mano verso Nikkie per chiederne l'appoggio. Nikkie si allontanò dalla scena. Yeroen reagì con un imprevisto attacco a sorpresa contro Nikkie, saltandogli addosso da dietro e mordendolo alla schiena. Sembrava furioso perché Nikkie aveva ignorato la sua richiesta di fermare Luit.

Due giorni dopo l'incidente vi fu un altro combattimento, che sfuggì all'osservazione essendo avvenuto nelle gabbie notturne. A giudicare dalle ferite riportate da due dei maschi, dev'essere stato lo scontro più violento dalla creazione della colonia di Arnhem. Nikkie aveva profonde ferite su molte dita delle mani e dei piedi e anche sulle orecchie e sulle natiche. Le dita di Yeroen erano gonfie e piene di morsi, gli mancavano diverse unghie e la falange di un dito di un piede; Luit, invece, aveva soltanto un graffio superficiale. I combattimenti fra maschi di solito non comportano ferite, ma quando ce ne sono riguardano quasi sempre mani e piedi. A rendere questo scontro eccezionale non era la localizzazione delle ferite, ma il loro numero. Inoltre, prima di allora, nessuno dei nostri maschi aveva mai perso parte di un dito.

Anche se non fu possibile determinare chi avesse avuto la meglio nella battaglia soltanto in base a una conta delle ferite riportate, risultò chiaramente che Nikkie si comportava da perdente. Fino a quella notte era stato un imponente, grosso maschio alfa; ora invece aveva un aspetto irriconoscibile: appariva piccolo e depresso da far pietà. Anche se non sembrava che Luit fosse stato molto coinvolto nello scontro, si comportava come il nuovo maschio dominante. Sebbene ciò sia difficile da comprendere se si considerano i tre maschi uno a uno, singolarmente, diviene chiaro considerando il triangolo nel suo insieme. Negli anni precedenti si erano raccolte molte prove del fatto che Nikkie e Yeroen avevano bisogno del reciproco aiuto, e che Luit avrebbe ripreso il controllo non appena la loro coalizione si fosse spezzata. Luit fu il primo maschio a diventare alfa nel giro di una notte, e apparentemente senza aver dovuto lottare. La mia interpretazione è che la rottura fra Yeroen e Nikkie aveva creato un vuoto di potere, subito riempito da Luit. Era diventato il maschio alfa *per difetto*.

Un'altra possibile ricostruzione dell'incidente è che Luit fosse riuscito a ferire e sconfiggere da solo gli altri due maschi; ma come risulta da eventi successivi, una simile impresa era al di fuori delle sue possibilità fisiche.

Violenza mortale

Dal maggio 1978 i quattro maschi adulti erano stati tenuti in due gabbie notturne comunicanti. Il più giovane, Dandy, poteva dunque scegliere in quale gabbia trascorrere la notte. In certi periodi dormiva con gli altri maschi, in certi altri preferiva dormire da solo (come accadde durante tutti gli eventi del 1980 qui descritti). Dopo il combattimento fra Yeroen e Nikkie, avevamo deciso di tenere i tre maschi più anziani separati dal resto del gruppo per una settimana e di rimetterli insieme soltanto quando era possibile sorvegliarli. Tutto andava bene. Di giorno i tre maschi venivano tenuti in una delle grandi sale interne, di notte in gabbie separate. Dopo una settimana furono reintrodotti nel gruppo, ma di notte si continuò a tenerli separati.

Con l'andare del tempo, comunque, diventava sempre più difficile per i custodi, Jacky Hommes e Loes Offermans, separare i maschi la notte. Yeroen cercava sempre di entrare nella gabbia di Nikkie. Se ci riusciva, Luit si disperava, si rifiutava di entrare nella sua gabbia e arrivava perfino ad attaccare i custodi attraverso le sbarre. Lo stesso succedeva con Yeroen, quando Luit e Nikkie entravano nella stessa gabbia. Sembrava che né Luit né Yeroen volessero essere lasciati fuori, se gli altri due maschi riuscivano a rimanere insieme.

Dopo circa sette settimane, decidemmo di lasciare che se la sbrigassero fra loro; quando mostravano di voler assolutamente dormire insieme, fu loro permesso, altrimenti venivano separati. La decisione sollevò i custodi dal lungo e stressante lavoro di isolare i maschi, per il quale si potevano avvalere soltanto di porte a ghigliottina e di getti d'acqua, un compito che a volte si protraeva fino a notte inoltrata. A quel tempo, era mia convinzione che gli scimpanzé sapessero prevedere molto meglio di noi osservatori umani le possibili conseguenze delle relazioni sociali. Forse questa ipotesi è ancora valida; le drammatiche conseguenze del desiderio dei maschi di dormire insieme, e la nostra decisione di assecondar-

Un rituale di rango dimostra che Luit (*a destra*) è il nuovo capo. Mentre Nikkie si inchina, Luit si alza e rizza il pelo. Il risultato (foto nella pagina accanto) è un'apparente differenza tra i due maschi, mentre in realtà hanno circa le stesse dimensioni. (Zoo di Arnhem.)

li, non significano necessariamente che i tre fossero ignari dei pericoli.

Durante il periodo che intercorse fra il primo grave scontro e il secondo, Nikkie era estremamente sottomesso a Luit e, a volte, letteralmente strisciava nella polvere. Al contrario, Yeroen mostrava molto meno sottomissione e quando Luit gli si avvicinava con il pelo irto e un atteggiamento di imposizione, reagiva esibendosi a sua volta. Ma anche i rari grugniti di sottomissione di Yeroen verso Luit erano un grosso cambiamento, rispetto alla loro precedente relazione, mediata dalla protezione di Nikkie.

I primi giorni dopo la reintroduzione dei maschi nella colonia furono caratterizzati da un frequente e intenso *grooming*; tutti gli scimpanzé si aggregavano, per pulirsi il pelo, in gruppi sempre nuovi. Alle ferite di Nikkie (più che a quelle di Yeroen) veniva dedicata molta attenzione, anche se Luit spesso scacciava le femmine che si trattenevano troppo a lungo con Nikkie. Per il gruppo nel suo complesso, il dominio assunto da Luit costituiva un miglioramento significativo. Regnava infatti una grande pace e tutti giocavano serenamente; giocavano perfino le femmine più anziane, che

di solito non si sarebbero mai messe a galoppare di qua e di là, facendo sentire la risata gutturale tipica degli scimpanzé. Luit aveva acquisito il cosiddetto ruolo di controllo, facendo da arbitro nelle dispute con grande autorità e imparzialità. Deve essere stata la sua sensibilità alle tensioni del gruppo, il suo ergersi imponente, finché non si calmavano, fra due individui che si fronteggiavano urlando, a ricreare lo stesso stato di armonia che avevamo osservato durante la sua precedente leadership, nel 1976-1977.

La pace, però, non si era estesa alle relazioni fra i maschi adulti. Rimanevano segni di tensione e di instabilità. È difficile riassumere questa situazione mutevole: un giorno poteva succedere che annotassimo nel nostro brogliaccio che Luit sembrava aver formato una coalizione con Dandy (diventato improvvisamente molto più attivo); il giorno dopo si potevano vedere Luit e Nikkie compiere una parata intimidatoria in larghi cerchi intorno agli altri due maschi, che urlavano terrorizzati; il che ci faceva prevedere una coalizione nascente fra Luit e Nikkie. Sembrava che i maschi stessero provando tutte le possibili combinazioni di alleanze, eccetto la combinazione Luit-Yeroen. Sebbene Luit apparisse molto sicuro di sé, alcune sottili indicazioni rivelavano la sua diffidenza nei confronti di Yeroen. Se il vecchio maschio si sedeva non lontano da lui, Luit per qualche minuto si mostrava a disagio, poi abbandonava la scena. In varie occasioni sono stato abbastanza vicino da sentire Luit sospirare profondamente, mentre sedeva di nuovo a una certa distanza da Yeroen. Altre volte sedeva raggomitolato, con le braccia intrecciate oppure schiacciate fra le ginocchia, in una sorta di posizione fetale, del tutto insolita per lui.

Per Yeroen le possibilità di scelta sembravano essere le stesse della volta precedente in cui Luit aveva dominato la colonia. Unirsi a Luit gli avrebbe conferito ben pochi vantaggi e Dandy era troppo giovane per rappresentare una seria minaccia per Luit: non rimaneva quindi che cercare di ricostituire la coalizione con Nikkie. I nostri criteri standard di misura delle coalizioni comprendono la tendenza di due individui a intervenire l'uno nei conflitti dell'altro, la direzione di questi interventi (se a favore o contro), il numero di esibizioni compiute insieme, e così via. In base a questi parametri la coalizione Nikkie-Yeroen risultava notevolmente più debole di prima. Yeroen faceva del suo meglio per riportarla alla normalità: ogni volta che Luit e Nikkie camminavano insieme, urlava per la frustrazione e li seguiva passo passo. Quando Luit non c'era, Yeroen cercava a sua volta di camminare, sedersi e pulire il pelo a Nikkie. Ma le sue tattiche non avevano sempre successo per due motivi: Luit iniziava sempre una rumorosa parata di intimi-

Nel suo breve periodo di dominanza, Luit agiva con autorità e sicurezza. Tuttavia a volta le tensioni con Yeroen gli logoravano i nervi, e allora si sedeva raggomitolato in posizione fetale (*sinistra*), molto diversa dal suo tipico atteggiamento regale (v. foto pagina a fianco). (Zoo di Arnhem.)

dazione ogni volta che notava un contatto fra gli altri due maschi, e di solito riusciva a separarli; in secondo luogo, spesso, era Nikkie stesso a evitare Yeroen, anche se Luit non era in vista; dava l'impressione che Yeroen non gli piacesse e che non si fidasse delle sue intenzioni. In ogni caso, via via che le sue ferite guarivano, l'atteggiamento negativo di Nikkie scomparve.

Durante la notte fra il 12 e il 13 settembre, le gabbie notturne dei maschi diventarono rosse di sangue. Quando arrivammo al mattino, i maschi, apparentemente, si erano riconciliati; erano abbastanza calmi e Jackie ebbe difficoltà a separarli. Luit si sforzava in tutti i modi di rimanere con gli altri due, il che era alquanto sorprendente considerando ciò che gli avevano fatto. Questo suo comportamento dimostra il profondo bisogno di appartenenza degli scimpanzé maschi, un bisogno che è spiegato dalla loro vita in natura, in cui i maschi isolati probabilmente non potrebbero sopravvivere alle lotte fra comunità, come spiegherò fra poco.

Luit aveva molte ferite profonde sulla testa, sui fianchi, sulla schiena, intorno all'ano, sullo scroto. I piedi, in particolare, erano stati gravemente feriti (a uno mancava un dito, all'altro ne mancavano diversi). Era stato morso anche alle mani, infatti gli mancavano molte unghie. La scoperta più raccapricciante fu che aveva perso entrambi i testicoli; tutte le parti del corpo mutilate furono più tardi ritrovate sul fondo della gabbia. A un'ispezione più accurata, sul tavolo operatorio, risultò che, contrariamente a ciò che ci aspettavamo, il sacco scrotale *non* era stato aperto da una grossa lacerazione, ma su di esso vi erano un certo numero di aperture relativamente piccole, attraverso le quali non si capiva come potessero essere fuoriusciti i testicoli.

Per tre ore e mezzo, il veterinario dello zoo, Piet de Jong, e il suo assistente si adoperarono per salvare la vita di Luit. Gli pulirono le ferite e gli misero cento, duecento punti. Tuttavia, quella sera, ancora parzialmente sotto anestesia, Luit morì nella sua gabbia notturna. Causa principale della morte devono essere stati lo stress e la perdita di sangue. Al momento del decesso, il resto della colonia era rientrato negli alloggi notturni: gli animali restarono completamente silenziosi per tutto il tempo in cui il corpo di Luit rimase nella gabbia. Il mattino dopo, anche durante il pasto, quasi non si udivano suoni; l'attività vocale riprese solo dopo che il cadavere fu portato fuori dall'edificio.

Per ricostruire l'andamento della seconda battaglia nelle gabbie notturne è importante sottolineare che Luit era il solo ad aver riportato gravi ferite. Nikkie non mostrava alcun danno, mentre Yeroen aveva solo piccoli tagli e graffi (le sue ferite, anche se numerose, erano superficiali). Dato che Luit era un maschio molto forte, di sicuro più di Yeroen e almeno quanto Nikkie, l'esito ineguale della lotta può essere spiegato, secondo me, esclusivamente ipotizzando un notevole grado di collaborazione fra Nikkie e Yeroen.

Un'altra possibile spiegazione, suggeritami da un gruppo di veterinari quando ho esposto loro il caso, è che i due maschi avessero attaccato Luit di sorpresa, nel sonno. Un colpo molto forte, o un morso ai testicoli, potrebbero averlo paralizzato per un attimo, quel tanto che avrebbe reso facile agli attaccanti di aggredirlo ulteriormente. Il problema è stabilire se una simile paralisi dovuta al dolore possa durare così a lungo. Il sangue era schizzato ovunque e aveva imbrattato pavimenti, pareti, sbarre e perfino le reti metalliche dei soffitti di entrambe le gabbie notturne. Anche la paglia era sparsa dappertutto e faceva pensare a una lunga lotta, con molti inseguimenti e tentativi di fuga. Considerando i danni subiti da Luit e il caos nella gabbia, ritengo che la lotta debba essere durata più di quindici minuti, e che Luit fosse ben lontano dall'essere immobilizzato.

La mattina del 13 settembre, dopo aver separato Luit per curarlo, rimettemmo Nikkie e Yeroen nel gruppo. Subito una femmina di alto rango, Puist, attaccò Nikkie furiosamente; fu così ostinata e aggressiva che il maschio fuggì su un albero. Puist, da sola, riuscì, urlando e caricandolo ogni volta che tentava di scendere, a farlo restare lassù per almeno dieci minuti. Tra le femmine, Puist era sempre stata la principale alleata di Luit e probabilmente aveva assistito alla lotta, dato che dalla sua gabbia si poteva vedere l'interno di quelle dei maschi. Più tardi il gruppo mostrò un grande interesse verso i due maschi, ispezionandoli e facendo loro *grooming*.

Da quel giorno Dandy assunse un ruolo molto più importante. Cercava di continuo il contatto con Yeroen e resisteva ai tentativi di Nikkie di separarli. Nei mesi successivi, il nuovo triangolo maschile si stabilizzò. Il 14 ottobre, Yeroen rivolse a Nikkie il suo primo grugnito di sottomissione dalla notte dello scontro del 6 luglio. Nelle settimane successive, i due si facevano freneticamente *grooming* a vicenda, forse per risolvere la tensione residua. La relazione fra Yeroen e Nikkie tornò a essere intensa come prima, con l'intraprendente Dandy ora alternativamente rivale dell'uno e dell'altro.

Mentre pedalavo verso lo zoo, in quel fatidico sabato mattina, i miei pensieri e le mie sensazioni erano confusi e del tutto ascientifici. La precipitosa descrizione che Jacky mi aveva fatto al telefono delle condizioni in cui aveva trovato Luit ancora echeggiava nella mia mente. Le sue parole mi avevano lasciato pieno di tristezza e di delusione, continuavo a rimuginare dentro di me un istintivo verdetto: la colpa è di Yeroen. Era, ed è ancora lui, quello che decide tutto nella colonia degli scimpanzé; Nikkie, più giovane di dieci anni, non era che una pedina nei giochi di Yeroen. Ho cercato a lungo di combattere questo giudizio morale, ma anche oggi non posso guardare Yeroen senza vederlo come un assassino. Questi sentimenti, comunque, non devono essere confusi con i fatti: anche Nikkie deve essere stato coinvolto nella lotta, tanto quanto Yeroen. La stessa parola «assassino» implica un'intenzione di uccidere, impossibile da dimostrare in quell'episodio.

Il mio stato emotivo non migliorò quando vidi Luit seduto in una pozza di sangue. Normalmente era molto riservato con gli umani, anche i più familiari, ma in quel caso cercò un contatto e lasciò che gli accarezzassi la testa. «Non dovevamo lasciarli insieme!» continuavamo a ripetere io e i custodi, ma nulla nella storia della colonia ci aveva preparato a un simile dramma. Con la morte di Luit, il progetto Arnhem entrò in una nuova fase; alcune idee un po' romantiche furono abbandonate, e questo cambiamento avvenne proprio mentre anche quelli che studiavano le scimmie antropomorfe in libertà stavano scoprendo un lato oscuro nella loro natura.

Le osservazioni, che avevano rivelato come gli scimpanzé cacciassero abitualmente babbuini, colobi, potamoceri, cefalofi e altri animali della foresta, avevano già minato l'immagine degli scimpanzé come i nostri simpatici amabili cugini. Ma la notizia di sanguinose battaglie fra i maschi di differenti comunità e dell'occasionale cannibalismo di maschi e femmine verso i piccoli fu il colpo finale. Queste scoperte resero gli scimpanzé ancora più simili a noi di quanto si sarebbe mai creduto possibile, e per alcuni scienziati questa specie ci si stava avvicinando un po' troppo per non sentirsi a disagio. Ashley Montagu, per esempio, cercò di sfuggire all'inevitabile suggerendo ingegnosamente in una lettera al «New York Times» (2 maggio 1978) che «in certe condizioni gli scimpanzé si comportano più da umani di quanto gli umani si comportino da scimpanzé».

I resoconti di Jane Goodall in proposito sono molto importanti

Yeroen. (Zoo di Arnhem.)

perché ci forniscono alcuni suggerimenti su come Yeroen e Nikkie possano aver collaborato contro Luit. Dopo la scissione della grande comunità di Gombe, i maschi adulti del gruppo principale invasero ripetutamente il territorio del gruppo più piccolo, di cui riuscirono a impossessarsi uccidendo almeno tre dei maschi residenti (gli altri due scomparvero nello stesso periodo, e si sospetta che siano stati uccisi anche loro). Ognuno dei tre attacchi osservati iniziava con un drappello di maschi che si avvicinava silenzioso e rapido attraverso il sottobosco per attaccare un maschio dell'altro gruppo, che era rimasto da solo. L'attacco coordinato che seguiva era di lunga durata e di grande brutalità: inchiodata a terra da uno degli aggressori la vittima ormai senza scampo veniva percossa, colpita, calpestata e morsa dagli altri; alla fine la lasciavano lì, in stato di shock, coperta di profonde ferite. Di due delle vittime non si seppe più nulla, e la terza fu vista una sola volta, mesi più tardi, in condizioni pietose. Un interessante particolare nella descrizione della Goodall fatta a proposito di questo incontro è che «lo scroto di questo maschio ferito si era ridotto a un quinto delle dimensioni normali».

Alle femmine adolescenti e giovani è permesso, specialmente quando sono in estro, di attraversare i confini territoriali; Anne Pusey ha ipotizzato che il rigonfiamento rosa intenso dei genitali delle femmine serva da segnale a distanza per i maschi potenzialmente ostili, un po' come se le femmine scimpanzé sventolassero il loro passaporto. Le femmine più anziane con figli ancora dipendenti devono invece fare altrettanta attenzione di un maschio vagabondo. L'intensità della xenofobia fra gli scimpanzé è ben evidente nel seguente episodio in cui alcuni maschi adulti si scontrarono con una femmina estranea, alla periferia del loro territorio. Goodall riporta che la femmina rispose alle minacce emettendo suoni di sottomissione e protendendosi per toccare gentilmente uno dei maschi. Ma il maschio non voleva questo contatto, per cui si ritrasse subito e, afferrata una manciata di foglie, si strofinò vigorosamente il punto dove era stato toccato. La femmina fu allora circondata e attaccata e il suo piccolo le fu strappato e ucciso.

L'infanticidio è stato osservato anche nell'altra stazione di osservazione nelle Mahale Mountains, in Africa; gli scienziati giapponesi, però, non hanno ancora osservato guerre mortali fra maschi di differenti comunità. Scontri molto seri si verificano anche lì, e secondo varie indicazioni questi portano alla morte di alcuni individui: nel corso degli anni, i maschi vigorosi di una delle comunità sono scomparsi uno alla volta, e alla fine il loro territorio è stato occupato da altre due comunità.

Vista la loro estrema territorialità, i maschi di scimpanzé possono essere quasi considerati prigionieri del gruppo; non possono allontanarsi dal loro territorio familiare senza incorrere in grossi problemi. Ma un maschio selvatico che si trovi improvvisamente, come Luit, in una situazione molto difficile, non può che spostarsi alla periferia della comunità. In questa terra di nessuno, egli deve tenere d'occhio sia i suoi compagni sia le pattuglie di frontiera dei gruppi vicini. Emarginati come questi sono stati osservati sia a Gombe che nelle Mahale Mountains; la loro sorte è stata definita come un «andare in esilio». Quando le tensioni sociali si allentano, questi maschi, in genere, ritornano nell'area centrale del territorio, ma almeno in un caso questa si è rivelata una mossa poco saggia. A Mahale uno di tali maschi fu visto ritornare in un gruppo in cui il maschio più vecchio era noto per la sua incostanza nelle alleanze. Subito dopo il suo ritorno, il maschio anziano lo aiutò a raggiungere lo status di alfa. Qualche mese dopo, però, il nuovo maschio alfa scomparve, per ragioni sconosciute.

Se in natura la scomparsa misteriosa di scimpanzé maschi è dovuta alla loro uccisione in lotte interne o fra comunità, allora l'incidente di Arnhem non è un evento così unico come pensavamo inizialmente. Ovviamente, la condizione di cattività non può essere esclusa come possibile causa, ma non è nemmeno sufficiente come spiegazione. Fattori elementari come lo stress e il sovraffollamento non riescono a spiegare come quegli stessi maschi possano aver trascorso circa ottocento notti insieme, nelle medesime condizioni, senza che si verificasse nulla di drammatico. Oltretutto nulla li obbligava a trascorrere la notte insieme. Io credo che i dormitori avessero fornito un'*opportunità*. Hanno reso possibile l'attacco, ma non ne spiegano le cause profonde.

Il primo scontro nelle gabbie notturne sembrava essere correlato alla crescente incongruenza nel comportamento di Nikkie tra la sua dipendenza da Yeroen e la sua sempre maggiore tendenza ad allearsi con Luit nel contesto sessuale. Portando Nikkie al rango di alfa, Yeroen si era riguadagnato il rispetto delle femmine e una buona quota di attività sessuali. Io tendo a interpretare tutto questo come un «patto» fra i due maschi, il cui adempimento veniva attentamente sorvegliato dal vecchio intrigante. Quando Nikkie mancò di fare la sua parte, Yeroen smise di cooperare, e tutti e tre i maschi si trovarono improvvisamente in una situazione difficile. Nikkie perse il suo rango, Yeroen non si trovò con altra scelta che cercare di ristabilire la coalizione, e Luit divenne alfa, ma era molto insicuro in presenza di Yeroen. Non c'è modo di sapere se il secondo grave scontro sia stato un tentativo volontario di risolvere questi problemi eliminando un rivale, o un atto dovuto alla terribile frustrazione di Yeroen e Nikkie, o qualcos'altro. Il fatto è che, comunque sia, risolse le tensioni.

Anche se Luit fosse sopravvissuto, la sua castrazione, un tipo di lesione estrememente insolito, gli avrebbe forse fatto assumere un ruolo diverso nel gruppo. La pur vasta letteratura sui primati riporta pochissimi altri esempi di evirazione, fra cui il caso del maschio di Gombe con lo scroto rimpicciolito, e quello di un macaco reso, che subì una profonda lacerazione a un testicolo durante un attacco di altri quattro maschi. Una volta mi è successo di assistere a un combattimento fra macachi di Giava in cui un maschio fronteggiava un avversario da davanti, mentre un terzo lo attaccava da dietro mordendolo e causandogli la perdita di un testicolo. Alcuni studiosi, inoltre, mi hanno raccontato di aver osservato in natura, in due diverse occasioni, che l'immobilizzazione di un babbuino maschio portava all'immediato assalto contro il soggetto ancora stordito dei maschi vicini. In tutti e due i casi gli aggressori furono scacciati dai ricercatori, ma non prima che alla vittima fossero inferte profonde ferite all'inguine, vicino allo scroto.

Non mi è stato possibile verificare varie altre notizie di lesioni allo scroto che riguardavano primati in condizioni di cattività, fra cui anche scimpanzé. In questi tempi di grande attivismo in materia di diritti degli animali, i laboratori e gli zoo non sono molto interessati a portare allo scoperto questo genere di informazioni. Sebbene io condivida molti degli ideali del movimento, trovo che sia negativo il suo effetto soffocante sul flusso di informazioni, perché, per migliorare la gestione degli animali in cattività, dobbiamo conoscere sia i successi sia gli errori. Per fortuna il direttore dello zoo di Arnhem, Anton van Hooff, ha sempre condiviso pienamente questa mia opinione e ha approvato senza esitazione la pubblicazione dei particolari sulla morte di Luit.

Negli uomini la castrazione può servire a uno scopo pratico: è stata usata per ottenere castrati dalla voce acuta, per curare gli stupratori e per escludere certi schiavi (i cosiddetti eunuchi) dalla procreazione. Nella maggioranza dei casi, comunque, la mutilazione dei genitali è un atto di violenza e di repressione; la clitoridectomia, per esempio, che viene ancora praticata su milioni di donne, è la più crudele espressione della dominanza maschile. L'operazione elimina la capacità di provare piacere sessuale, e quindi aumenta il controllo di padri e mariti su figlie e mogli che si sentono meno tentate a cercare avventure al di fuori dell'ambiente familiare. Nessuno sa come questa pratica sia nata; forse, in origine, era una punizione per le adultere. Allo stesso modo, i genitali mozzati vengono infilati nella bocca di una vittima della mafia per indicare che il suo interesse per una particolare donna era eccessivo. Che negli uomini la gelosia sessuale possa portare ad atti contro gli organi genitali forse non è sorprendente, ma anche il destino di Luit segue lo stesso schema. Che questo implichi una connessione cosciente da parte degli assalitori rimane però un mistero.

Un'altra situazione in cui gli uomini evirano i loro nemici è durante i colpi di stato e le guerre. A tale proposito una relazione dal Suriname riporta che, nel 1982, furono giustiziate quindici persone, sospettate di voler rovesciare la giunta militare dello stato sudamericano. Secondo un testimone oculare alcuni di loro erano stati castrati. A costante memento di questa possibilità, molte lingue sono piene di espressioni intimidatorie che fanno riferimento agli organi sessuali maschili. È universalmente noto quanto gli uomini si preoccupino e tengano ai loro «gioielli». Fare riferimento a essi in tono aggressivo in pubblico, è una delle massime espressioni di minaccia, come nel brano tratto da *La nobil casa* di James Clavell, dove una donna sibila in cantonese, con gergo da marciapiede:

> «Basta che io dica una parola e lui strapperà via dal tuo corpo ripugnante quelle insignificanti noccioline che chiami le tue palle, un'ora dopo che avrai finito di lavorare stanotte.»
> Il cameriere impallidì. «Eh?»
> «Tè caldo! Portami un fottuto tè caldo, e se ci sputi dentro dirò a mio marito di fare un nodo a quel fuscello che chiami il tuo bastone!»
> Il cameriere filò via.

Ben diversamente dall'immagine che Konrad Lorenz in *Il cosiddetto male* dà degli uomini come gli unici mammiferi che uccidono membri della propria specie, i biologi ora considerano gli uomini relativamente pacifici. La morte dovuta a episodi di violenza intraspecifica non si verifica tutti i giorni nel regno animale, ma avviene comunque sia in natura sia in cattività, e non solo come conseguenza di incidenti casuali. Discutendo su queste nuove acquisizioni scientifiche, E.O. Wilson, ha affermato che le uccisioni spesso vengono scoperte solo quando le ore di osservazione dedicate a una certa specie superano il migliaio. Egli ritiene che per osservare lo stesso comportamento in una popolazione umana in condizioni normali sarebbero necessarie molte più ore.

Forse però non stiamo affatto parlando dello stesso comportamento. Talvolta è stato sostenuto che l'aggressività umana è culturale, mentre quella animale è istintiva; ma questa è una falsa dico-

tomia. È come pretendere di stabilire se i pit bull terrier (responsabili di ventuno delle ventinove morti dovute all'assalto di cani negli
Stati Uniti dal 1983 al 1987) siano così pericolosi o perché feroci
per indole, o a causa del modo in cui i loro padroni li trattano. Ovviamente sia i fattori genetici sia l'addestramento hanno un loro
ruolo; è *più facile* trasformare in una macchina per uccidere un pit
bull terrier che un golden retriever. Un ragionamento simile si può
applicare all'aggressività umana: ogni bambino nasce con una potenzialità per il comportamento aggressivo, e in alcuni bambini
questa potenzialità è probabilmente maggiore che in altri; ciono-
stante il risultato finale dipende dall'ambiente in cui il bambino vive. Pertanto se gli etologi affermano che l'uomo ha una natura aggressiva, intendono dire che i membri della nostra specie imparano
i comportamenti aggressivi abbastanza facilmente. Ciò non equivale a dire che violenza e guerre sono al di fuori delle nostre possibilità di controllo; la cultura può avere una grande influenza, sia la
violenza che la non-violenza possono essere insegnate.

Una serie di esperimenti di Albert Bandura e dei suoi collaboratori hanno dimostrato che i bambini imitano prontamente i comportamenti aggressivi. Di solito, i bambini, se lasciati da soli in
una stanza con una grossa bambola e altri oggetti, iniziano tranquillamente a giocare. Ma se hanno visto degli adulti prendere a
calci, colpire e maltrattare quella bambola, a loro volta la colpiscono violentemente. Spesso usano lo stesso tipo di violenza verbale e
di tecniche di lotta che hanno osservato, cui aggiungono varianti
personali, sfogando la loro collera anche su altri giocattoli.

Nei comportamenti aggressivi vi è una forte componente di apprendimento, e questo vale sia per l'uomo sia per gli animali; infatti anche negli scimpanzé l'imitazione gioca un suo ruolo nell'aggressività. Ciò è risultato drammaticamente evidente ad Arnhem
nel periodo successivo allo scontro mortale. Ne ebbi la prima indicazione quando osservai il modo in cui Tepel, una femmina adulta, attaccò Dandy che l'aveva provocata esibendosi di continuo davanti a lei e colpendo suo figlio Wouter. Mentre Tepel inseguiva il
maschio, le grida acute delle altre femmine devono averla incorag-
giata, perché improvvisamente accelerò l'andatura per afferrarlo.
Ben due volte la femmina si lanciò sotto Dandy, cercando di mor-
derlo fra le gambe, ma dato che Dandy era più veloce di qualsiasi
femmina, il tentativo non riuscì. Comunque, dal suono lacerante
delle urla di Dandy e dalla sua fuga in preda al panico, è evidente
che questa tecnica di lotta gli giungeva del tutto nuova. In molti
anni di osservazione non avevo mai visto un attacco che somigliasse
anche lontanamente a questo. Tepel, che la notte dorme nella stes-

Tepel (*a sinistra*) salta addosso al figlio per difenderlo da un attacco di Dandy (*a destra*). È l'inizio di un episodio che ha poi indotto Tepel a cercare di mordere i testicoli di Dandy (senza che io riuscissi a fotografare l'evento). (Zoo di Arnhem.)

sa gabbia di Puist, può aver imparato la tecnica del «colpo basso» assistendo all'attacco contro Luit. In effetti l'incidente con Dandy avvenne un mese dopo la morte di Luit.

Alcuni mesi dopo, una delle femmine aveva una strana ferita sul ventre, la cui forma e dimensione indicavano che era dovuta agli acuminati canini di un maschio adulto. L'uso di queste pericolose armi contro una femmina, peraltro decisamente insolito, era stato fino ad allora limitato a zone del corpo meno vulnerabili, come la schiena o le spalle. È improbabile che quella ferita all'addome fosse accidentale; i maschi di scimpanzé, infatti, hanno un incredibile controllo motorio, anche durante i combattimenti più selvaggi. Oltre ai precedenti episodi, Otto Adang, che mi ha sostituito ad Arnhem, ne ha osservati altri tre avvenuti nel recinto esterno in cui alcuni maschi persero delle falangi. Questo tipo di mutilazioni, osservate anche in alcuni scimpanzé in libertà, non si erano mai verificate nella colonia prima del 1980; con la morte di Luit avevamo oltrepassato un punto critico nella direzione di un maggior rischio di aggressività lesiva.

Probabilmente gli stessi scimpanzé erano consci di questo pericoloso cambiamento nell'atmosfera sociale, come era indicato dall'intensificarsi dei loro sforzi di mantenere la pace. Tine Griede ha confrontato le osservazioni raccolte prima e dopo la morte di Luit, riguardanti sia la frequenza di riconciliazione sia la quantità di «esitazione» che questa comportava. L'esitazione veniva misurata contando il numero di approcci necessari prima che due avversari stabilissero un contatto. I tentativi abortiti o rifiutati sono molto comuni e ogni riconciliazione può richiedere più di un approccio. Tine ha scoperto che, nei mesi successivi allo scontro mortale, i contendenti, rispetto a prima, non solo facevano pace più spesso, ma anche con meno esitazione. Forse gli scimpanzé erano stati impressionati dall'incidente quanto i custodi, ed erano ben decisi a impedire che si verificasse di nuovo.

Andando via ho lasciato dietro di me, ad Arnhem, una colonia di scimpanzé prospera e rilassata. Non vi erano state nascite nel 1980, l'anno della morte di Luit, ma alla fine dell'anno successivo vi fu un *baby boom*: tre nuovi piccoli e tre gravidanze. Due femmine, che nessuno avrebbe mai sperato di vedere allevare un figlio, fecero proprio questo: Spin, che aveva più volte rifiutato il proprio piccolo senza neanche toccarlo, nel 1981 ne accettò uno; Puist, una femmina dall'aspetto mascolino che non si era mai voluta accoppiare, montando lei stessa invece delle femmine, rimase incinta grazie alla perseveranza di Nikkie, rivelandosi fra l'altro una madre perfetta.

La coscienza di sé e lo Scimpocentrismo

Le raccapriccianti storie di violenza delle pagine precedenti sono il risultato di studi intensivi: di venticinque anni al Gombe National Park, di vent'anni nelle Mahale Mountains e di quindici allo zoo di Arnhem. La violenza non è la condizione normale nella vita sociale degli scimpanzé; la sua presenza è come una minaccia costante, una corrente sotterranea, ma gli scimpanzé restano al di sopra della superficie nel 99% dei casi. Quando l'aggressività riesce a rompere gli argini, io non credo che ciò dipenda da un fallimento di tentativi di riconciliazione; la pace può non essere l'opzione preferita in tutte le circostanze, e gli scimpanzé a volte scelgono deliberatamente la via alternativa.

Tra gli scimpanzé, in generale, la gestione dei conflitti è estremamente efficiente. Gli episodi di violenza indicano soltanto che queste antropomorfe hanno ragioni inderogabili per mantenere in equilibrio le loro relazioni sociali. Alcuni comportamenti che servono a questo scopo fanno intravedere i pericoli di una mancata riconciliazione. Per esempio i maschi di scimpanzé spesso si toccano l'un l'altro i testicoli nei momenti di leggera tensione, un gesto detto irriverentemente, fra gli studiosi sul campo, «il palpeggio delle palle». C'è un modo più convincente di indicare le proprie intenzioni amichevoli che toccare queste parti vulnerabili? Il gesto è anche presente in certe culture umane; le tribù della Nuova Guinea, per esempio, hanno una forma di saluto in cui vengono toccati i testicoli con un breve movimento verso l'alto. Nel 1977 Irenäus Eibl-Eibesfeldt documentò questo gesto in una pubblicazione in cui descriveva la reazione di un bambino di sei anni all'offerta di un pezzo di canna da zucchero: «Espresse la sua grande felicità infilando la mano destra tra le mie gambe e accarezzando i miei testicoli per tre volte, attraverso i pantaloni. Nel fare questo mi rivolse un luminoso sorriso».

Il bacio è un altro comportamento interessante. Sebbene il suo messaggio sia completamente diverso da quello del morso, i due comportamenti si somigliano (almeno finché si esclude il bacio sulla bocca). Fra il bacio e il morso violento c'è un continuo di morsi trattenuti, di falsi morsi, di mordicchiamenti giocosi, di morsi amorosi. Mi piace pensare che il bacio sia derivato dalla sua antitesi attraverso un aumento del controllo delle emozioni e dei muscoli delle mascelle. Ciò sarebbe l'estremo paradosso della riconciliazione, quello in cui «gli estremi si toccano». Come ha sostenuto anche Eibl-Eibesfeldt, il bacio sulla bocca, probabilmente, si è evoluto con un meccanismo diverso da una modificazione di un altro comportamento, il passaggio di cibo premasticato dalla madre al figlio. Questa tecnica di alimentazione è stata a volte osservata anche tra le antropomorfe ed è conosciuta in un gran numero di culture umane, fra cui gli antichi greci.

Gli scimpanzé hanno l'abitudine di mettere le dita o il dorso della mano fra i denti di un individuo dominante; è un gesto amichevole che serve anche a verificare lo stato di tensione del dominante e spesso viene utilizzato in situazioni ambigue. Io stesso ho sperimentato tale gesto quando svolgevo esperimenti di psicologia su due giovani scimpanzé, all'Università di Nimega. Passavo molte ore al giorno in una stanza con loro e, a volte, la loro irrequietezza eccessiva e continua mi dava sui nervi. I due animali si accorgevano della mia più piccola irritazione e si precipitavano a infilarmi le loro grosse mani nella bocca. Ovviamente io non li ho mai morsi, ma nella colonia di Arnhem, in varie occasioni, ho visto dita offerte in tentativi di pacificazione non essere trattate con pari gentilezza. Le vittime più frequenti di tali morsi erano i giovani scimpanzé di tre anni o meno, cui forse manca l'esperienza per giudicare quando il gesto è rischioso oppure no.

La grande forza dei meccanismi di rassicurazione tra scimpanzé ha conseguenze di ampia portata, poiché fornisce alla loro società una dimensione in più. I primatologi, in genere, reputano una scimmia dominante se i suoi compagni si fanno da parte quando si avvicina; con gli scimpanzé questo semplice criterio non funziona, si possono vedere grossi maschi adulti evitare giovani e femmine, almeno quando c'è cibo disponibile. È raro che il cibo di un altro venga sottratto con la forza e anche gli individui di rango più alto non pretendono di avere tutto per loro. Sia in natura sia in cattività permettono agli altri di strapparne dei pezzi, oppure cedono alle suppliche lasciandone cadere una parte. La generosità sembra quasi obbligatoria, perché i subordinati si disperano e si fanno prendere da accessi di collera, se le loro richieste non vengono soddisfatte. Per evitare queste scene imbarazzanti, quelli che hanno il cibo, qualunque sia il loro rango, spesso si allontanano all'avvicinarsi di un compagno particolarmente ingordo. Il fatto che i subordinati possano sottrarre cibo e i dominanti si allontanino per evitarlo rappresenta l'opposto di ciò che avviene secondo le regole della società delle scimmie.

Già negli anni Trenta, Henry Nissen e Meredith Crawford hanno compiuto esperimenti su coppie di giovani scimpanzé che venivano posti in gabbie adiacenti, separati da sbarre; uno dei due aveva cibo e l'altro no. I ricercatori osservarono che alcuni soggetti si scambiavano minacce e intimidazioni, mentre altri dividevano il cibo fra loro durante interazioni amichevoli con *grooming*, lotte giocose, gentili carezze alle mani, al volto e ai genitali. Il gesto di richiesta più caratteristico era la mano aperta, tesa verso il possessore del cibo. Ad Arnhem questo stesso gesto viene osservato frequentemente dopo i conflitti, ed è un invito rivolto all'avversario per fare pace. La somiglianza tra questi gesti e l'importanza di un contatto fisico rassicurante rivelano una relazione fra riconciliazione e spartizione del cibo.

Un altro caso in cui gli scimpanzé si comportano secondo uno schema più complesso è la loro risposta alla competizione sessuale. Nella maggior parte delle specie di primati, i maschi adulti, in presenza di una femmina ricettiva, si evitano fra loro e riducono la quantità di contatto. I maschi di Arnhem, invece, in situazioni di competizione sessuale, cercano di superare queste tensioni facendo *grooming*, aggregandosi piuttosto che disperdendosi. Vi sono anche indicazioni che vi sia una specie di scambio in atto: dopo una lunga sessione di *grooming* tra maschi, un subordinato può invitare una femmina e accoppiarsi con lei senza che gli altri interferiscano. Queste interazioni danno l'impressione che i maschi ottengano il «permesso» di accoppiarsi indisturbati pagando un prezzo sotto forma di *grooming*; il fenomeno è stato denominato *contratta-zione sessuale*.

La sua esistenza non dovrebbe essere una sorpresa, perché gli scimpanzé sono famosi per la loro tendenza a contrattare; studi sperimentali hanno inoltre dimostrato che questa loro abilità non dipende da alcun addestramento specifico. Ogni custode di zoo cui capiti di lasciare la scopa nella gabbia dei babbuini sa che non po-trà in nessun modo riaverla senza entrarvi; con gli scimpanzé è più semplice. Basta mostrare loro una mela, indicare o accennare col capo in direzione della scopa, perché comprendano lo scambio e la porgano attraverso le sbarre.

Prima che una specie possa passare dal principio dei diritti e dei privilegi associati alla dominanza a quello dello scambio e della spartizione, è necessario che la competizione venga posta sotto con-trollo. I subordinati devono essere in grado di calmare l'aggressivi-tà dei dominanti, fino a renderli tolleranti, mentre i dominanti de-vono saper moderare il cieco egoismo per raccogliere i benefici di

Gli scimpanzé si spartiscono il cibo. Un fascio di rami dato a un gruppo alla Field Station dello Yerkes Primate Center, vicino ad Atlanta, viene dapprima preteso dal maschio dominante (*a sinistra*); poi altri si avvicinano per prenderne anche loro.

un sistema di scambi. La contrattazione sessuale rappresenta forse una delle forme più antiche del *do-ut-des*, in cui viene creato un clima di tolleranza attraverso comportamenti di pacificazione. Ci troviamo di fronte a problemi complessi, perché, ovviamente, è in gioco molto più che la buona volontà; gli animali devono avere anche la capacità di fare calcoli e previsioni, affinché diventi conveniente tralasciare i vantaggi a breve termine del possesso esclusivo, a favore dei vantaggi a lungo termine della cooperazione.

Questa capacità è altamente sviluppata fra gli umani; la nostra inclinazione naturale è tenere tutto per noi, ma sappiamo anche costituire reti di rapporti di scambio e di spartizione, che forniscono a ciascuno un guadagno maggiore di quello ottenibile senza cooperazione. Nonostante ciò che sostengono gli scettici riguardo alla natura umana, anche nelle società più materialistiche esistono forti resistenze nei confronti di una competizione aperta e spietata. Ovunque la gente impara a dare e a ricevere, le nostre intricate società sarebbero impensabili senza questa abilità.

Le capacità mentali richieste da questo genere di problemi possono essere osservate anche in certe specie di scimmie. Gli studi di Craig Packer, Barbara Smuts e Ronald Noë su babbuini selvatici mostrano che i maschi più vecchi formano coalizioni per escludere i più giovani e forti dall'accesso alle femmine in calore. La cooperazione è spesso reciproca, i vincitori ripagano chi li ha aiutati appoggiandoli in occasioni successive. Diversamente dalle coalizioni fra gli scimpanzé, che determinano in modo inequivocabile chi sarà il capo del gruppo, la collaborazione fra babbuini maschi ha la funzione di impedire ai dominanti di pretendere troppo, mentre non ha un effetto duraturo sul rango. Infatti, i gruppi di babbuini, di solito, sono dominati da maschi nel pieno del vigore fisico, che detengono la loro posizione senza bisogno di collaboratori; il loro status è basato esclusivamente sulla forza fisica e l'agilità.

Queste componenti della vita sociale dei primati, le coalizioni, la risoluzione dei conflitti, la tolleranza sociale e le capacità strategiche sembrano essere strettamente interconnesse; ciascuna stimola lo sviluppo delle altre. L'intelligenza favorisce la cooperazione; la riconciliazione aumenta la tolleranza; la tolleranza rende possibile la spartizione; l'abilità nelle trattative va di pari passo con un aumento dell'intelligenza, e così via. L'insieme di queste capacità si deve essere evoluto in modo organico, attraverso una serie di piccoli passi, ognuno dei quali apre la strada al successivo. Indubbiamente, rispetto alle scimmie, gli scimpanzé hanno alle proprie spalle un numero ben maggiore di questi piccoli passi, ma io non vedo un divario fra le loro capacità. Le capacità di contrattazione e spartizione degli scimpanzé, che riguardano anche i beni materiali, sembrano una logica estensione dello scambio di benefici intangibili, come i favori sociali, che è presente nelle società delle scimmie. Sto sottolineando questa continuità perché di recente è stata ipotizzata l'esistenza di una differenza fondamentale fra le scimmie antropomorfe e non antropomorfe. Secondo questa teoria, che deriva da ricerche svolte sull'autoriconoscimento, solo gli uomini e le antropomorfe avrebbero una mente consapevole. Proviamo a esaminare questa tesi.

Tutti i primati, trovandosi per la prima volta davanti a uno specchio, cadono in inganno e cercano di rispondere socialmente all'immagine riflessa con minacce o gesti amichevoli, e vanno a guardare dietro lo schermo. Con l'andare del tempo, però, emerge una grande differenza fra le antropomorfe e le scimmie: molte scimmie continuano a trattare l'immagine come un nemico o un compagno di gioco, finché per gradi ogni interesse scompare; le antropomorfe, invece, iniziano a usare lo specchio per ispezionare parti del corpo (denti, natiche), che normalmente non possono vedere. Si divertono perfino a rivolgere buffe espressioni alla loro immagine, oppure a decorarsi (mettendosi, per esempio, foglie sulla testa). Queste attività possono assorbirli moltissimo e il loro interesse per gli specchi come strumenti o giocattoli può conservarsi per sempre. Wolfgang Köhler è stato il primo, nel 1925, a descrivere questo fenomeno straordinario; più di quarant'anni dopo, Gordon Gallup ideò un brillante esperimento per verificarlo da un punto di vista scientifico.

L'esperimento consisteva nel mettere della vernice non irritante e inodore sulle sopracciglia di uno scimpanzé anestetizzato, che aveva già avuto esperienze con specchi. Al risveglio l'animale, appena vista la sua immagine riflessa, iniziò a strofinarsi la parte colorata e a ispezionarla con estrema cura. Dopo averla toccata guidato dallo specchio, lo scimpanzé si annusava le dita, eliminando così ogni ulteriore dubbio; se avesse considerato l'immagine che vedeva come un *altro* individuo che si toccava una macchia rossa sull'occhio, non avrebbe avuto alcun motivo di annusare le *proprie* dita. Questo esperimento ha dimostrato che gli scimpanzé sono in grado di autoriconoscersi, il che richiede la presenza di un concetto di «sé» come distinto dall'«altro». Dopo aver ripetuto questo esperimento su molte specie di primati, si è giunti alla conclusione che, almeno finora, oltre all'uomo, solo gli scimpanzé e gli oranghi sono in grado di comprendere la relazione fra se stessi e l'immagine nello specchio.

Gallup, nel 1982, ha fatto un ulteriore passo avanti in questa direzione; dopo aver messo in luce il nesso fra autoriconoscimento, consapevolezza e introspezione, ha elencato altri cosiddetti marcatori empirici della mente. Fra questi troviamo l'empatia, la capacità di attribuire intenzioni agli altri, di mentire deliberatamente, di avere comportamenti di riconciliazione. Esistono prove sempre più convincenti dell'esistenza di ognuna di queste abilità negli scimpanzé; ma ciò significa che i nostri più vicini parenti, come afferma Gallup, «sono entrati in un dominio cognitivo, che li distingue dalla maggior parte degli altri primati»?

Torniamo un passo indietro: l'incapacità di riconoscersi allo specchio implica l'assenza della mente? Michael Fox ha fatto notare che i pesci combattenti e i parrocchetti continuano ad attaccare, corteggiare e perfino cercare di nutrire la loro immagine riflessa fino all'esaurimento delle forze, mentre cani, gatti e scimmie dopo un po' perdono ogni interesse nello specchio. Secondo Fox questi mammiferi comprendono che la dualità fra loro e l'immagine riflessa è un'illusione. Non è questo un primo segno di consapevolezza di se stessi?

Non tutte le scimmie perdono interesse nello specchio. Aziut, un macaco di Giava dell'Identity Research Institute in India, gioca di continuo con gli specchi, e ha imparato spontaneamente a usarli per vedere cosa fanno cani o uomini che si muovono alle sue spalle. Orienta gli specchi in modo molto preciso e, a volte, gira la testa per confrontare la realtà con l'immagine. Aziut fa anche esperimenti con i movimenti della mano riflessi nello specchio mentre afferra del cibo; altre volte ha tentato di mettere due specchi uno di fronte all'altro, reggendone uno con i piedi e l'altro con le mani al di sopra della propria testa. Questi non sono certo giochi di un animale ingannato dagli specchi.

Vorrei aggiungere un esempio che riguarda le femmine adulte di scimmie reso, che saranno trattate nel prossimo capitolo. La loro gabbia ha una fila di sei grandi finestre, poste vicino al soffitto, a più di cinque metri di altezza. Dal lato delle scimmie le finestre sono riflettenti come specchi. In ogni stagione delle nascite abbiamo osservato alcune femmine mettere per terra il loro neonato, poi fare alcuni passi indietro e guardare attentamente verso una delle finestre, spostando la testa come per cercare una particolare immagine riflessa, e alla fine riprendersi il piccolo. Queste scimmie mostravano tale comportamento uno o due giorni dopo il parto e uti-

Un giovane scimpanzé gioca con la sua immagine riflessa. La guarda e ogni tanto la muove, battendo sull'acqua con la mano. (Zoo di Arnhem.)

lizzavano allo scopo una finestra qualsiasi, indipendentemente da dove noi eravamo.

Non sono in grado di spiegare questo comportamento; forse alle madri piace poter guardare il proprio piccolo da una distanza di più di dieci metri, senza il rischio di allontanarsene troppo. Queste femmine, quando il piccolo di un'altra femmina cammina per conto suo, non guardano mai verso le finestre in quel modo particolare né lo fanno quando trasportano il piccolo. Apparentemente queste scimmie collegano il loro comportamento (mettere il piccolo per terra) con l'immagine riflessa. Il fatto che non usino lo specchio per osservare la loro immagine, come invece fanno gli scimpanzé, può dipendere dal minore interesse che le scimmie nutrono per se stesse, rispetto a quello per una creatura così attraente come il proprio piccolo. Fox ha ipotizzato che gli uomini e le antropomorfe siano giunti a un grado maggiore di narcisismo.

Senza specchi è molto più difficile ottenere informazioni sull'autoconsapevolezza. Craig Packer, comunque, ha notato come l'esagerato sbadigliare dei babbuini maschi, che ha lo scopo di mostrare al mondo i loro impressionanti canini, dipenda dalla condizione dei denti. Indipendentemente dall'età, i maschi con denti rotti o consumati sbadigliano meno di quelli che hanno denti sani e forti, mentre in assenza di altri maschi nelle vicinanze quelli con i denti malridotti sbadigliano quanto gli altri. Packer non ha fatto alcuna considerazione sulla psicologia dell'inibizione degli sbadigli, ma io scommetto che dipende da qualcosa di molto simile all'autoconsapevolezza.

In breve, le differenze nel livello di consapevolezza fra gli scimpanzé e la maggioranza degli altri primati non umani sembrano avere un andamento graduale, più che discontinuo. Benjamin Beck ha definito la crescente tendenza a porre le notevoli capacità mentali degli scimpanzé su un piedistallo come un errore di scimpocentrismo, fuorviante quanto l'antropocentrismo. Negli ultimi venti anni gli scimpanzé hanno frustrato gli sforzi di linguisti, psicologi, antropologi e filosofi alla ricerca di definizioni semplicistiche dell'unicità umana. Ma così come uomo e antropomorfe condividono molti tratti mentali e psicologici, analogamente esiste un nesso di continuità fra loro e il resto dell'ordine dei primati, nesso che esiste per tutte le possibili caratteristiche, compresi i comportamenti riconciliatori. Piuttosto che considerare la riconciliazione un «marcatore della mente» presente soltanto fra gli *hominoidea*, dovremmo aspettarci di trovarla in qualunque specie che vive in gruppo, con legami a lungo termine che vale la pena di rinsaldare dopo un conflitto. Per far questo sono indispensabili soltanto il saper riconoscere gli individui e una buona memoria, due elementi presenti in molti animali sociali, dalle iene agli elefanti, dai delfini alle zebre.

Tenendo presente quanto detto fin qui, passerei ora a esaminare le strategie di pace nelle scimmie.

3

MACACHI RESO

Nasce da questo una disputa: s'egli è meglio essere amato che temuto, o e converso. Rispondesi che si vorrebbe essere l'uno e l'altro; ma perché egli è difficile accozzarli insieme, è molto più sicuro essere temuto che amato, quando si abbia a mancare dell'uno de' dua.

Niccolò Machiavelli

Prima che il governo indiano interrompesse l'esportazione di decine di migliaia di scimmie reso destinate ai laboratori occidentali, uno degli ultimi gruppi a essere catturati e trasportati negli Stati Uniti, nel 1972, arrivò al Wisconsin Regional Primate Research Center, a Madison. Da allora le scimmie sono esposte al pubblico nello zoo di Vilas Park, dove si riproducono ed è possibile utilizzarle per i nostri studi comportamentali. In tutto il mondo esistono numerose colonie dove questa specie viene fatta riprodurre: il reso continua a essere infatti il più comune primate da laboratorio. È tra le fila di questi resistenti animali che è stato reclutato il primo «uomo» nello spazio; questa specie ha dato il nome al nostro fattore Rh del sangue e se non fosse stato per le ricerche compiute proprio su queste scimmie l'umanità sarebbe ancora devastata dalla poliomielite.

Matriarche e famiglie matrilineari

Il gruppo di Madison proviene da Uttar Pradesh, uno stato dell'India settentrionale, vicino all'Himalaya, dove il 90% delle scimmie vive nei villaggi, nelle città, lungo le strade e nei templi indù. Le scimmie reso hanno vissuto per secoli a stretto contatto con gli uomini ed è perciò difficile dire quale sia il loro habitat «naturale». Mi sembra quindi una buona idea introdurre le principali caratteristiche del loro sistema sociale, immaginando un villaggio abbandonato in cui queste scimmie si siano insediate.

Questo villaggio immaginario è costituito da una sola strada

Ogni scimmia reso ha un volto diverso e una personalità unica. Questa giovane femmina si chiama Thistle. (Wisconsin Primate Center.)

con un'unica fila di case numerate, supponiamo, da 1 a 10. In ogni casa vive una femmina anziana e potente, una matriarca, insieme alle sue figlie e alla loro prole. L'intera discendenza femminile (figlie, nipoti e pronipoti) sta, dunque, tutta nella casa dell'anziana «nonna». I figli maschi, invece, hanno un ruolo più marginale; iniziano ad allontanarsi da casa fin da piccoli per giocare con i coetanei o per accodarsi agli imponenti maschi adulti del villaggio. Di solito, raggiunta l'adolescenza, si allontanano definitivamente dal villaggio; i maschi adulti provengono infatti dai villaggi vicini e non hanno legami di parentela con le famiglie delle femmine. Le dispute fra maschi determinano i loro spostamenti da un villaggio a un altro, ma è anche possibile che siano influenzati anche da ciò che la comunità femminile pensa di loro. Infatti, quando i maschi residenti vengono «sfidati» da rivali esterni al villaggio, le femmine possono scegliere di proteggere lo status quo oppure di favorire i nuovi venuti. I maschi dominanti camminano impettiti avanti e indietro per la strada del villaggio con la coda eretta e ricevono omaggi da tutti: ciononostante il villaggio è essenzialmente un dominio delle femmine.

La matriarca della casa numero 1 governa la popolazione femminile con pugno di ferro; tutte le sue figlie assumono un rango superiore a quello delle altre femmine della strada. Questo processo inizia molto presto, per cui non è insolito vedere una robusta femmina adulta inseguita da una molto più giovane. Se la più anziana osa difendersi, l'altra si mette a gridare per mobilitare i parenti. Questo meccanismo funziona lungo tutta la strada: per esempio, tutte le femmine della casa numero 7 appoggiano i propri piccoli negli scontri con i vicini dei numeri 8, 9 e 10. Ne risulta una *gerarchia ereditaria* tra le femmine che si tramanda di generazione in generazione. È come se alcune scimmie nascessero con la camicia e altre no.

La coesione del villaggio sembra dipendere dalle buone relazioni tra vicini; infatti, le scimmie passano molto più tempo con «quelli della porta accanto» che non con quelli che abitano più distanti. Ovviamente ci sono eccezioni: alcune delle femmine di alto rango, per esempio, hanno amiche fra le scimmie che vivono in fondo alla strada. In generale però la maggior parte dei contatti avviene tra famiglie di rango simile. L'età è un altro fattore importante: le femmine sembrano preferire la compagnia delle coetanee. Questa tendenza è così pronunciata fra le matriarche che spesso parliamo della «banda delle vecchie ragazze».

Ma l'analogia del villaggio è terribilmente fuorviante, perché porta a considerare ovvie l'appartenenza di ogni femmina a una determinata «casa», e l'esistenza di molti contatti fra «vicine». In realtà non esiste nessuna fila di case numerate e ben distinte; ciò che noi osserviamo è soltanto un gran numero di scimmie che continuamente corrono e si aggirano per ogni dove. In qualche modo ciascuna di esse sa a quale gruppo familiare appartiene ogni altro individuo, di qualunque generazione esso sia, e inoltre conosce la posizione gerarchica della propria famiglia rispetto alle altre.

Le gerarchie matrilineari furono scoperte negli anni Cinquanta da Shunzo Kawamura, Masao Kawai e altri scienziati giapponesi che studiavano i macachi a faccia rossa che vivono nel loro Paese (comunemente noti come le scimmie «non vedo, non sento, non parlo»). Le gerarchie matrilineari non sono tipiche solo del genere *Macaca*, di cui il reso è una delle specie, ma tali strutture sociali sono state osservate anche nei babbuini e nei cercopitechi. È importante notare la grande differenza fra l'organizzazione sociale di queste scimmie e quella degli scimpanzé. Le femmine scimpanzé non formano associazioni particolarmente strette né hanno gerarchie rigide. In questa specie vige infatti un sistema patriarcale in cui i maschi costituiscono il nucleo stabile e sono le giovani femmine ad allontanarsi. Nei reso, invece, le relazioni tra le femmine costituiscono il fondamento della società. Le figlie rimangono con madri e sorelle, inserendosi così per tutta la vita in uno dei più intricati e rigidi sistemi sociali del regno animale.*

L'acquisizione del rango

Al mio arrivo a Madison, iniziai subito a identificare le scimmie del Primate Center. A ogni femmina adulta diedi un nome con una iniziale diversa. Ognuna di queste scimmie, la cui età varia approssimativamente tra i quindici e i trent'anni, ha dato origine a una famiglia matrilineare. I discendenti di ciascuna matriarca hanno avuto nomi con la stessa iniziale di quello della madre. Per esempio, la linea di discendenza numero 1 è costituita dalla capo-

* La conoscenza della complessità sociale dei primati ha cambiato la nostra opinione sull'abitudine degli istituti di ricerca di tenere questi animali in gabbie individuali. Questo è oggi un problema etico di importanza non secondaria. Infatti, sebbene il moto, la disponibilità di spazio, i giocattoli siano di grande beneficio, è chiaro che nulla è più efficace del contatto con i conspecifici nel migliorare le condizioni di vita dei primati in laboratorio. A favore di un mantenimento dei primati in gruppi sociali, va anche detto che in questo modo i costi diminuiscono, in quanto si ha un maggiore successo riproduttivo.

stipite, chiamata, per il vivace colore della sua pelliccia, Orange, dalle sue figlie Ommie e Orkid e dalle sue nipoti Oona, Ochre e Oyster. Noi le chiamiamo la «Famiglia-O» o, più semplicemente, le «O». Bisogna però ricordare che la parola «famiglia» si riferisce a un gruppo di femmine imparentate tra loro e ai loro piccoli, e non ha nulla a che vedere con il nucleo familiare umano. Rispetto a chi inizia uno studio in natura, io avevo il grosso vantaggio di trovarmi di fronte a scimmie che avevano un numero tatuato sul petto, e delle quali si avevano dettagliate informazioni che permettevano di conoscere la genealogia di tre generazioni.

Anche nel nostro gruppo di Madison il rango delle figlie dipende da quello delle madri; infatti è possibile predire con certezza quasi assoluta la posizione gerarchica che una femmina neonata occuperà da adulta. Non sembra esserci alcuna base genetica per questo fenomeno, in quanto le gerarchie fra i macachi femmina sono virtualmente indipendenti da peso, condizioni fisiche e altri fattori che possono influenzare le capacità di lotta. Lo status gerarchico è innanzitutto un'istituzione *sociale*. I giovani di famiglie di alto lignaggio si comportano da dominanti soltanto se i parenti sono vicini a loro; il rango dipende quindi dalla presenza di alleati più che da una predisposizione innata.

La pratica di sostituire un neonato con un altro nato a una femmina di un gruppo diverso fornisce un'altra indicazione della maggiore importanza dei fattori sociali rispetto a quelli genetici, nel determinare lo status di un individuo. Il Wisconsin Primate Center attua questo scambio per evitare un eccessivo grado di consanguineità fra gli animali: a volte aggiungiamo sangue nuovo a un gruppo, rimpiazzando un piccolo appena nato con un altro che ha la stessa età. Se questo scambio viene fatto nel giro di un paio di giorni dalla nascita e con un piccolo dello stesso sesso, non sorgono problemi. Oggi, tre delle scimmie fatte adottare seguendo questa procedura sono adulte, e ciascuna ha assunto il rango che noi avremmo predetto per la legittima discendenza. Orkid, che venne fatta adottare dalla femmina alpha Orange, occupa il secondo posto nella gerarchia: è quello che si dice la femmina beta.

Le giovani femmine devono ingaggiare numerose battaglie prima di raggiungere lo status cui sono destinate, poiché non è un compito facile vincere le resistenze delle grosse e forti femmine adulte delle famiglie di rango inferiore. Le giovani vengono costantemente aiutate in questo dai parenti, ma ci sono prove che sia la comunità femminile nel suo insieme a difendere il sistema di parentele. Jeffrey Walters, studiando i babbuini in natura, ha scoperto che le femmine adolescenti non erano aiutate soltanto dai consanguinei, ma anche da scimmie appartenenti a famiglie di rango superiore. Egli notò che «gli animali erano estremamente riluttanti a intervenire contro la gerarchia esistente o contro quella presunta». Questo atteggiamento è ben diverso da quello di uomini e scimpanzé, che si schierano frequentemente con il più debole, e riducono così l'«ingiustizia» inerente ai sistemi gerarchici, a favore di una struttura più flessibile e democratica. Al confronto, la società delle scimmie reso è straordinariamente antidemocratica.

L'aiuto da «fuori casa», a volte, permette a giovani femmine che hanno perso la madre di ottenere la posizione gerarchica prevista nel caso in cui fosse sopravvissuta. Walters riporta alcuni esempi, e anche noi ne abbiamo uno nostro. Ropey è l'unica scimmia nata in cattività che non ha parenti nel gruppo; sua madre morì prima che lei raggiungesse i tre anni di età. Ciononostante, lei ha assunto lo stesso alto rango, subito al di sotto della famiglia delle «O», che sua madre aveva avuto. Come ha fatto? Non sulla base della forza fisica: Ropey pesa solo poco più di cinque chili, mentre alcune delle femmine a lei sottomesse pesano nove chili o più. Noi sospettiamo che la sua posizione sia basata sull'appoggio che riceve dalla famiglia delle «O» e da quella delle «B», che è di rango subito inferiore al suo. Chi non conoscesse la storia di Ropey, la scambierebbe sicuramente per la femmina capo della famiglia delle «B», dato che ha forti legami con loro. Ropey e Beatle, la vera femmina capo, sono amiche inseparabili e passano più tempo insieme di qualunque combinazione di sorelle del gruppo.

L'alta posizione di Ropey può forse essere spiegata in base a una influenza genetica; potrebbe, per esempio, aver ereditato la forte personalità della madre. Sebbene, per ragioni già spiegate, molti primatologi credano che l'ambiente sociale contenga tutte le risposte riguardo al trasferimento del rango tra i macachi femmina, sono necessari appositi esperimenti per indagare sull'importanza dei fattori genetici. Si tratta di progetti a lungo termine, alcuni dei quali sono stati già avviati. I risultati sono attesi con ansia, perché «l'ipotesi del sangue blu» è molto controversa, e non solo all'interno della biologia.

Livelli di aggressività

L'aggressività è un aspetto evidente della vita sociale delle scimmie reso, e fa parte del loro temperamento bellicoso e irruento. La fre-

Tra i macachi reso la violenza fisica non è, come tra gli altri primati, un evento raro. Una femmina dominante morde la sua vittima sulla schiena tenendola schiacciata sul pavimento cosparso di cibo. (Wisconsin Primate Center.)

quenza e la durezza degli attacchi tra questi animali è sorprendente. Le scimmie reso in libertà hanno cicatrici, graffi, orecchie piene di strappi, dita monche e altri segni di lotte violente. In un gruppo di scimmie reso dello Yerkes Regional Primate Center di Atlanta, Irwin Bernstein e i suoi collaboratori hanno osservato una media di diciotto azioni aggressive per scimmia, ogni dieci ore. Questo gruppo vive in un vasto recinto all'aperto, che è venti volte più grande della gabbia delle scimmie a Madison. Il numero di scimmie nel nostro gruppo è minore e la struttura della nostra gabbia ha un maggiore sviluppo in verticale; tuttavia c'è una maggiore densità di scimmie a Madison che nel gruppo di Yerkes. Osservando le nostre scimmie con metodi simili, abbiamo trovato esattamente la stessa frequenza di diciotto aggressioni ogni dieci ore. Neanche limitando il confronto alle forme di aggressione fisica (botte, strattoni, morsi) abbiamo trovato una qualche differenza.

Questa somiglianza nei livelli di aggressività vale anche per le scimmie reso che vivono in libertà. Jane Teas e i suoi colleghi hanno studiato una popolazione di circa settecento scimmie che si aggirano nei dintorni di due antichi templi, a Katmandu, in Nepal, dove si nutrono delle offerte lasciate dai fedeli. Gli studiosi, analizzando i loro dati in base al sesso, hanno riportato che in media una femmina compie sedici atti aggressivi ogni dieci ore e un maschio trentotto. Soltanto uno dei nostri maschi raggiunge un livello così alto, mentre la media per le femmine del nostro gruppo è molto vicina a quella determinata da Teas. La concordanza fra i dati dei tre studi è quasi troppo perfetta per essere vera. Ma i metodi per documentare il comportamento delle scimmie sono così ben standardizzati che non ho dubbi sulla veridicità dei risultati, anche se confutano ciò che comunemente si pensa degli effetti del sovraffollamento. In gruppi stabili e nutriti artificialmente la restrizione dello spazio sembra non avere *alcun effetto* sull'aggressività. La conclusione è che la vita di gruppo genera tra le scimmie reso una certa quantità di attrito, sia che vivano in un campo aperto, in un grande recinto o in una gabbia.

Ovviamente, ciò è vero solo entro limiti ragionevoli; se le scimmie vengono stipate oltre misura, l'aggressività è destinata a sfuggire al controllo. Ciò, comunque, non si verifica a Madison. Circa cinquanta scimmie vivono in un'area semicircolare di cento metri quadri, resa più vasta da un'alta struttura rocciosa. La massima distanza tra un punto e l'altro è di quindici metri, il massimo dislivello sei metri. Nello stesso edificio sono ospitati altri tre gruppi di scimmie, e al secondo piano ci sono finestre che permettono ai ricercatori di vedere gli animali dall'alto. Il nostro programma di osservazioni è molto ampio e consiste nella raccolta a lungo termine di dati che riguardano categorie globali di comportamento, come il *grooming* e le coalizioni. Ciò che richiede più tempo è raccogliere centinaia di cosiddette *osservazioni focali*, durante le quali ci concentriamo su un solo individuo alla volta, registrandone su un nastro tutte le interazioni sociali.

Guardare gli animali è soltanto una parte del lavoro: i dati devono poi essere trasferiti nel computer, riportati in tabelle e grafici, e solo allora possono essere interpretati. Lo studio del comportamento ha il suo aspetto noioso, come ogni branca delle scienze naturali. Lesleigh Luttrell e io studiamo più di un gruppo e sappiamo riconoscere agevolmente ben più di cento individui. I numeri tatuati sul torace non aiutano molto durante le osservazioni; infatti, sono illeggibili quando le scimmie si muovono o stanno accucciate. Noi distinguiamo le scimmie in base a differenze nella faccia, nella dimensione, nel colore. Mi rendo conto che per molte persone tutte le scimmie si assomigliano, ma più le si conosce, più si riesce a vedere quanto sono differenti.

Sia in natura sia in condizioni di cattività, i cicli riproduttivi delle scimmie reso sono sincronizzati in stagioni distinte. Da settembre a dicembre tutte le femmine vanno in calore e la pelle della zona posteriore del corpo diventa di colore scarlatto. Questo è un periodo molto intenso per entrambi i sessi. Durante ogni stagione degli accoppiamenti, Spickles, il maschio alfa, perde peso e, in quattro mesi, cala da tredici a nove chili. È un maestoso vecchio maschio, di circa venticinque anni, che normalmente si muove con lentezza e che nei giorni più umidi e freddi sembra soffrire di artrite. Nella stagione degli amori, tuttavia, cerca di tenere d'occhio tutto quello che succede e, come se non bastasse, corteggia anche le femmine del recinto adiacente. Le guarda da sotto la porta, dirigendo verso di loro il suo speciale segnale di corteggiamento, a labbra in fuori.

Episodi aggressivi possono avvenire in tutte le stagioni: i maschi diventano competitivi durante l'epoca degli accoppiamenti; le madri difendono i neonati all'epoca delle nascite. I giovani di un anno sono forzati a diventare adulti quando nascono i nuovi fratelli, e iniziano a sfidare le femmine delle famiglie di rango inferiore.* Si può calcolare che cosa comporti, in un gruppo di cinquanta scimmie, un tasso di diciotto atti aggressivi per individuo, ogni dieci ore. Bisogna fare alcune precisazioni. Prima di tutto, in genere, l'aggressività compare a ondate e coinvolge molti individui allo stesso tempo. Ci sono lunghi periodi di tempo senza litigi nel gruppo e poi alcuni momenti di intensa attività. Queste complesse esplosioni di inseguimenti e urla non hanno senso per l'occhio poco allenato, ma ben riflettono la gerarchia esistente e l'intreccio delle

* Va fatto notare che le specie di primati trattate in questo libro differiscono drasticamente nella velocità di sviluppo. L'*infanzia*, il periodo di totale dipendenza dalla madre per nutrimento e trasporto, dura circa un anno nei macachi, mentre nelle antropomorfe, quali gli scimpanzé e i bonobo, è cinque volte più lunga. Il giocoso stadio *giovanile* dura fino all'età di tre anni nei macachi, e di otto nelle antropomorfe. Questa fase è seguita dall'*adolescenza*, un periodo di maturazione sessuale e di crescente indipendenza, la cui lunghezza varia molto da individuo a individuo. Se accettiamo il completo sviluppo corporeo come criterio per definire lo *stadio adulto*, i macachi lo raggiungono approssimativamente verso i sette anni, e le antropomorfe verso i sedici. Ma la capacità di riprodursi è già presente alcuni anni prima.

Due scimmie di sei mesi. Poiché i reso sono riproduttori stagionali, i piccoli hanno sempre compagni di giochi della loro età. (Wisconsin Primate Center.)

alleanze. Inoltre, la maggior parte dell'aggressione comprende semplici minacce; attacchi molto violenti, che coinvolgono morsi feroci, si verificano in media una volta ogni tre ore.

I macachi reso hanno due forme di minaccia. Una, con bocca ben aperta e sguardo fisso, viene usata comunemente dai dominanti sicuri della loro posizione; l'altra, con orecchie appiattite e mento spinto in avanti, viene adoperata da chi è meno sicuro di sé. Quest'ultima minaccia, accompagnata da versi rumorosi, viene usata tipicamente dagli adolescenti che stanno sfidando qualcuno. La risposta, specialmente al primo tipo di minaccia, è in genere la fuga, cui si aggiunge, nei subordinati, il gridare mostrando i denti per la paura. Questa espressione facciale può anche non essere accompagnata da vocalizzazioni, e sembrarci quasi amichevole. Ma la verità è che si tratta di un segnale di forte nervosismo, che tipicamente viene mostrato dai subordinati all'avvicinarsi di un dominante.

I risultati di lotte e competizioni sono prevedibili, ma non certi. Un individuo che vince quasi sempre contro un certo avversario può di conseguenza essere definito dominante, ma vi sono eccezioni. La presenza di terzi può portare a rovesciamenti. Per esempio, quando una femmina va in calore, un maschio amico può aiutarla contro le femmine che di solito la dominano. L'espressione facciale a denti scoperti è, al contrario, un segnale esclusivamente a senso unico tra individui. Durante un certo periodo, se la scimmia A mostra i denti a B, B non farà mai lo stesso ad A. Perché un segnale sia esente da fluttuazioni nell'ambito sociale deve essere basato su qualcosa di veramente fondamentale. La mia interpretazione è che questa espressione facciale venga usata per indicare il riconoscimento della gerarchia esistente. Un individuo può vincere un confronto su dieci con un altro, ma ambedue sanno molto bene quale sia la norma e quale l'eccezione. La scimmia che perde quasi sempre con un'altra, si considera rispetto a quest'ultima di rango inferiore, e lo comunica mostrando i denti in sottomissione ogni volta che la incontra.

Noi usiamo la direzione di questo evidente segnale come criterio per il rango formale. È ovvio che la dominanza e il potere sono di solito nelle stesse mani. Tra i reso non ci sono certo altrettante possibilità per manipolazioni sociali dal basso quante ce ne sono nella gerarchia degli scimpanzé. Quasi nessun altro primate, forse nessun mammifero, fa valere le differenze di rango tanto rigidamente quanto i reso. I dominanti notano la più piccola insubordinazione e la correggono per mezzo di minacce o la puniscono attaccando. Si trovano senz'altro d'accordo con Machiavelli, il quale so-

I macachi reso minacciano fissando negli occhi, con la bocca aperta e le orecchie rivolte in avanti. Queste due femmine, che vivono all'aperto in un allevamento nel Wisconsin, difendono la loro gabbia (*sullo sfondo*), da una persona che si sta avvicinando.

steneva che, se è necessaria una scelta, è meglio essere temuti che amati. A questo riguardo i reso sono così rigidi che li ho sentiti definire «i polli del mondo dei primati»; eppure, gli studi che si concentrano esclusivamente sul loro ordine di beccata non rendono giustizia a questa specie.

Una prova che i reso non sono tutta crudeltà proviene da un esperimento degli psichiatri Jules Masserman, Stanley Wechkin e William Terris. Alcune scimmie furono addestrate a tirare una catena per ottenere cibo. Dopo che ebbero imparato questa risposta, fu messa un'altra scimmia nella gabbia adiacente; ora, tirare la catena faceva sì che l'altra scimmia ricevesse una scossa elettrica. La maggior parte delle scimmie, invece di tirare la catena ed essere premiate col cibo, si astenne dal farlo, tenendo in considerazione le sofferenze della compagna. Alcune arrivarono al punto di digiunare per cinque giorni. I ricercatori notarono che questo sacrificio era più frequente negli individui che, a loro volta, si erano trovati nella sfortunata posizione dell'altra scimmia.

Questo risultato può essere paragonato col famoso esperimento di Stanley Milgram, in cui alcune persone somministravano scosse elettriche ad altre. Le istruzioni erano di punire i soggetti che rispondevano scorrettamente a un test. Le vittime non prendevano veramente la scossa, altrimenti non sarebbero sopravvissute; fingevano, però, di protestare, piangendo, battendo sulla parete, o supplicando di interrompere l'esperimento. Si scoprì che molte persone sono disposte a somministrare agli altri scosse di varie centinaia di volt, indicate sul generatore con PERICOLO: SCOSSA MORTALE. La differenza con lo studio sui macachi reso è che i soggetti umani erano stati tratti in inganno: era stato detto loro che si intendevano studiare gli effetti della punizione sulla memoria dell'altra persona, mentre in realtà il fine era quello di scoprire quanto loro stessi fossero obbedienti. Lo sperimentatore era sempre presente e rappresentava l'autorità. I soggetti facevano soltanto ciò che era stato loro richiesto per collaborare alla ricerca. Questo divenne subito noto come l'esperimento di Eichmann, dal nome del nazista che aveva ucciso migliaia di ebrei, ma sosteneva di essere stato soltanto uno strumento nelle mani di altri.

Tendiamo a sottovalutare quanto il rango e l'autorità influiscano sul nostro comportamento. Elliot Aronson descrive ogni anno l'esperimento di Milgram alla sua classe di studenti di psicologia, chiedendo poi se avrebbero obbedito. Soltanto l'1% di loro afferma che lo avrebbe fatto, una percentuale sessanta volte inferiore a quella trovata nello studio di Milgram e altri. Piuttosto che cre-

Un giovane reso del gruppo del Wisconsin (*foto nella pagina accanto*) rivolge un ghigno a un maschio che lo sta minacciando. È stata avanzata l'ipotesi che questa espressione facciale si sia evoluta dalla retrazione delle labbra in risposta a stimoli nocivi. Il riflesso originario si può osservare (*sopra*) in questo babbuino che mangia un cactus (Gilgil, Kenya). Nelle situazioni sociali, il ghigno segnala sottomissione e paura; nei reso è il più affidabile indicatore di basso rango. In altre specie, come l'uomo e le antropomorfe, questa espressione facciale si è evoluta nel sorriso, un segnale affiliativo e di pacificazione, anche se un elemento di nervosismo continua a sussistere.

dere che i suoi studenti siano migliori del resto dell'umanità, Aronson è arrivato alla conclusione che le parole e le azioni non sempre coincidono.

La fase esplorativa

Alcuni moderni libri di testo dicono che la scienza comincia con una serie di ipotesi, che vengono spassionatamente vagliate per essere accettate o rifiutate. Io credo che la scienza cominci con l'essere affascinati e stupiti. Charles Darwin non veleggiò con il *Beagle* per verificare una teoria, ma tornò con gli ingredienti per costruirne una. La cosiddetta fase esplorativa è indispensabile alla ricerca

creativa. Un etologo, che inizia una ricerca su una specie che non conosce, deve cercare di mettersi nei suoi panni, di pensare al suo livello e, come sottolineato dal maestro di osservazione, Konrad Lorenz, di amare veramente questa nuova specie. Sono diventato «reso-positivo» nel 1981 e ho passato mesi immerso nel frenetico stile di vita di questo primate.

Ciò che più mi colpì, dopo anni di osservazioni sugli scimpanzé, fu la rapidità e l'immediatezza del comportamento dei reso. Nelle antropomorfe c'è un lasso di tempo tra impulso e azione. Gli scimpanzé prendono in considerazione l'intera situazione prima di fare una mossa. Sembrano anche nascondere le loro intenzioni, il che ha guadagnato loro la reputazione di esseri imprevedibili e ingannevoli. Questo non succede nelle scimmie reso: le loro emozioni sono evidenti; i reso sono una specie praticamente trasparente.

I reso sono decisamente più intelligenti di un comune animale da compagnia. La loro intelligenza non è del tipo classico, quale quella che permette a un'antropomorfa di mettere insieme più bastoni per raggiungere una banana. L'intelligenza del reso è evidente nei dettagli pratici della vita sociale di ogni giorno. Una femmina di nome Beatle, per esempio, si arrampica sulle rocce per unirsi a due sue sorelle. Poi si accorge che il maschio di rango subito inferiore all'alfa, Hulk, è seduto proprio dietro di loro e ha un momento di esitazione. Le reazioni di Hulk sono imprevedibili. Beatle scende e si mette a mangiare il cibo sparso sul pavimento. Qualche minuto più tardi, Hulk scende a sua volta e si mette a mangiare non lontano da Beatle. Quando lei si accorge di lui, volge immediatamente lo sguardo da Hulk alle sue sorelle e corre via per unirsi a loro. Ha fatto una semplice deduzione: «Se lui è qui, non può più essere lì». Se osserviamo abbastanza attentamente, possiamo «vedere» che le scimmie pensano di continuo.

L'identità degli individui è cruciale; non sembra mai esserci confusione su chi sia chi. I macachi reso seguono attentamente tutti i principali eventi che coinvolgono i loro amici e parenti, e pure quelli che coinvolgono i loro nemici. Qualche giorno dopo aver dato alla luce il suo primo piccolo, Ropey se ne sta abbracciata a Beatle; il neonato è nascosto tra le due femmine. Ommie, amica di ambedue, si avvicina e sembra confusa. Tira via la gamba di Ropey per sbirciare tra le sue amiche. Quando vede il piccolo, Ommie lascia andare la gamba, schiocca le labbra,* e mette un braccio intor-

---

* Lo schiocco delle labbra (*lipsmacking*) è costituito da una serie di rapidi movimenti della lingua e del labbro compiuti dall'individuo con brevi sguardi al partner. Lo schioccare ritmicamente può essere udito durante il *grooming*, ma può essere eseguito anche a distanza, accompagnato dalle sopracciglia alzate, come segnale visivo di intenzioni amichevoli.

no a Ropey. Poi, tutt'e tre schioccano le labbra e si stringono insieme. Apparentemente, Ommie si ricordava che Ropey aveva un piccolo e aveva controllato se c'era ancora.

Sul pavimento dove c'è il cibo, Orange compie due attacchi inattesi; prima morde una giovane femmina che si chiama Tuff, poco più tardi dà uno strattone a Beatle. Di solito il motivo di questi attacchi rimane sconosciuto, ma in questo caso ci sono alcuni indizi. Avevo seguito Orange per mezz'ora e più di dodici minuti prima dell'episodio aggressivo avevo registrato i seguenti avvenimenti: «Orange fa *grooming* a Spickles. Tuff cerca di sedersi contro la schiena del vecchio maschio, ma lui la spinge via ripetutamente finché lei, alla fine, non si allontana. Poi, Beatle si avvicina per fare *grooming* a Orange, ma anche lei senza successo, perché ogni volta che Orange sente mani che si muovono nel suo pelo, si volta per minacciare Beatle. Vengono respinti cinque tentativi prima che Beatle si arrenda». Questa sequenza dimostra che sia Tuff sia Beatle si erano intromesse in un contatto tra i due individui dominanti, e Orange, invece di agire durante l'importante tête-à-tête, si è tenuta a mente l'interferenza e ha punito le colpevoli più tardi.

Il riconoscimento individuale, la memoria e una semplice logica sonó alla base di un'altra abilità: la comprensione delle relazioni sociali in cui non si è direttamente coinvolti. Ciò permette a un individuo, per esempio a Harry, di tenere in considerazione la relazione Bob-Mike, nel suo rapporto con Bob e con Mike. Se, per esempio, Bob e Mike sono alleati, è consigliabile che Harry si comporti amichevolmente con Bob in presenza di Mike. Se, invece, i due sono nemici, Harry può cercare di metterli uno contro l'altro. Dato che Harry deve tenere in considerazione tre relazioni, si parla di *consapevolezza triadica*. Alcuni esempi di questa abilità servono a mostrare che il comportamento di riconciliazione, di cui tratterò fra poco, non è un fenomeno isolato, ma fa parte di un insieme integrato di abilità. Le strategie di pace delle scimmie reso non possono essere comprese senza un'idea generale della sofisticazione sociale della specie.

La relazione sociale fondamentale è il legame tra madre e prole. Il primo segno che le altre scimmie riconoscono questo legame consiste in una particolare vocalizzazione rivolta esclusivamente ai neonati. Noi lo chiamiamo *baby-grunt* (grugnito per il piccolo), ma, dato che somiglia a un sonoro schiarimento di voce, è noto anche come *cough-grunt* (grugnito a colpo di tosse), *chortling* (risata chioccia), o *gurgling* (gorgoglìo). Emettendo una serie di *baby-grunt*, il terzo individuo guarda alternativamente il piccolo e la madre. Se il piccolo è trasportato dalla madre le due direzioni della comunicazione sono difficilmente distinguibili; se invece il piccolo sta camminando da solo, il terzo individuo guarda ora l'uno ora l'altra, rivolgendo alcuni grugniti al piccolo e altri alla madre. La scimmia che emette i *baby-grunt* non li rivolge mai alla femmina sbagliata, indipendentemente da quanto il piccolo si sia allontanato o da quanti altri individui ci siano intorno. Il significato del richiamo non è chiaro; l'intento è senza dubbio amichevole. Noi lo interpretiamo, in chiave antropomorfica, come un complimento: «Che bel bambino hai!».

La prova che le scimmie riconoscono legami tra gli altri è dovuta a un ingegnoso esperimento di Verena Dasser. Una femmina di macaco di nome Riche, che viveva in cattività in un gruppo numeroso, veniva isolata per brevi periodi per studiare le sue reazioni di fronte a fotografie a colori dei suoi amici. In questi test, Riche guardava contemporaneamente tre diapositive, ciascuna delle quali ritraeva una delle molte scimmie del suo gruppo. La diapositiva al centro mostrava sempre una femmina adulta, il piccolo della quale compariva in una delle altre due immagini. Non era facile prevedere chi fosse il suo piccolo, poiché la sua immagine poteva apparire a destra o a sinistra. Riche era stata in precedenza addestrata con altre fotografie a individuare abbinamenti corretti, e anche ora il suo compito era di individuare le combinazioni madre-piccolo. Non sbagliava quasi mai, dimostrando di vedere con chiarezza la relazione fra due dei tre individui sullo schermo.

La chiave era forse la somiglianza dovuta alla parentela? No, perché la somiglianza tra parenti non cambia con l'età delle foto, mentre i test fatti con vecchie immagini fallirono, il che si spiega solo se Riche operava in base al riconoscimento individuale. L'aspetto di una scimmia cambia negli anni e, quanto più tempo è passato da quando la foto è stata fatta, tanto più difficile è l'identificazione. Sulla base dei successi di Riche con fotografie recenti, Dasser ha concluso che la scimmia, dopo aver stabilito chi era chi, usava la propria conoscenza dei rapporti sociali nel gruppo per individuare le coppie madre-piccolo.

Dal momento che le scimmie si classificano a vicenda sulla base dei legami familiari, ero particolarmente interessato a vedere come avrebbe funzionato nel nostro gruppo di reso un'adozione spontanea. Un maschio di tre mesi, Kashew, dopo la morte della madre, venne pian piano integrato nella famiglia-H della matriarca Heavy (ovviamente una femmina molto grossa).* L'atteggiamento di Heavy verso Kashew passò dal fargli *grooming* e tolle-

* *Heavy* in inglese significa pesante. [*N.d.T.*]

rarne la presenza, al tenerlo in braccio e lasciarsi succhiare un capezzolo (anche se probabilmente non aveva latte). Ci vollero comunque tre mesi perché vedessimo, per la prima volta, Heavy trasportare e difendere dagli altri il figlio adottivo. E ci volle molto di più, quasi un anno, prima che gli altri membri del gruppo cominciassero a trattare Kashew come un membro della famiglia-H. Ciò avvenne per la prima volta quando Orange e Ropey attaccarono insieme Kashew. Subito dopo le due femmine dominanti caricarono fianco a fianco anche Heavy e la figlia adulta, che erano rimaste entrambe fuori dalla scena.

La *generalizzazione* dell'aggressione dall'individuo a tutta la sua cerchia familiare è un fenomeno comune nei macachi reso. Una femmina che stia minacciando e inseguendone un'altra, per esempio, attacca e minaccia anche la figlia della rivale. A prima vista è difficile stabilire se si tratti di una generalizzazione, dato che la figlia potrebbe essersi avvicinata troppo o aver fatto qualcos'altro per attirare l'attenzione dell'aggressore. Ma poi l'aggressore va improvvisamente verso un gruppo di scimmie che dormono, e ci salta in mezzo afferrando una di quelle innocenti, che, guarda caso, è la sorella della rivale.

Nel corso di un'osservazione focalizzata su una vecchia matriarca di nome Nose, ne vedo la figlia adulta attaccata da Hulk. Nose è seduta lontano, molto al di sopra della scena, vicino alla mia finestra di osservazione. Non si muove. Allora Hulk comincia a guardarsi intorno e a scrutare i gruppi di scimmie raccolti sulle rocce. Alla fine localizza Nose, salta su e la insegue.

Dopo uno scontro tra due femmine, una di loro trova e minaccia quattro dei cinque familiari della rivale. Il quinto è il giovane figlio della sorella della rivale, che gioca con i suoi compagni stando appeso al soffitto a testa in giù. È difficile riconoscere un individuo che sta in questa posizione. Pochi minuti dopo l'incidente, comunque, la femmina si arrampica velocemente verso il soffitto per inseguire il solo parente che le era sfuggito.

La stessa tattica è stata osservata tra i cercopitechi in libertà e tra i babbuini. Dopo uno scontro fra babbuini maschi, non è insolito che uno dei due scovi la femmina favorita del rivale e scarichi la sua tensione su di lei. Barbara Smuts ha notato un qualcosa di familiare in questa forma di vendetta: «Se non possiamo prendere X, allora cerchiamo qualcuno che significhi qualcosa per X». Lo studio sui cercopitechi in Kenya è particolarmente convincente, perché comprende un notevole numero di casi molto documentati. Dorothy Cheney e Robert Seyfarth hanno scoperto che se individui appartenenti a famiglie diverse hanno uno scontro, spesso le stesse due famiglie, e questo è cruciale, non necessariamente gli stessi individui, si scontreranno di nuovo nel corso della giornata. Anche i loro parenti sono diventati rivali. Evidentemente queste scimmie seguono con attenzione gli scontri che avvengono e se la prendono con l'intera famiglia della scimmia con la quale qualcuno dei loro parenti ha lottato. Secondo Cheney e Seyfarth, l'estendersi della tensione tra due individui ai rispettivi parenti dimostra che i cercopitechi hanno una precisa conoscenza, non solo delle loro relazioni di parentela, ma anche di quelle degli altri.

Nella società umana, la generalizzazione dell'aggressività è abbastanza comune, sia su piccola scala, in analogia con i precedenti esempi delle scimmie, sia su scala più vasta. Ciò raggiunge proporzioni estremamente pericolose quando interi gruppi etnici o religiosi vengono incolpati delle azioni di alcuni dei loro membri. In India, nel 1984, entro pochi giorni dall'assassinio di Indira Gandhi a opera di due guardie del corpo sikh, il numero dei sikh uccisi dai paria hindu in tutto il Paese superò il migliaio. L'utile, e di per sé inoffensiva, capacità di individuare le relazioni esistenti tra gli altri può quindi essere usata per biasimare, condannare all'ostracismo o addirittura eliminare persone innocenti.

Riconciliazioni implicite

Il sistema feudale familiare del macaco reso non influenza solo l'aggressività, ma anche la riconciliazione. In primo luogo, l'unità della famiglia va mantenuta a ogni costo. Secondo, uno o due importanti membri di una famiglia possono determinare il tono delle relazioni con un'altra famiglia. Se sono in guerra con questa, il resto del parentado si unisce a loro; se fanno pace, anche gli altri si rasserenano e riprendono le normali relazioni. Ho trascorso molto tempo a seguire questo tipo di processi. I macachi reso si riconciliano dopo i contrasti? Dipende. Se i criteri sono il bacio e l'abbraccio, queste scimmie non possono competere con umani e scimpanzé. Riavvicinamenti intensi tra precedenti rivali si verificano, in ogni caso, soprattutto all'interno di unità parentali e tra grandi amici.

Le due figlie di Orange, Ommie e Orkid, hanno uno scontro violento, che rapidamente coinvolge l'intera famiglia. Tutte le «O» hanno il pelo ritto. Orange in persona affianca Orkid, la figlia più giovane. Non soddisfatte di mordersi a vicenda, le sorelle sfogano la tensione anche minacciando i presenti. L'episodio si conclude con un assalto di Ommie e Orange contro una vecchia femmina, durante il quale Ommie schiocca le labbra verso Orange. Quando lo scontro è finito, faccio partire il cronometro.

Entro un minuto, Orange e Ommie gironzolano una intorno all'altra. Ommie presenta il posteriore alla madre, ma viene ignorata; poi inizia con molta attenzione a fare *grooming* sulla schiena di Orange. Durante il secondo minuto, Orkid, la sua rivale principale, si unisce a lei, facendo *grooming* alla madre dall'altro lato. Subito dopo il ghiaccio si rompe, le tre femmine si abbracciano e schioccano le labbra in modo quasi convulso. Normalmente tutto ciò dura solo qualche secondo, ma questa volta, dopo ogni pausa, una delle tre femmine ricomincia tutto daccapo, seguita dalle altre. La famiglia-O schiocca le labbra per due minuti, e la vecchia fem-

Un riavvicinamento emotivo nella famiglia-O dopo un grave conflitto tra le sorelle Orkid (*a sinistra*) e Ommie (*a destra*). Orange, seduta tra le figlie, emette grugniti amichevoli, mentre Ommie schiocca le labbra a Orkid. Orkid, a sua volta, schiocca le labbra al piccolo di Orange. Anche se le femmine sono rivolte una verso l'altra, evitano il contatto visivo diretto. (Wisconsin Primate Center.)

mina, che era stata l'ultima vittima, rimanda qualche schiocco da lontano. Sono necessari ventun minuti prima che questa femmina osi unirsi all'ammucchiata. La famiglia-O resta insieme per non meno di quarantatré minuti.

Le due famiglie di rango intermedio, le «G» e le «T», intraprendono lunghe battaglie incruente, dall'esito incerto. In una di queste occasioni, la matriarca delle «G», Gray, insegue una femmina-T molto più grossa, Tail, la quale cerca rifugio da Orange. Tail ha avuto da poco un piccolo, il che le permette di avere contatti con le femmine di alto rango. È chiaro che la presenza di Orange inibisce l'aggressione di Gray. Gray si siede non lontano da Tail, pulendosi il pelo e lanciando ripetutamente occhiate alla sua rivale. L'attività di *grooming* sembra calmare Gray, passa più di un minuto prima che alzi di nuovo lo sguardo, ma ora Tail è scomparsa! Gray si mette ritta in piedi per vedere meglio i numerosi gruppi ammucchiati intorno a lei sul pavimento. Ancora su due zampe si sposta anche su due gambe da un gruppo a un altro, cercando con sistematicità. Alla fine trova Tail seduta con la madre; Gray si avvicina e si stende davanti alla sua precedente avversaria, con la schiena volta verso di lei. Sia Tail sia la madre accettano questo invito e fanno *grooming* a Gray.

Dopo un conflitto, non tutte le riconciliazioni si verificano così rapidamente. Per esempio, Hulk insegue e morde Mopey, il terzo maschio della gerarchia, che di solito è il suo migliore amico. Più tardi si siedono su sbarre fissate a muri opposti, alla maggiore distanza consentita dal recinto, e si volgono reciprocamente le spalle. Da quanto posso vedere, fanno in modo di non guardarsi per più di un'ora. Poi Hulk si avvicina e i due maschi si montano a turno, mentre maschi più giovani accorrono, come per non perdersi il riavvicinamento. Si siedono con Hulk e Mopey in quello che abbiamo chiamato il club dei maschi (fin dalla più giovane età, i nostri maschi fanno gruppo separatamente dalle femmine, tutti insieme in un solo mucchio; soltanto Spickles non si unisce mai a loro).

Ommie, figlia di Orange, ha raggiunto l'età in cui può sfidare gli adulti della famiglia di alto rango delle «B». Insegue e afferra Boss, che si difende con efficacia finché non interviene Orange. Dal successivo comportamento di Boss risulta chiaro che le sta più a cuore la relazione con Orange che quella con Ommie. Boss ignora la femmina più giovane, ma per tutto il pomeriggio resta a qualche metro da Orange, ovunque lei vada. Da lontano Boss manda con le labbra schiocchi a Orange, emette sonori *baby-grunt* quando il figlio più giovane di Orange cammina staccato da lei, minaccia le scimmie di rango inferiore e sollecita l'aiuto di Orange, volgendole il posteriore, e così via, per almeno tre ore. Ma vado a casa senza aver visto alcun contatto tra le due femmine. Probabilmente Boss ha buone ragioni per essere così prudente nel suo approccio: reagire contro un membro della famiglia-O contraddice tutte le regole e Orange non è famosa per la sua indulgenza.

Durante la stagione delle nascite, la presenza dei neonati facilita i contatti tra femmine rivali. Anche se nell'episodio di prima Boss non ha avuto successo con la sua tattica del *baby-grunt*, a volte questo sistema funziona. Per esempio, Orange minaccia e insegue Heavy. Heavy ritorna, rivolge *baby-grunt* alla femmina alfa e al piccolo, che si arrampica sulla rete. Un po' più tardi il piccolo di Heavy si avvicina a Orange, ora è il turno di Orange di fare *baby-grunt*, è il segnale che Heavy si può avvicinare. Le due femmine voltano a pancia all'aria il piccolo che si contorce e lo ispezionano attentamente, scambiandosi schiocchi di labbra e *baby-grunt*. Hanno dimenticato le loro tensioni.

Riconciliazioni quasi accidentali sono comuni tra le scimmie reso, che spesso si comportano come se nulla fosse successo. Questa impressione deriva dalla loro tendenza a guardare in tutte le direzioni, tranne in faccia al loro precedente rivale. L'osservatore umano tende a confondersi, perché le regole del contatto visivo tra queste scimmie sono molto diverse dalle nostre. Sia gli umani sia le antropomorfe evitano il contatto visivo durante le situazioni di tensione, mentre lo cercano quando sono pronti alla riconciliazione. I macachi reso, al contrario, si guardano dritti negli occhi durante i conflitti, i dominanti minacciano i subordinati guardandoli fissamente. Dato che nella loro comunicazione un contatto visivo prolungato è un brutto segno, è logico che, durante approcci amichevoli, riconciliazioni incluse, stiano molto attenti a volgere lo sguardo altrove.

Il risultato è che, dopo un conflitto, cercano ogni genere di «scuse» per avvicinarsi al rivale. Spickles, per esempio, insegue Hulk, ma non riesce ad afferrarlo perché lui è molto più veloce del vecchio maschio. Quando, cinque minuti più tardi, Hulk va a bere, Spickles, improvvisamente, si alza per andare a bere con lui, e le loro teste si toccano.

Boss ha minacciato e spinto fuori da un gruppo la sua amica Tip. Dopo l'incidente Boss si avvicina ripetutamente a Tip, ma ogni volta l'avversaria si ritrae. Allora Boss si mette a cacciare mosche, afferrandole in aria con rapidi e secchi movimenti delle mani: questa è una tecnica comunemente usata. Tutta presa da questa occupazione, Boss si avvicina sempre più a Tip senza guardarla; afferra mosche davanti a Tip e alle sue spalle. A un certo punto si deve appoggiare a Tip per catturare un insetto che vola particolarmente alto. Questo contatto viene prolungato e conduce al *grooming* di Tip su Boss.

La «scusa» più comune è il cosiddetto passaggio di contatto. Un individuo si sposta di proposito nella gabbia dal punto A al punto B e «trova» l'ex avversario sul percorso. Tip insegue Kopje, la femmina di rango più basso, lungo il soffitto della gabbia. Kopje è negli ultimi giorni di gravidanza. Dopo l'inseguimento sta seduta e ferma per sei minuti, ansimando pesantemente per l'estenuante fuga. Tip si va a mettere sulla roccia un metro sopra Kopje. Kopje si volta a guardare da sopra la spalla almeno venti volte al minuto, per controllare i movimenti di Tip. Poi Tip scende, passando così vicino a Kopje che le loro pellicce si sfiorano. Questo contatto tranquillizza immediatamente Kopje, che scende anche lei e si mette a mangiare sul pavimento, non lontano da Tip.

I passaggi di contatto sembrano trasmettere un messaggio tranquillizzante, non per quello che succede, ma per quello che non

Una femmina adulta (*a destra*) alza la coda per presentare il posteriore al secondo maschio della gerarchia, Hulk, che l'ha appena inseguita nella gabbia. Il maschio ignora la profferta, ma più tardi le permette di fargli *grooming*. Un giovane segue la scena, e forse impara da ciò che vede. (Wisconsin Primate Center.)

succede. Durante il passaggio, il dominante potrebbe con facilità ghermire il subordinato, invece continua pacificamente sulla sua strada. Lo stesso messaggio, «Guarda, non ho intenzione di farti male!», è comunicato dal sedersi per un momento in piena vista, prima di spostarsi di nuovo. È forse preferibile definire questo tipo di interazioni come sistemi di rottura della tensione, piuttosto che come riconciliazioni. A mio parere, i macachí reso non sono molto bravi a riconciliarsi, ma hanno molti modi sottili di comunicarsi quando il conflitto è finito.

Ambedue i livelli di rappacificazione sono osservabili negli umani; io li chiamo *riconciliazioni implicite* ed *esplicite*. Il primo tipo, nel quale non viene fatto alcun riferimento al conflitto precedente, è caratteristico dei reso. Incontri un tuo collega, con cui ieri hai avuto un bisticcio, e ti comporti come se niente fosse successo. Gli offri un caffè, parli del tempo o inizi una conversazione di lavoro. Neanche il collega menziona l'incidente e, rispondendo normalmente, senza eccessiva freddezza o esagerato entusiasmo, mostra di non portare rancore o, almeno per il momento, di volersi comportare in quel modo.

Una volta, durante un convegno scientifico, ho assistito a un episodio drammatico tra due donne. Una di loro aveva diretto un seminario durante il quale, dopo una discussione alquanto accesa, aveva preso da parte una donna più giovane e l'aveva rimproverata per essersi lasciata troppo andare. La seconda scienziata si sentì profondamente umiliata e si agitò talmente da sentirsi male di stomaco; rimase pallida e stette in disparte per il resto della giornata. Quando la incontrai la sera successiva, nella piazza della piccola città tedesca, sembrava in condizioni migliori. Passeggiammo insieme. Evidentemente io avevo acquisito un occhio per questo genere di situazioni, perché fui il primo a notare in lontananza che la sua avversaria, intenta a parlare con altre persone, si stava avvicinando. Le due si incontrarono in mezzo alla strada, la tensione era evidente, suppongo, soltanto per quelli che sapevano che cosa era successo tra di loro. La più anziana si avvicinò e si curvò a toccare la cintura colorata della più giovane. «È splendida» esclamò. Prima di questo breve contatto di *grooming*, i loro occhi quasi non si erano incontrati. Poi iniziarono a chiacchierare di ristoranti e altre banalità, all'inizio un po' a disagio, ma poi in modo più rilassato. Anche se il loro scontro non fu toccato dalla conversazione, devono averlo avuto in mente per tutto il tempo.

In una riconciliazione esplicita, le parti menzionano lo scontro avvenuto. Chiedono scusa o cercano di eliminare ogni malinteso. Lo scambio può somigliare a una ripresa del conflitto, poiché il vecchio disaccordo non è completamente sepolto.* In una relazione egalitaria è tipico che venga raggiunto un compromesso, in cui ciascuno dei due contendenti si assume parte della responsabilità. Tuttavia, in una relazione con una forte componente di rango, di solito il subordinato si assume gran parte della colpa. Altrimenti, è probabile che il conflitto si inasprisca, perché il dominante vede la propria autorità in pericolo.

È evidente che il più alto grado di esplicito chiarimento viene raggiunto nella nostra specie, poiché noi soltanto abbiamo un linguaggio per discutere su ciò che ci divide. Ciononostante se due scimpanzé, che normalmente non si abbracciano e baciano mai, poco tempo dopo uno scontro di una certa gravità fanno proprio questo, è difficile non interpretarlo come un atto esplicito di pacificazione. Non hanno bisogno di alludere a quanto è successo; il loro comportamento è talmente insolito da costituire un inequivocabile riferimento al passato. In questo senso, ciò differisce dalla maggioranza dei contatti tra i reso, in cui gli ex avversari si comportano come se niente fosse o inventano pretesti per avvicinarsi all'altro. C'è da dire che anche le persone, quali che siano le loro abilità, sembrano scegliere, la maggior parte delle volte, la procedura implicita, che è meno imbarazzante e, fintanto che funziona, sufficiente per molte delle nostre relazioni.

La dimostrazione scientifica

Se facciamo lottare un orso ammaestrato con un uomo, costruiamo un aneddoto. Ma se ciò accade centinaia di volte, con orsi e uomini diversi, siamo pronti per fare un confronto decisivo delle loro abilità nella lotta. La scienza traccia una linea netta tra una dimostrazione aneddotica e una dimostrazione scientifica. L'aneddoto è un'osservazione isolata, che ci fa intuire e sospettare l'esistenza di un fenomeno, senza però permetterci di concludere che il suo verificarsi non sia dovuto al caso. La dimostrazione scientifica è il risultato di osservazioni ripetute in situazioni diverse.

Per spiegare come vengono raccolte le prove, devo entrare in

* Residui di antagonismo possono esprimersi non verbalmente in schemi di attacco inibito. Durante il riavvicinamento le persone — in particolare i bambini, ma anche gli adulti in relazioni di intimità — possono darsi una spintarella, un colpetto, o anche un innocuo calcetto su una gamba. Il gesto sembra scherzoso, ma il messaggio è: «Ecco che cosa mi piacerebbe farti!». Analoghe finte punizioni si possono osservare tra le scimmie, antropomorfe e no.

ciò che i profani considerano l'aspetto noioso della scienza: la statistica, il controllo delle variabili, le ipotesi alternative, e così via. Le scimmie diventano oggetti impersonali di studio, privati, per così dire, di carne e sangue. Ma anche la ricerca di una verità astratta ha qualcosa di affascinante. Ci costringe a rendere espliciti i nostri assunti e a esaminare in modo critico le interpretazioni iniziali. È una sfida. Se osservare le scimmie è come guardare la luna, la ricerca sulle scimmie è come andarci.

Le storie che abbiamo raccontato di generalizzazione dell'aggressione a tutta l'unità parentale e di riconciliazione tra le scimmie reso si situano a mezza strada tra gli aneddoti e i dati veri e propri. Non si tratta di osservazioni isolate, perché descrivono eventi che si verificano di continuo; d'altra parte non possono essere considerate dimostrazioni certe. I contatti che seguono un'aggressione, per esempio, possono sembrare casuali, perché *sono* casuali. Quindi il passo successivo consiste in osservazioni più sistematiche, che includono osservazioni di controllo, che hanno un ruolo cruciale nella scienza.

Per i miei dati di controllo avevo bisogno di confrontare i contatti fra ex avversari con i contatti normali. Di solito l'attività «normale» viene misurata osservando gli animali a orari stabiliti. Per i miei scopi, però, era meglio mettere accuratamente a confronto, con un'osservazione di controllo, ogni osservazione fatta dopo uno scontro aggressivo. Supponiamo che Ropey e Heavy abbiano un conflitto alle 14,10. Il loro comportamento verrà registrato due volte: la prima volta per dieci minuti subito dopo l'incidente, e la seconda, il giorno dopo, di nuovo per dieci minuti, iniziando sempre alle 14,10, ma senza che questa volta ci sia stata alcuna aggressione. Il vantaggio di questa procedura è che i dati di controllo riguardano gli stessi individui, alla stessa ora del giorno, durante la stessa stagione dell'anno. È dunque più probabile che le differenze tra i due gruppi di dati dipendano dal fattore specifico a cui siamo interessati, ovverosia il fatto che ci sia stata un'aggressione.

Deborah Yoshihara, un tecnico e io abbiamo lavorato per molti mesi a questo progetto. Abbiamo condotto i due tipi di osservazione su circa seicento coppie di contendenti. Il conflitto poteva avere influenzato il loro comportamento in tre modi:

Dispersione. L'idea che tradizionalmente si ha dell'aggressività è che essa induca gli animali a evitarsi l'un l'altro, e pertanto li disperda. Se ciò fosse vero, dovremmo trovare una minore quantità di contatto dopo i conflitti che durante le osservazioni di controllo.

Nessun effetto. La cosiddetta ipotesi nulla dice che le mie idee sulla riconciliazione sono del tutto immaginarie. Secondo questa ipotesi non ci aspettiamo alcuna differenza tra le osservazioni.

Riconciliazione. La terza possibilità è che i reso cerchino la riconciliazione, o almeno qualche forma di riduzione della tensione. Se questo fosse vero, ci aspetteremmo che gli individui dopo il conflitto abbiano maggiori contatti che durante i periodi di controllo.

È stato dimostrato che le prime due ipotesi erano sbagliate. L'aggressione era spesso seguita da contatto: il 21% delle coppie aveva contatti amichevoli dopo il conflitto, mentre solo il 12% si comportava in questo modo nei periodi di controllo. Gli avversari che non arrivavano al contatto fisico sedevano vicini più spesso del solito. Era davvero notevole trovare così tanti ex avversari vicini l'uno all'altro, dato che i conflitti con semplici minacce erano stati esclusi dallo studio. Tutti gli scontri comportavano in qualche misura inseguimenti che, a breve termine, non sono certo comportamenti che favoriscono la vicinanza.

Questi risultati sono abbastanza chiari per farci concludere che esiste la riconciliazione? C'è un pericolo nascosto. Teoricamente è possibile che l'aggressione causi un'ondata di contatti amichevoli, cui prendano parte molti membri del gruppo, sia ex avversari che non. Noi non vorremmo chiamare riconciliazione questo generale cambiamento di attività, in quanto sostanzialmente casuale. Questa teoria, comunque, è stata confutata. I nostri dati hanno dimostrato che i contatti si verificavano *specificamente* tra gli antagonisti. La nostra conclusione è che le scimmie reso sono attratte dagli individui con i quali hanno avuto uno scontro aggressivo. Non si tratta certo di cercare un contatto calmante con i conspecifici; il partner preferito è il nemico di prima.

Con mia sorpresa abbiamo trovato le stesse differenze sessuali osservate negli scimpanzé: i conflitti maschio-maschio e maschio-femmina erano conciliati più spesso di quelli tra femmine. Ciò che mi disturbava non era tanto che gli alti punteggi dei maschi fossero inattesi, quanto che i punteggi delle femmine fossero bassi. Si ricordi la spiegazione delle differenze sessuali negli scimpanzé. Gli scimpanzé maschi non possono permettersi di far durare i disaccordi; in un sistema altamente competitivo di coalizioni flessibili, devono rimanere in contatto sia con i rivali sia con gli amici. Gli scimpanzé femmina conducono una vita più solitaria, si adoperano per i figli e per pochi buoni amici, quindi possono essere più selettive negli sforzi di pacificazione. La prima parte della spiegazione può essere applicata, con qualche modifica, anche ai maschi reso. Ma non vedo come la seconda possa reggere per le femmine, che sono organizzate in gruppi tanto numerosi e coesivi.

Un'altra possibile spiegazione delle differenze tra i sessi è che abbiano a che fare più con il rango che con il sesso. È probabile che il pacifico ristabilirsi di relazioni perturbate avvenga soprattutto al vertice della gerarchia, dove l'aggravarsi delle tensioni comporta un rischio maggiore. Il fatto che i maschi occupino di solito i ranghi più alti potrebbe far sembrare che la riconciliazione sia correlata al sesso. Per tenere distinte le influenze del rango e del sesso, ho messo a punto un esperimento, eseguito con un gruppo numeroso di scimmie nuove, essendo nostra prassi non sottoporre a esperimenti il gruppo riproduttivo.

I nuovi soggetti del mio studio conoscevano gli elementi di base della vita sociale. La pratica corrente di allevamento nel laboratorio del Wisconsin Primate Center è di far trascorrere alle giovani scimmie i primi nove mesi di vita in gruppo con la madre e altre coppie madre-piccolo; successivamente vengono immesse in cosiddetti gruppi di pari, con scimmie della loro età. Ho preso in prestito parte del disegno sperimentale da un collega, David Goldfoot. Sia lui sia il direttore del nostro centro, Robert Goy, hanno lavorato per anni sulle origini sociali e ormonali delle differenze sessuali di comportamento nelle scimmie. Uno dei loro studi mette a confronto gruppi eterosessuali e isosessuali, cioè gruppi sociali composti da entrambi i sessi e gruppi costituiti solo di maschi o solo di femmine. L'ultima situazione mostra come si comportino le femmine in una gerarchia non dominata dai maschi.

Io ho costituito sei gruppi isosessuali, ciascuno di quattro scimmie: tre gruppi di maschi e tre di femmine. I membri dei gruppi non si conoscevano tra di loro. Poiché gli adulti tendono a eccedere negli scontri quando vengono messi insieme per la prima volta, ho fatto ricorso a scimmie di età inferiore ai tre anni. La formazione del gruppo fu simile per entrambi i sessi. Nel giro di qualche minuto, due scimmie formavano una coalizione contro le altre. L'individuo al secondo livello gerarchico nella coalizione era di solito il più aggressivo; nei primi giorni trascorreva gran parte del tempo a difendere la coalizione, interrompendo gelosamente tutti i contatti amichevoli e i giochi tra la scimmia alfa e le altre. La situazione si stabilizzò verso la fine della prima settimana, dopodiché diedi inizio all'esperimento. Lavorando con un gruppo per volta, buttavo un quarto di mela nella gabbia e per mezz'ora prendevo nota dei comportamenti che ne seguivano. Nei test di controllo, accadevano esattamente le stesse cose: entravo nel locale, aprivo e chiudevo le porte delle gabbie, mi sedevo; l'unica differenza è che le scimmie non ricevevano cibo supplementare. L'idea era di suscitare un breve momento di tensione e competizione, per vedere se era seguito da un aumento di comportamenti positivi, come il *grooming*, il gioco o gli abbracci. Mi aspettavo che questi comportamenti riconciliatori sarebbero risultati più comuni nei gruppi di maschi che in quelli di femmine, *a meno che* le differenze tra i sessi osservate in precedenza nel numeroso gruppo misto non fossero state da ascrivere a differenze di rango.

La risposta iniziale al pezzo di mela fu identica in tutti i gruppi: competizione aggressiva. Più del 95% dei conflitti consisteva in semplici minacce e inseguimenti. Fatto di particolare interesse è che ogni dominante reclamava vigorosamente il pezzo di mela da ogni subordinato, tranne gli alfa, che non avanzavano pretese dalle scimmie di secondo livello. In conseguenza di questa inibizione, ai due dominanti arrideva pari successo nella competizione per il cibo. La posizione della scimmia alfa sembrava dipendere dalla coalizione con la scimmia beta, e ciò significava che entrambe le scimmie dovevano stare ben attente a rimanere in buoni rapporti. Un eccessivo egoismo da parte dell'alfa poteva frustrare il partner e mettere in pericolo il rapporto di collaborazione: una versione semplificata dei problemi sorti tra lo scimpanzé Nikkie e il suo astuto compagno Yeroen.

Un maschio alfa, Dick, cercò inutilmente di ottenere il cibo con un trucco. Quando Victor, il suo alleato, entrò in possesso del pezzo di mela, Dick si mise a seguirlo, minacciandolo senza attaccarlo. Dopo quattro minuti Dick sembrò arrendersi. Nel sesto minuto schioccò le labbra verso Victor, che aveva cominciato a mangiare. Con la coda eretta, presentò il suo posteriore; Victor rispose all'invito amichevole come di consueto: montò Dick. Ma appena Victor gli fu sopra, Dick si girò bruscamente e fece per afferrare il pezzo di mela. Nella breve lotta che ne seguì, Victor riuscì a tenersi il cibo, e a Dick non restò che leccarsi le dita.

I risultati dei molti esperimenti con la mela hanno confermato la mia previsione. Dopo l'aggressione iniziale e dopo che il pezzo di mela era stato mangiato, i maschi passavano molto tempo insieme. Cercavano attivamente di rasserenare l'atmosfera, mostrando maggiore coesione e facendo più *grooming* che nei test di controllo. Ciò non avveniva nei gruppi di femmine; le femmine avevano un numero di contatti piuttosto inferiore al normale. Questi risultati non convalidavano l'ipotesi che il fattore cruciale fosse non il sesso ma il rango. Per il momento, io ritengo perciò che, nella psicologia della riconciliazione nei macachi reso, esista un'effettiva differenza tra i sessi.

In natura, il modo dei macachi maschi di associarsi a un gruppo è del tipo «a porta girevole». I maschi arrivano, si uniscono al gruppo, vi rimangono per un paio di anni, poi migrano verso un altro gruppo, o vivono soli per un certo periodo. Anche se sovente il gruppo oppone resistenza all'inserimento di un nuovo venuto, questi deve necessariamente fare in modo di stabilire buoni rapporti con i membri più importanti, sia maschi sia femmine. Per non finire legato al palo della tortura, deve ottenere due cose contemporaneamente: farsi degli amici e affermarsi. E conseguire i due obiettivi senza alternare botte e strette di mano. Sebbene il problema sia diverso da quello dello scimpanzé maschio (che resta nel gruppo dove è nato), comporta lo stesso genere di opportunismo. I rivali vanno avvicinati, alle vittorie deve seguire la pacificazione. La propensione alla riconciliazione, evidente nel nostro studio, riflette questa eredità del macaco maschio migrante.

Resta da stabilire come invece i reso femmina riescano a vivere in una società così altamente organizzata senza impegnarsi molto nella riconciliazione. La risposta, ancora una volta, è che alle femmine non manca la capacità di fare pace, ma la impiegano in modo più selettivo dei maschi. Prova ne sia l'alto numero di riconciliazioni che avvengono nel gruppo esteso tra madri, figlie e sorelle. Tuttavia, solo quando iniziammo i cosiddetti test dell'abbeverata mi resi pienamente conto di quanto le femmine canalizzino i loro sforzi di pace.

Nei test classici sulla dominanza, la prima fase consiste nel deprivare gli animali di cibo o acqua per ventiquattr'ore o più. In seguito viene resa disponibile una sola fonte di approvvigionamento, per esempio un abbeveratoio, monopolizzabile da un singolo individuo. Ovviamente questa situazione determina un'atmosfera di intolleranza, molto tesa. Gli animali vanno a bere uno per volta. L'osservatore deve solo registrare l'ordine di arrivo. Questa comoda procedura è stata criticata, in quanto presenta una visione unidimensionale della vita sociale. Il preciso schema gerarchico che osserviamo è una nostra creazione, imposta agli animali dalla situazione. In natura, cibo e acqua sono distribuiti nello spazio e nel tempo. Tranne che in periodi di forte siccità, le scimmie non devono aspettare ventiquattr'ore per dissetarsi, e bevono fianco a fianco in pozze o piccoli corsi d'acqua.

Decisi di riprodurre la situazione naturale nel nostro grande gruppo di reso. La ricerca sulla riconciliazione ha i suoi limiti; può fornire informazioni solo su individui che si scontrano regolarmente. Dal punto di vista delle strategie di pace, le relazioni più interessanti sono però quelle in cui l'aggressione si verifica di rado. Per documentare queste relazioni, ho progettato un nuovo test di dominanza, che offre una scelta tra la competizione e la tolleranza sociale. Preferisco questo tipo di test perché, a differenza del test classico, non mette il gruppo in una situazione stressante, che lo scompiglia.

L'approvvigionamento d'acqua venne interrotto solo per tre ore, dopodiché l'acqua fu resa disponibile in una pozza grande abbastanza da permettere a quattro adulti od otto giovani di abbeverarsi insieme. Non ne risultò alcuno schema ordinato di arrivi e partenze. Le scimmie arrivavano in combinazioni sempre nuove, alcuni individui ne spingevano via altri, alcuni bevevano insieme tranquillamente. Lesleigh Luttrell e io abbiamo filmato quasi cinquanta test, con migliaia di incontri tra adulti intorno alla pozza dell'acqua. Si resero evidenti quattro tipi di interazione: due scimmie che bevono insieme (26%), una scimmia che beve con un'altra seduta vicino (15%), una scimmia che ne evita un'altra (51%), e una scimmia che ne allontana aggressivamente un'altra (8%).

La gerarchia formale del gruppo può essere suddivisa in due classi, che ho chiamato classe superiore e inferiore. Ciò non significa che una categoria di scimmie sia intrinsecamente migliore o superiore, ma solo che esistono differenti privilegi. L'origine della differenza si nasconde in qualche punto della storia del gruppo. Nel nostro esperimento tutti gli individui di classe superiore avevano la precedenza su quelli di classe inferiore. All'interno di ogni classe, l'ordine di abbeverata era però virtualmente indipendente dal rango. Non era affatto insolito che Spickles, il maschio alfa, arrivasse dopo una mezza dozzina di altre scimmie di classe superiore. Non aveva difficoltà ad avere la pozza per sé ogni qual volta lo desiderasse, sembrava semplicemente non avesse fretta di escludere gli altri. Spartirsi la pozza dell'acqua era consuetudine per i membri della stessa classe, imparentati o no, mentre avveniva di rado tra i membri di classi diverse. Le femmine di rango intermedio sembravano particolarmente incapaci di sopportarsi a vicenda; le femmine alla base della classe superiore erano molto intolleranti verso le femmine al vertice della classe inferiore. L'ordine di abbeverata quindi era flessibile e non poneva difficoltà all'interno di ciascuna classe, e le classi sembravano mantenersi distinte per la competizione tra femmine ai margini della classe.

Le classi in questione non vanno viste come sottogruppi isolati. Quando le scimmie stanno insieme o si fanno *grooming*, la divisione in classi non è per nulla evidente, e molti legami tra femmine

Mentre alcune scimmie di basso rango bevono insieme, due di loro stanno attente che non arrivino dominanti. (Wisconsin Primate Center.)

tagliano trasversalmente i confini di classe. La struttura sociale somiglia forse a quella dei macachi giapponesi in libertà. I primatologi giapponesi individuano un certo numero di anelli concentrici intorno al nucleo del gruppo. Nella loro terminologia la nostra classe superiore potrebbe venir definita la parte centrale della società, e la classe inferiore la parte periferica. Noi siamo stati i primi, al Primate Center del Wisconsin, a scoprire questa gerarchia stratificata in un gruppo di primati in *cattività*. Il nostro gruppo è unico? Difficile crederlo. Mi sembra più probabile che una suddivisione nella distribuzione della tolleranza sociale sia sfuggita all'attenzione, in quanto i test di abbeverata tradizionali lasciano spazio unicamente alla competitività.

Dopo essermi reso conto di questa linea di separazione tra le nostre femmine, ho ripreso in esame i dati sulla riconciliazione. Fino a quel momento il confronto tra i sessi aveva riguardato i conflitti maschili e femminili nel loro complesso. Quando ho disaggregato i dati sulle femmine in riferimento alla struttura di classe, le differenze tra i sessi sono quasi scomparse. I conflitti all'interno

129

di ciascuna classe di femmine, anche tra femmine non imparentate, trovavano conciliazione con pari frequenza rispetto ai conflitti maschili. Le probabilità di riavvicinamento amichevole erano basse, molto basse, solo dopo attacchi di femmine di classe superiore contro femmine di classe inferiore.

Se mettiamo insieme i pezzi del rompicapo della riconciliazione, risulta evidente che una differenza tra i sessi permane. In situazioni nuove, come quella dei gruppi temporanei nei test della mela, i maschi cominciano subito a occuparsi delle loro relazioni, appianando le cose dopo il verificarsi di tensioni. Le femmine sono probabilmente più interessate a legami di lunga durata, che richiedono un tempo maggiore, forse anni, per svilupparsi. In un sistema sociale ben stabilizzato, come il grande gruppo riproduttivo, le femmine si concentrano su certe sfere di interesse, fanno pace soprattutto con i loro parenti e con i membri della loro classe sociale. I due sessi sembrano dunque comportarsi nel modo che risulta loro più vantaggioso in natura, dove i maschi si spostano da un gruppo all'altro e le femmine restano in società stabili per tutta la vita.

L'unico aspetto di questo schema che richiede un chiarimento è se le classi sociali rappresentino effettivamente «sfere di interesse». Il comportamento intollerante delle femmine ai margini delle classi avvalora l'ipotesi, ma la dimostrazione decisiva si avrà solo con l'osservazione di coalizioni in cui le femmine si aiutino reciprocamente. Esiste una solidarietà maggiore all'interno delle classi che tra le classi? La classe superiore agisce come un unico blocco di potere contro la classe inferiore? Secondo la nostra ricerca, le cose stanno proprio così. La selettività della riconciliazione femminile ha motivazioni strategiche: le femmine reso fanno pace soprattutto dopo conflitti con individui del cui aiuto, in un mondo competitivo, hanno bisogno.

Quando in un congresso internazionale ho presentato per la prima volta la notevole stratificazione sociale del nostro gruppo di scimmie, un collega mi ha messo in guardia contro il termine «classe sociale». Non che mettesse in discussione i miei risultati o le mie conclusioni: temeva che del termine potesse venir fatto cattivo uso. Persone di tendenze conservatrici avrebbero potuto farvi riferimento per giustificare le differenze di classe nelle società umane: discorsi del tipo «se le scimmie si dividono in classi sociali, vuol dire che la cosa è un fatto di natura». I marxisti si sarebbero seccati moltissimo, e avrebbero ancora una volta accusato la biologia di essere una scienza reazionaria.

Per evitare tutto questo avrei, ovviamente, potuto parlare in termini neutri di livello superiore e inferiore della gerarchia, o semplicemente di scimmie sovrastanti e sottostanti. Questa terminologia avrebbe però messo in ombra il fatto che un sottogruppo si spartisce i privilegi in modo relativamente tollerante, mentre esclude il resto del gruppo da quegli stessi privilegi. Inoltre, come risulta dai nostri dati sulla riconciliazione, c'è una maggiore tendenza al perdono tra le scimmie della stessa categoria. Soltanto l'espressione «classe sociale» coglie questi aspetti della situazione. Trovarsi precluso l'impiego dei termini più appropriati è un po' come dover descrivere il moto degli uccelli come uno «spostarsi attraverso l'aria» perché la parola «volare» è stata rivendicata in esclusiva da qualche compagnia aerea. Le tecniche di volo degli uccelli e degli aerei non sono identiche, come non lo sono le strutture di classe delle scimmie e degli uomini, ma questa non è una ragione per inventare un linguaggio diverso per ogni caso particolare.

Anziché evitare le cosiddette parole pericolose, lasciandoci così con un vocabolario impoverito e senza senso, i biologi devono denunciare l'errore di un uso politico semplicistico dei risultati delle loro ricerche. Non avrei scritto questo libro, se non credessi che lo studio del comportamento animale getti luce sulle radici delle nostre società umane. Nessuna delle molte lezioni che abbiamo da imparare offre però *norme* per il nostro comportamento. Gli esseri umani hanno modi flessibili di strutturare le loro società, modi connessi all'educazione che impartiscono ai loro figli e alle leggi e istituzioni che si danno. L'importante non è se le nostre istituzioni sociali sono «naturali» (qualunque cosa ciò significhi), ma che funzionino bene e siano di beneficio per la maggioranza delle persone. Solo una attenta valutazione può dirci che cosa è meglio per noi.

Tutto questo è l'ho detto per mettere in chiaro che non penso di avvalorare la struttura in classi della nostra specie perché applico il termine alle scimmie reso. Colgo tuttavia delle somiglianze, come, per esempio, il tabù sul consumo promiscuo di cibo tra classi diverse nel tradizionale sistema di caste indiano. La razionalizzazione di questo tabù era la «purezza»; i membri della casta più alta temevano cioè di venire contaminati bevendo nei recipienti usati dai membri di casta inferiore, fumando con loro, o anche stando loro troppo vicini. Anche la violenza contro membri di caste diverse subiva sanzioni diverse; la pena per l'omicidio variava dai dodici anni a niente, a seconda che tu avessi ucciso un bramino o un intoccabile. La virtuale assenza di riconciliazione con le vittime di classe inferiore nel nostro gruppo di reso costituisce un'evidente analogia.

Vi sono ovviamente anche grandi differenze, quali per esempio le strutture religiose e ideologiche che gli uomini elevano intorno ai loro sistemi di classe, la divisione del lavoro e l'accumulazione della ricchezza, la possibilità che gli umani hanno di accedere a una classe superiore attraverso il matrimonio. Quest'ultimo uso può essere vietato per legge (come accadeva fino a poco tempo fa nel sistema di apartheid del Súdafrica), ma nella maggioranza delle società stratificate i matrimoni tra membri di classi diverse vengono scoraggiati, non proibiti.

La scalata sociale

Tra le scimmie che nascono in natura in una popolazione di macachi dal berretto nello Sri Lanka, nove su dieci muoiono prima di raggiungere l'età adulta. Per le scimmie reso in libertà, la situazione non è affatto migliore. Le nostre scimmie in gabbia sono molto più sane, e anche se non vivono in una giungla paradisiaca, non vanno commiserate. Libertà non significa necessariamente felicità. La mortalità straordinariamente alta delle scimmie in natura è dovuta a malattie, inedia e predazione. Ad avere le più basse probabilità di sopravvivenza sono i figli delle femmine di basso rango. Alle scimmie in fondo alla gerarchia venire dominate ed essere scacciate dalle fonti di cibo causa molte sofferenze, privazioni e stress.

Questi fatti sono stati di recente confermati da osservazioni sui macachi arboricoli di Giava. Avendo visitato la zona forestale di Sumatra dove lo studio è stato condotto, so quanto sia difficile giungere a osservare queste scimmie. La foresta pluviale è immersa nella penombra, con una volta arborea alta e densa, e le scimmie bruno-verdi si mimetizzano perfettamente nell'ambiente. I biologi olandesi Maria van Noordwijk e Carel van Schaik hanno trascorso anni tra i macachi di Sumatra — come pure tra gli oranghi, le tigri e milioni di sanguisughe. Hanno scoperto che le scimmie di alto rango sono solitamente le prime a penetrare in alberi carichi di frutti maturi. Queste scimmie ottengono cibo di alta qualità con uno sforzo minimo e godono così di un tempo maggiore per il riposo e il *grooming*. Le femmine subordinate sono costrette a spostarsi e a nutrirsi lontano dal grosso del gruppo, e ciò probabilmente accresce il rischio di predazione. Spesso le femmine scompaiono per ragioni ignote, e i loro piccoli hanno un basso tasso di sopravvivenza.

Per una scimmia femmina in natura trovarsi al vertice della

La gerarchia tra le scimmie reso è così rigida che i dominanti possono pretendere anche il contenuto delle sacche guanciali di un subordinato. Qui un giovane si sottopone a un'ispezione. (Wisconsin farm group.)

scala sociale non è semplicemente comodo e piacevole: è un fattore da cui dipendono la durata della sua vita e le sue possibilità di riproduzione. Perché le femmine dominanti riescano ad allevare più piccoli, i loro geni si diffondono nella popolazione. I caratteri che, come l'abilità sociale e l'ambizione, possono aver contribuito ad assicurare una posizione elevata alla loro famiglia matrilineare, vengono ereditati da un grande numero di scimmie. E le femmine reso in cattività manifestano questa eredità. Attribuiscono allo status gerarchico una grande importanza, molto maggiore di quanta ci si aspetterebbe in considerazione dell'abbondanza di cibo e dell'assenza di predatori. Gli effetti di milioni di anni di evoluzione non svaniscono in un paio di generazioni.

Per i maschi la situazione è leggermente diversa, perché in cat-

Una femmina (*a destra*) dorme su una delle sbarre vicine al soffitto della gabbia, un posto non proprio confortevole. La figlia a testa in giù non sembra preoccuparsene. Per evitare i problemi nei periodi di tensione, gli individui di basso rango tendono a isolarsi. Questa famiglia si trova alla base della scala gerarchica. (Wisconsin Primate Center.)

tività i vantaggi conferiti dall'alto rango continuano a essere importanti. In genere si ritiene che la dominanza maschile abbia un corrispettivo in privilegi sessuali, ma come ciò influisca sul successo riproduttivo è difficile da stabilire. Misurare l'accessibilità di un maschio ai rapporti sessuali è relativamente facile. Ma l'effettiva riproduzione può essere rivelata solo da test di paternità basati su tipologia ematica e altri dati genetici. A questo metodo si fa attualmente sempre maggiore ricorso, in laboratorio e sul campo. A uno dei primi studi esaurienti ha partecipato anche il nostro gruppo di ricerca.

Il comportamento sessuale del gruppo è stato osservato per quasi un decennio dai ricercatori del Wisconsin Primate Center. Nello stesso periodo, Marty Curie-Cohen e i suoi colleghi del dipartimento di genetica hanno raccolto campioni di sangue di tutti i piccoli nati nel gruppo di reso, delle loro madri e dei possibili padri. I componenti maschi adulti hanno variato nel corso degli anni, sia per numero sia per ordine gerarchico. In ogni stagione degli accoppiamenti, il maschio di rango più alto partecipò a un numero di accoppiamenti molto più elevato di ogni altro. Tuttavia non era sempre questo maschio alfa a generare il maggior numero di piccoli; i giovani maschi emergenti di secondo e terzo rango spesso ne generavano di più. Forse la loro attività sessuale era più discreta, o il loro sperma più vitale di quello dei maschi più anziani. Comunque sia, la riproduzione sembra dovuta prevalentemente a maschi dominanti o che mostrano di poter diventare tali in un prossimo futuro.

La situazione attuale del gruppo non è diversa. Spickles compie tutti gli accoppiamenti «pubblici», copula in piena vista, emettendo al culmine una serie di sonori latrati. Hulk, il maschio numero due, non si accoppia mai se Spickles può vederlo e quando si accoppia non attrae certo su di sé l'attenzione. È divertente osservare il suo comportamento furtivo, specialmente alla luce delle complicazioni politiche create dall'attrazione sessuale che Orange prova per lui.

Il triangolo dominante del gruppo, Spickles-Orange-Hulk, può essere delineato come segue. Mr. Spickles è un'istituzione sociale sostenuta dalla popolazione femminile, con Orange in testa. Con l'età che ha, è dubbio che Spickles potrebbe difendersi dai maschi più giovani senza il sostegno femminile, perciò il suo legame con Orange sembra determinante per la stabilità della sua posizione. I due dedicano al *grooming* reciproco almeno il 9% del loro tempo, un valore sorprendentemente elevato se consideriamo che il tempo medio di *grooming* per coppie maschio-femmina è inferiore

Orange fa *grooming* a Spickles. I due individui alfa trascorrono moltissimo tempo insieme, dominando insieme il gruppo. (Wisconsin Primate Center.)

allo 0,5 %. I due individui alfa si danno inoltre reciproco sostegno nelle situazioni di conflitto e governano il gruppo in coppia.

Tuttavia la loro solidarietà non è perfetta. Orange appoggia Spickles contro Hulk, suo principale rivale, solo se il vecchio maschio si limita a minacce o inseguimenti. Nelle rare occasioni in cui Hulk è stato attaccato sul serio, Orange ha difeso quest'ultimo. Orange, dunque, aiuta il maschio numero uno a conservare lo status quo senza però consentirgli di spingere le cose fino al punto di provocare danni fisici al maschio numero due. Come ben si comprende, entrambi i maschi cercano di restare in buone relazioni con lei, e sebbene Spickles abbia sicuramente maggior successo nello stabilire il contatto, Orange permette a Hulk di trascorrere parecchio tempo con lei e la sua famiglia reale.

Poiché non è nella natura dei maschi reso formare coalizioni durevoli, Orange non ha da temere l'avvento di un'unità di comando da cui lei risulti esclusa. Di conseguenza, non solo domina l'intera popolazione femminile, ma fa parte del triangolo centrale e detiene la maggiore autorità. Anche nella società dei reso l'ordine di rango non riflette per intero i rapporti di potere: formalmente Orange è di rango inferiore rispetto a Spickles (gli rivolge ghigni di paura ed evita le sue cariche), ma al tempo stesso il potere di lui, o la sua caduta, sono nelle sue mani. Faccio quest'affermazione con qualche riserva, perché quel che succede dietro le quinte di una situazione sociale stabile è sempre difficile da controllare. La natura precisa delle influenze in gioco potrebbe manifestarsi solo se la posizione di una delle tre scimmie dominanti venisse minacciata, dall'interno o dall'esterno della triade. E questo finora non è successo.

Negli ultimi sei anni, gli episodi più gravi di destabilizzazione nella gerarchia del gruppo sono stati provocati unicamente da Tip, una femmina di rango intermedio. Alla fine del 1981 Tip mostrava ancora regolarmente i denti alla madre e alla sorella adulta. Nel febbraio dell'anno successivo, le cose cominciarono a cambiare. In varie occasioni, quando veniva inseguita dalla sorella, Tip implorava aiuto dalle femmine di alto rango o da Hulk. Presentava loro il posteriore, mentre minacciava e urlava rivolta all'avversaria. A volte la cosa finiva in un vero e proprio scontro, dove l'attaccante era Tip. In due occasioni la sorella riportò ferite la cui cura richiese il suo momentaneo allontanamento dal gruppo.

La situazione giunse a coinvolgere la famiglia di rango immediatamente superiore alla famiglia-T, e le relazioni tra Gray, la matriarca di questa famiglia, e Tip presero a dare segni di grave tensione. Spesso Gray minacciava Tip, specie quando Tip si avvicinava a uno dei suoi abituali alleati. Questi problemi venivano risolti con un'aggressione congiunta contro la sorella di Tip, un modo di scaricarsi che aveva un forte effetto unificante su Tip e Gray. Accadeva sovente che le due interrompessero l'attacco per dedicarsi a un reciproco *grooming*, mentre la povera sorella continuava a essere inseguita dai sostenitori mobilitati da Tip. Per Tip, riconciliarsi con Gray e avere il suo appoggio contavano di più del benessere della sorella. In quei mesi le due sorelle-T non fecero mai *grooming* tra loro, non si sedevano una accanto all'altra né si mostravano reciprocamente i denti in segno di sottomissione.

La dominanza formale fu ristabilita nel luglio del 1982, quando la sorella di Tip mostrò i denti per la prima volta. Anche se ogni giorno continuavano a scoppiare chiassosi conflitti, gli scontri fisici tra le due sorelle vennero a cessare. L'ambivalente relazione di Tip con Gray però perdurava: a momenti erano sul punto di accapigliarsi e un attimo dopo cercavano insieme un capro espiatorio. Ora Tip lasciava in pace la sorella, prendendo invece di mira la madre. Ne nascevano alterchi tremendi, nei quali cercava con successo l'aiuto di tutte le femmine-G. Alla fine del 1982, anche la madre di Tip si era formalmente sottomessa. La mia interpretazione dell'intero processo è che Tip aveva sfruttato con abilità la tendenza di Gray a «generalizzare». Le sue tensioni nei confronti di Tip potevano facilmente venire trasformate in aggressioni contro il resto della famiglia-T, proprio quello di cui Tip aveva bisogno.

Le tensioni all'interno della famiglia-T durarono ancora alcuni mesi, ma si risolsero nella primavera dell'anno successivo. Una mattina, arrivando, notai due femmine che emettevano *baby-grunt* e toccavano l'una il nuovo nato dell'altra. Poi si dedicarono a un reciproco *grooming*. Niente di insolito per un comune visitatore di zoo, ma molto significativo per me. Le femmine erano Tip e sua sorella. Circa due anni di cattivi rapporti si erano finalmente conclusi. Da quel momento, i contatti all'interno della famiglia-T sono gradualmente aumentati, e nel 1984 le «T» formavano una delle famiglie matrilineari più unite del gruppo. Con Tip saldamente al vertice, era ritornata la pace.

La storia di Tip non finisce qui. Com'era da attendersi, in seguito Tip sfidò le femmine-G dominanti, muovendo contro di loro attacchi quotidiani. La figlia maggiore di Gray aveva, e ha ancora, un bel po' di problemi con Tip e le sue forti sostenitrici. (La vecchia Gray è morta nel 1983 per cause naturali.) Anche in questa contesa Tip e le sue nemiche non si mostrano mai i denti né si fanno *grooming*. È interessante il confronto di questo comportamento

Mr. Spickles sbadiglia, un segno di tensione, mentre Hulk si trova proprio sopra di lui. Hulk è forse in una forma fisica migliore, ma gli manca l'esperienza e il sostegno delle femmine che mantengono Spickles fermamente al potere. (Wisconsin Primate Center.)

Tip (*foto nella pagina accanto*) mostra l'espressione di minaccia tipica delle scimmie che sfidano l'ordine vigente. Con le orecchie appiattite e il mento puntato verso l'alto, grugnisce all'avversaria. Nel corso degli anni Tip è salita di rango rispetto ad altre femmine, tra cui la madre, che protesta urlando (*qui sopra*), dopo un attacco dell'ambiziosa figlia. (Wisconsin Primate Center.)

con quello degli scimpanzé. L'elemento in comune è che le contese per la dominanza comportano il disgregarsi della relazione formale, ovvero il completo venir meno della comunicazione del rango finché il processo non ha un esito certo. La differenza sostanziale è che mentre tra i reso rivali cessa ogni scambio amichevole, tra gli scimpanzé maschi di Arnhem le riconciliazioni durante i periodi di tensione erano frequenti, con un conseguente *aumento* del *grooming*. (Non mi riferisco al recente incidente mortale, ma alle lotte per il potere degli anni precedenti.) Ciò sembrerebbe ancora una volta suggerire che nelle antropomorfe la risoluzione dei conflitti e i sistemi di compensazione abbiano raggiunto un livello più alto che nei reso.

L'ascesa di Tip è molto lenta, e non è chiaro come e quando finirà. Il fatto che occupi il diciassettesimo o il tredicesimo posto nella gerarchia a prima vista non sembrerebbe molto importante. Ma alla luce della struttura di classe, se Tip riesce a superare le femmine-G, la sua posizione si situerà a un gradino immediatamente al di sotto della classe superiore, alla quale, da lì, potrebbe forse

accedere. Ciò rappresenterebbe un notevole passo avanti nella gerarchia: Tip e i suoi figli godrebbero della relativa solidarietà e tolleranza vigenti nell'élite del gruppo. Tra tutte le femmine di rango inferiore, Tip ha stabilito i migliori rapporti di *grooming* con le femmine di classe superiore. In qualche modo, si direbbe che stia facendo tutte le mosse giuste. Vari maschi e femmine di alto rango appoggiano la sua causa, e perfino la sorella è diventata di recente sua sostenitrice.

Tip sa quello che sta facendo? Sa dove sta andando? Anche se è impossibile esserne sicuri, sono incline a credere di sì. È difficile spiegare le flessibili strategie dei primati non umani, senza supporre che siano consapevoli delle conseguenze degli effetti del loro comportamento. L'ipotesi può sembrare ragionevole, ma il modo tradizionale di considerare gli animali è alquanto diverso. Più di cinquant'anni fa Solly Zuckerman osservava che «i primati subumani non hanno un'effettiva comprensione delle situazioni sociali di cui fanno parte». A contribuire a un'immagine meccanicistica degli animali nella scienza è stato soprattutto il comportamentismo americano. Gli animali venivano visti come palle da biliardo coperte di pelo, rotolanti alla cieca qua e là, con traiettorie determinate dalle leggi della fisica o, in termini comportamentistici, da contingenze di stimolo-risposta.

Stuart Altmann ha applicato questo modo di vedere alle relazioni di dominanza tra primati. Facendo l'avvocato del diavolo, ha paragonato queste relazioni al sorriso del gatto del Cheshire: sono un'astrazione, egli afferma, che esiste solo nella mente dello studioso. «Le relazioni di dominanza sono importanti? Certo che lo sono, ma per i ricercatori, non per i soggetti.»

Vorrei brevemente indicare alcuni fenomeni che potrebbero chiarire il problema:

• Il ghigno di paura è un segnale che nessuna scimmia reso rivolge a un subordinato, nemmeno dopo l'occasionale sconfitta in un confronto. Più che rispecchiare il risultato di un conflitto passeggero, questo segnale deve dipendere da una valutazione a lungo termine della relazione. In altre parole, il rango non è un'astrazione; la comunicazione tra le scimmie è correlata alle differenze di rango.

• Le femmine di rango prossimo al confine della loro classe sociale sono particolarmente intolleranti verso le femmine sull'altro lato del confine. Ciò fa pensare a una consapevolezza della stratificazione del gruppo.

• Le scimmie reso operano generalizzazioni che partendo da

La pace è ritornata nella famiglia-T, dopo che Tip ha affermato la sua dominanza sui parenti. Nella foto, Tip fa *grooming* alla vecchia mamma. (Wisconsin Primate Center.)

un singolo individuo arrivano a comprendere tutti i membri di un'unità di parentela. Ed esistono altri indicatori di consapevolezza triadica, cioè di comprensione delle relazioni fra terzi.

• Le scimmie reso ricordano con quali individui hanno lottato. La riconciliazione o la sua mancanza dipendono da legami affiliativi e dalla classe d'appartenenza.

A rigor di termini, questa lista non prova che le scimmie sono pienamente consapevoli del loro comportamento. Il fatto è che l'ipotesi di una loro comprensione della rete sociale in cui vivono rende le loro azioni più comprensibili. Considerarle come esseri dotati di un ricco sapere sociale e di volontà propria, ci consente di

Tip (*a destra*) fa un ghigno di sottomissione e si ritrae davanti alle minacce a bocca aperta di Orange e Ommie (*a sinistra*), alle quali aveva cercato di avvicinarsi. La crescente tendenza di Tip ad associarsi con le scimmie di alto rango incontra ancora resistenza. (Wisconsin Primate Center.)

interpretare dati che altrimenti non avrebbero senso. Sto quindi parlando di un quadro teorico, più che di fatti accertati. Questo quadro, noto come *etologia cognitiva*, è più stimolante e ricco di promesse della tradizionale concezione che vede gli animali muoversi come marionette in un'azione di cui capiscono poco o niente. Anziché pensare con arroganza che noi scienziati umani afferriamo il significato del comportamento dei primati non umani meglio di loro, ho la costante impressione che sia vero proprio il contrario. Mi ci sono volute migliaia di ore di attesa e osservazione per giungere a una comprensione della vita sociale delle scimmie che, secondo me, è ben povera cosa rispetto alla comprensione che loro stesse ne hanno.

D'altro lato, non esistono prove che le scimmie comprendano il disegno complessivo della loro organizzazione sociale. Potranno avere un'intima conoscenza della loro gerarchia sociale, ma questo non assicura che abbiano una qualche idea di cosa sia una gerarchia. «Nella sua mente il quadro complessivo non esiste; egli vi è dentro, e non può vedere l'insieme dall'esterno» scriveva Bronislaw Malinowski nel 1922. Si riferiva agli abitanti delle isole Trobriand, ma per me la sua affermazione si attaglia di più alle scimmie che non a esseri umani. «Conoscono le loro motivazioni, conoscono lo scopo delle singole azioni e le regole che le concernono, ma il modo in cui da tutto questo prenda forma l'istituzione collettiva nel suo insieme sfugge alla portata della loro mente.» Sicuramente l'antropologo sottovalutava le capacità mentali degli abitanti delle Trobriand. Gli esseri umani sono capaci di avere, e di fatto hanno, una visione complessiva delle loro società, e non c'è ragione di credere che questa capacità vari da un popolo all'altro. Ciò non significa che gli umani tengano conto di questa visione generale in tutto quel che fanno. È anzi vero il contrario: anche noi, come gli altri primati, compiamo i nostri atti sulla base di conoscenze intuitive del nostro ambiente sociale ristretto e immediato.

4

MACACHI ORSINI

> Il colore rosso della faccia, limitato alle aree intorno agli occhi e al naso, conferisce al macaco orsino un peculiare aspetto butterato, a macchie scure, quasi da malato. Un sacco laringeo con una barbetta, e una pancia grassotta, coperta di peli radi, sono le altre «bellezze» che rendono il maschio anziano uno dei più brutti fra tutti i primati. Perfino il terribile carattere demoniaco del drillo e del mandrillo è assente, mentre anche l'anima del macaco orsino non mostra alcun temperamento ed energia. Al contrario, queste scimmie sono abbastanza flemmatiche.
>
> ALFRED BREHM

Se dovessi convincere uno scettico dell'esistenza della riconciliazione tra le scimmie, non lo porterei né dagli scimpanzé né dalle scimmie reso. Gli scimpanzé, con la loro memoria di lunga durata, se la prendono comoda in tutto quello che fanno. Osservatori non esperti hanno problemi a concentrarsi su due precedenti antagonisti per più di un paio di minuti, e si lasciano distrarre da eventi non pertinenti. Nelle scimmie reso, invece, i riavvicinamenti dopo i combattimenti sono spesso troppo sottili, perché gli umani ne possano afferrare il significato. Ci sono prove di una connessione con la precedente aggressione, e io sono convinto che i riavvicinamenti tra le scimmie reso sono carichi di significato per le scimmie stesse, ma sfortunatamente, come ho già detto, il mio ospite rimane scettico. Perciò lo porterò dal gruppo dei macachi orsini.

Le nostre bellezze

Tra i primati di cui parlo in questo libro, i macachi orsini* fanno pace nella maniera più evidente e prevedibile. In un singolo pomeriggio, posso garantire che si verificano forse anche una dozzina di

---

* La specie è nota anche come Macaco a coda mozza.

Joey, un maschio di quattro anni, ha la tipica faccia lentigginosa caratteristica dei macachi orsini. (Wisconsin Primate Center.)

casi inequivocabili. Gli orsini si riconciliano di frequente, e spesso molto rumorosamente, entro uno o due minuti da un confronto. È impossibile non accorgersene!

Dopo aver letto la poco lusinghiera descrizione dei macachi orsini, di Alfred Brehm, poche persone sarebbero tentate di osservarli. In un certo senso Brehm aveva ragione; all'inizio i macachi orsini appaiono, diciamo, un po' insoliti. È per questo che pochi zoo espongono la specie. Tuttavia, chiunque conosca meglio i macachi orsini viene colpito dalla loro affascinante personalità.

È particolarmente facile riconoscere gli individui: il colore della pelliccia può variare dal grigio, marrone o rossiccio, al nero. La faccia è coperta di chiazze irregolari e di lentiggini, disposte in modo unico in ciascun individuo. Inoltre, il colore d'insieme e la forma della faccia sono altamente variabili. Di tutti i primati che conosco, compresi gli umani, gli orsini sono la specie con le maggiori differenze interindividuali nell'aspetto. Alcuni dei nomi delle nostre scimmie riflettono questo fatto: la femmina alfa, Goldie, ha la faccia di un delicato color arancio e una pelliccia marrone chiaro; la seconda femmina, Wolf, ha la faccia nera, con le arcate sopracciliari prominenti e una lunga pelliccia grigia; la matriarca del gruppo parentale più numeroso, Silver, ha la faccia rosso pomodoro piena di rughe e, unica del gruppo, la pelliccia bianca. Goldie, Wolf e Silver sono di colore e costituzione tanto differenti che si potrebbe pensare a una mescolanza di diverse sottospecie in cattività. Non è così; sappiamo che un'analoga variabilità è presente anche nei gruppi in natura.

La femmina di macaco orsino ha un corpo paffuto, a forma di pera, mentre il maschio è muscoloso e con spalle più larghe. Solo i maschi adulti sono armati di canini lunghi e appuntiti. Ambo i sessi hanno movimenti piuttosto lenti; i macachi sono «costruiti» per camminare e non per arrampicarsi. I loro volti espressivi catturano subito l'attenzione per le grosse dimensioni della testa rispetto al corpo. Sembra quasi che una testa di antropomorfa sia stata montata su un corpo di scimmia. È per questo, e per la pressoché totale assenza della coda, che un tempo i commercianti di animali reclamizzavano i macachi orsini come «scimpanzé nani».

In questo capitolo gli orsini verranno confrontati con i reso, non con le antropomorfe. In termini di distanza biologica, i macachi orsini sono ben lontani dalla linea evolutiva che ha portato agli umani e alle antropomorfe, ma molto vicini alle scimmie reso e agli altri membri del genere *Macaca*. L'orsino è un po' un'anomalia all'interno del genere, ma è senza dubbio la migliore classificazione che possiamo fare di questa specie. È interessante notare che, nonostante la stretta relazione con il reso, tra i due macachi esistono enormi differenze comportamentali. Porrò l'accento sui contrasti a scapito delle somiglianze, perché intendo dare un'idea della varietà del comportamento sociale.

Comincerò con un'opinione diffusa che io *non* condivido: si tratta di ciò che Brehm chiama la «flemma» dei macachi orsini. Originariamente questa parola si riferiva a un umore corporeo che, nel Medioevo, si credeva causasse indolenza e apatia. Ai nostri tempi la flemma si riferisce a cose quali la calma e la compostezza (nelle lingue europee la parola è associata al gentleman inglese). Un'opinione analoga sui macachi orsini è stata espressa da due psichiatri, Arthur Kling e J. Orbach, che li hanno paragonati, incredibile a dirsi, a scimmie reso lobotomizzate. Avevano notato un atteggiamento mansueto, una naturale docilità e l'assenza di ogni malizia. In laboratorio questo è effettivamente ciò che si vede; gli orsini non lottano né mordono quanto i reso e i custodi possono tranquillamente prendere le femmine adulte senza doverle catturare con la rete. Le femmine sembrano comprendere che non c'è nulla da guadagnare offrendo resistenza. Ma se qualcosa di molto importante è in pericolo, il loro atteggiamento cambia e allora i macachi orsini sono più pericolosi delle scimmie reso.

Sappiamo poco della loro vita in libertà in Indocina e nella Cina meridionale, ma molti resoconti affermano che gli orsini maschi si appostano alla periferia del gruppo, per avvisare gli altri del pericolo e per difenderli. Ciò non è sorprendente per una specie che vive a terra e alla quale manca la velocità per una fuga efficace. Gli orsini maschi sono più grossi e forti dei reso, e sembrano avere una migliore coordinazione. Si dice che si mettano a lottare quando i contadini li cacciano dai campi e che attacchino i cacciatori umani, tanto che alcuni di loro non sono tornati indietro vivi. Un resoconto non confermato del 1955 riferisce come le grida di una scimmia colpita da un cacciatore scatenassero un attacco di massa, da cui l'uomo uscì completamente «a brandelli».

Mireille Bertrand, un'etologa francese che ha osservato i macachi orsini in Thailandia, una volta si è sentita seriamente minacciata dall'avvicinarsi di un gruppo che urlava. L'etologa ritiene che gli orsini tendano a un'aggressione contagiosa dopo essersi incoraggiati con un coro di vocalizzazioni. Per fortuna non sono arrivati fino a questo punto contro la Bertrand, che è rimasta immobile per dodici minuti, senza mostrare ostilità né paura. Anche in cattività, i maschi adulti si rivelano estremamente protettivi. La loro flemma scompare appena si cerca di catturare uno dei piccoli color crema. Abbiamo imparato a essere prudenti quando scacciamo il gruppo dal recinto interno a quello esterno. Se uno dei maschi rifiuta di muoversi, difendendo la propria posizione con molta determinazione, significa che non ci siamo accorti di un giovane rimasto indietro. A quel punto usciamo dal recinto, permettendo al giovane di unirsi agli altri, seguito dal maschio. A volte i maschi prendono perfino i piccoli in braccio, per portarli fuori.

Insomma, l'immagine degli orsini come creature letargiche e sgraziate non va giù alle persone che li conoscono bene. Sia la descrizione di Brehm sia l'idea che una lesione cerebrale possa cambiare il temperamento di un reso in quello di un orsino sono insulti alla specie. I macachi orsini hanno personalità complesse e forti, sono molto intelligenti, e anche se normalmente di temperamento mite, sono pieni di vita e di energia.

I piccoli macachi orsini sono color crema per i primi sei mesi di vita, successivamente il pelo si scurisce. Rispetto ai piccoli reso, si sviluppano più lentamente e restano dipendenti più a lungo. Questo piccolo dall'aspetto fragile ha già quattro mesi. (Wisconsin Primate Center.)

Le specie tendono ad attrarre la ricerca che si meritano. Si studia l'aggressività nelle scimmie reso, l'intelligenza negli scimpanzé e il canto nei gibboni. Nel caso degli orsini, la lente di ingrandimento è stata posta sulla vita sessuale. Ciò è comprensibile, vista l'incredibile potenza della specie e il modo in cui elementi sessuali permeano la vita di gruppo, dall'aggressività alla riconciliazione.

• È abbastanza normale che un maschio si accoppi dieci volte in un giorno. Il campione mondiale è Sam, un maschio di una grande colonia in cattività, che una volta ha portato a termine cinquantanove accoppiamenti in sei ore, tutti con eiaculazione.

• Ambo i sessi, all'apice del rapporto, mostrano la cosiddetta faccia da orgasmo; i maschi la mostrano praticamente ogni volta, le femmine in media una volta ogni sei accoppiamenti. La scimmia emette una serie di espirazioni soffocate e gementi, con le labbra spinte in avanti a formare una apertura rotonda. Lo stesso comportamento, accompagnato da spasmi del corpo come quelli di un maschio in eiaculazione, si osserva nelle femmine quando si abbracciano durante un riavvicinamento emotivo.

• Dopo un accoppiamento eterosessuale, i partner rimangono attaccati — quasi come i cani, ma in grado di separarsi se necessario — e il maschio, di solito, viene molestato da molte altre scimmie, che lo colpiscono, ma non infastidiscono la femmina.

• Gran parte del comportamento sessuale della specie è indipendente dal ciclo femminile, che non ha segni esteriori. Inoltre le stagioni dell'anno hanno poca o nessuna influenza su sessualità e riproduzione.

• Può capitare che i maschi opprimano le femmine con un misto di comportamento aggressivo e sessuale. Si comportano in questo modo quando ci sono tensioni nel gruppo, soprattutto quando la loro posizione rispetto agli altri maschi deve essere ostentata. I maschi tormentano le femmine estranee nello stesso modo. Mireille Bertrand ha introdotto due femmine in un gruppo in cattività e ha osservato: «Questa monta forzata può essere considerata uno stupro, nel senso che la femmina era evidentemente non recettiva e recalcitrante. E continuava ad accucciarsi mentre il maschio sollevava a forza la sua estremità posteriore, la scuoteva e mordeva, ignorando le sue grida e i suoi segnali di rifiuto».

• Gli elementi sessuali sono evidenti anche nei comportamenti di rassicurazione e di saluto. I macachi orsini non arrivano al livello dei bonobo (trattati nel prossimo capitolo), ma le loro riconciliazioni sono sicuramente più «sessuali» di quelle di gran parte degli altri primati.

Anche se il mio lavoro non riguarda specificamente il comportamento sessuale, è difficile evitare l'argomento quando si osservano gli orsini. Inoltre, poiché i più noti specialisti in questo campo sono miei colleghi, ne sento parlare ogni giorno, per così dire. I precedenti dati provengono in gran parte da Koos Slob e Kees Nieuwenhuijsen dell'Università Erasmus di Rotterdam. Qui al Wisconsin Primate Center, l'ufficio vicino al mio è quello di David Goldfoot, il quale è stato il primo a dimostrare, in collaborazione con Slob e altri, la presenza dell'orgasmo nei primati femmina, usando gli orsini come soggetti.

Mephisto si accoppia con Cinnamon. (Wisconsin Primate Center.)

La scoperta di Goldfoot è importante, perché fino ad allora molti uomini di scienza, da Frank Beach a Desmond Morris, da David Barash a George Pugh, ritenevano che l'orgasmo femminile fosse esclusivamente umano. Le persone accettano l'idea che i primati maschi provino piacere sessuale, ma molti sono scettici quando viene detto che lo stesso accade alle femmine. Questa tendenza riecheggia la credenza puritana, prevalente fino all'inizio del secolo, che siano solo gli uomini a provare piacere nel sesso. Pur avendo accantonato questa idea sbagliata, sembriamo ancora riluttanti ad accettare l'orgasmo femminile come un fenomeno diffuso e naturale. Ritenere che il piacere sessuale femminile sia limitato alla nostra specie significa negargli le profonde radici biologiche del piacere maschile.

Secondo la linea ufficiale di ragionamento, per i primati femmina la soddisfazione è irrilevante e non è necessaria all'accoppiamento, dato che i maschi hanno abbastanza desiderio per due. Secondo l'antropologo Donald Symons in *The Evolution of Human Sexuality* (L'evoluzione della sessualità umana), il piacere sessuale potrebbe anche essere antifunzionale per le femmine se fa perdere loro l'autocontrollo. («Se l'orgasmo fosse un'esperienza così gratificante da diventare un bisogno autonomo, potrebbe con ogni probabilità minare un'efficace gestione della sessualità nella femmina.») Symons afferma che, perché la riproduzione abbia successo, le femmine devono scegliere attentamente i loro compagni. Dato che questo è meno importante per la riproduzione maschile, i maschi possono comandare il gioco. Io credo che non si dovrebbe mai anteporre la teoria ai fatti osservabili. Le femmine dei primati sono dotate di clitoride, un organo che ha un'unica funzione nota; inoltre le femmine sono tutt'altro che passive nelle questioni sessuali. Cercano attivamente l'accoppiamento con i maschi, e lo fanno più spesso di quanto sia strettamente necessario per la riproduzione. Ciò sarebbe difficile da capire in assenza di una gratificazione fisica. Secondo me sarebbe come riconoscere che la fame è una pulsione, e, al tempo stesso, dubitare che mangiare sia piacevole.

Goldfoot ha diviso la risposta di orgasmo in tre parti: l'esperienza soggettiva, il comportamento manifesto e i cambiamenti fisiologici. Ovviamente, nelle scimmie femmina solo gli ultimi due aspetti sono misurabili. Egli ha installato dei dispositivi per misurare il battito cardiaco e le contrazioni dell'utero, e ha filmato il comportamento. Usando i criteri usati da Masters e Johnson per gli umani, durante gli accoppiamenti le scimmie mostravano di avere l'orgasmo. Nel momento esatto in cui sulla faccia della femmina appariva l'espressione a bocca rotonda e c'era l'emissione di

Un fenomeno curioso è che durante la copula le coppie vengono infastidite da altri membri del gruppo. Mentre Mephisto (*al centro*) e Silver si trovano nella fase postcopulatoria in cui i partner rimangono attaccati, quattro femmine adulte e una giovane accorrono sulla scena. Mephisto rivolge una minaccia a bocca aperta a una di loro, ma non potrà difendersi finché non si sarà staccato. (Wisconsin Primate Center.)

rauche vocalizzazioni, i dispositivi registravano un'improvvisa accelerazione del battito cardiaco, da 186 a 210 battiti al minuto, e intense contrazioni uterine.

In realtà, questo esperimento riguardava il comportamento di rassicurazione e i partner delle femmine erano altre femmine. Le femmine di orsino si montano a vicenda solo nei momenti di grande agitazione, come quello che avevano creato mettendo insieme sei femmine che normalmente vivevano separate. Ciò aveva causato una raffica di aggressività, seguita da una serie di monte, come se parte dell'eccitazione aggressiva si fosse trasformata in eccitazione sessuale. La posizione di monta era la stessa osservata dopo i combattimenti nel nostro gruppo sociale. Non è una vera monta, come quando il maschio si aggrappa con i piedi alle caviglie della femmina, mettendole le mani sulle spalle. Al contrario, lo schema è il cosiddetto *afferra-il-posteriore*: un partner si tira l'altro sulle ginocchia, sedendoglisi dietro e afferrandosi ai suoi fianchi. La posizione a tandem che ne risulta è la stessa di quella di un maschio e di una femmina, che, dopo una monta, si siedono attaccati. Più che una monta è una forma di abbraccio da dietro.

In breve, si può dimostrare che la posizione sessuale che gli orsini spesso adottano durante la riconciliazione è accompagnata dai segni fisiologici dell'orgasmo. Ciò non vuol dire che l'apice sessuale venga raggiunto in ciascuna riconciliazione. Una ragione per dubitare di questo è che le spinte pelviche e l'espressione facciale del-

«*Afferra-il-posteriore*» è un comune gesto di riconciliazione. Dopey (*al centro*) batte i denti mentre afferra i fianchi dell'avversaria che presenta (*a destra*). Yolinda (*a sinistra*) è stata aiutata da Dopey nel precedente conflitto e ora si afferra alla sua protettrice. Si noti l'assenza di contatto visivo. (Wisconsin Primate Center.)

l'orgasmo sono poco comuni nel nostro grande gruppo durante i rituali di *afferra-il-posteriore*. Normalmente, invece, questi contatti sono accompagnati da battito dei denti (un rapido aprire e chiudere la bocca con i denti scoperti), schioccamenti delle labbra e acuti lamenti. Il livello di eccitazione sessuale può essere più basso di quello registrato nell'esperimento; tuttavia, occasionalmente, durante la riconciliazione, abbiamo notato espressioni facciali di orgasmo. È una rivelazione scoprire che la natura ha dotato gli orsini di un incentivo interno per fare pace con i nemici.

Due macachi

Lasciati marito e figli (ormai grandi) e preso un permesso di un anno dall'Univerità di Pechino, RenMei Ren si è unita al nostro gruppo nel 1984 per imparare nuove tecniche di ricerca comportamentale. Affascinata dalla vita familiare dei nostri macachi orsini, decise di replicare lo studio sulla riconciliazione da noi precedentemente condotto sui reso. Avevo sempre desiderato che qualcuno lo facesse, perché osservazioni preliminari mi avevano convinto che gli orsini sono una miniera d'oro per la ricerca sulla pace. Per iniziare avevamo bisogno di semplici dati di confronto tra orsini e reso. Lesleigh Luttrell e io abbiamo raccolto osservazioni focali e condotto test di abbeverata su entrambe le specie.

I gruppi sono alloggiati in identici recinti adiacenti, ma il gruppo degli orsini è la metà di quello dei reso. Comprende due maschi adulti, dodici femmine adulte, un maschio adolescente e un numero crescente di giovani immaturi. Il maschio più vecchio si chiama Mephisto, per la sua diabolica faccia nera e il colore rosso fuoco intorno agli occhi. Tuttavia è di temperamento amichevole, ed è popolare nel gruppo. Rispetto a Spickles e agli altri capi reso, Mephisto ha una posizione più centrale. I reso maschi dominanti se ne stanno abbastanza al di fuori dagli affari delle femmine, mentre Mephisto interrompe le dispute tra femmine e non manca mai di proteggere i giovani in difficoltà. Di conseguenza, è un importante rifugio per i membri del gruppo che vengono attaccati. Dopo scontri di una certa gravità, Mephisto riceve sempre *grooming* da alcuni degli antagonisti, spesso di ambo le parti. Tutti riconoscono la sua influenza.

Come tutti i macachi, gli orsini costituiscono gerarchie matrilineari. L'ordine formale di rango (espresso da smorfie di sottomissione, battito dei denti e da altre comunicazioni di rango) viene

Mephisto, molto protettivo con i piccoli, a volte fa fare loro un giro. (Wisconsin Primate Center.)

chiaramente riconosciuto come nei reso, ma viene fatto valere meno rigidamente. Per esempio, se Goldie minaccia Honey, una giovane femmina, Honey può restare coraggiosamente al suo posto, fissando negli occhi la femmina alfa. Se Goldie minaccia Dopey, una delle femmine più vecchie, Dopey può anche minacciare a sua volta. Ne risulta un confronto in cui ambedue le rivali, con le facce vicine, si fissano negli occhi con fiera espressione. Senza interrompere il contatto visivo, Goldie allora può afferrare la mano di Dopey per darle un falso morso, pressando la bocca aperta sul polso di Dopey. Questo gesto è esclusivo della specie. Non è un vero morso, anche se alcuni studiosi lo hanno considerato tale, perché non causa mai neanche la più piccola ferita. È raro che alla punizione simbolica venga opposta resistenza. Succede regolarmente che una subordinata risolva la tensione di una situazione di stallo *offrendo* il polso per un morso rituale!

Per una scimmia reso questa sarebbe una cosa molto stupida da fare. Quando una reso dominante come Orange minaccia una subordinata, la prima cosa necessaria è mantenere la distanza. Restare vicini è pericoloso, offrire un'estremità a un morso è suicidio. Le scimmie reso fanno controminacce, ma solo da una distanza di sicurezza, e certamente non contro superdominanti come la femmina alfa. Gran parte dei loro scontri sono completamente sbilanciati, con una parte che aggredisce e l'altra che si sottomette. Tra i reso le controaggressioni avvengono con una frequenza tre volte infe-

Una minaccia a breve distanza di Wolf (*a destra*) a Dopey, che non retrocede e lo fissa a sua volta. (Wisconsin Primate Center.)

riore a quella degli orsini. In un test di abbeverata, se un reso dominante si avvicina all'acqua con un'espressione minacciosa, i subordinati si allontanano obbedienti nel 96% dei casi. I reso puniscono senza pietà i subordinati reticenti. Tra i macachi orsini, i dominanti minacciosi vengono evitati solo la metà delle volte, e molte minacce sono ignorate.

A volte mi chiedo come ciò sia possibile. Perché minacciare senza poi passare a vie di fatto? A che serve una minaccia se non viene presa sul serio? Quale che sia la risposta, le relazioni fra i macachi orsini sono davvero egalitarie rispetto a quelle dei macachi reso. Questo si può notare anche in situazioni tranquille. Per esempio, il 70% dei più di diecimila approcci amichevoli osservati nel gruppo di reso erano stati fatti dai dominanti, e soltanto il 30% dai subordinati. Le scimmie di basso rango sono apprensive, la loro passività è un modo ovvio di evitare problemi. Gli orsini subordinati invece sono più sicuri di sé e le iniziative di contatto sono equamente divise tra dominanti e subordinati. Tutte le differenze tra le due specie puntano a un allentamento della gerarchia nei macachi orsini, la cui vita di gruppo è caratterizzata da una considerevole indulgenza e tolleranza.

RenMei Ren ha condotto il suo studio sul comportamento di riconciliazione degli orsini, in riferimento a queste caratteristiche generali della specie. All'inizio osservavamo insieme per essere sicuri che venissero usati gli stessi criteri utilizzati nello studio sui reso. Normalmente io preferisco elaborare metodi su misura per ciascuna delle specie in esame. Sia durante il gioco sia durante la lotta, i macachi orsini non corrono, saltano o si arrampicano molto, ma si agitano nel raggio d'azione reciproco. Sarebbe stato quindi logico abbandonare la definizione di aggressione usata nello studio sui reso, che richiedeva che una scimmia inseguisse un'altra per più di due metri. Ma questo avrebbe distorto il nostro confronto. Un inseguimento aumenta le distanze tra gli antagonisti, e questo diminuisce le probabilità di un riavvicinamento successivo. Per avere risultati pienamente confrontabili, trascorremmo ore interminabili in attesa di registrare abbastanza casi in cui gli orsini facessero l'eccezionale sforzo di inseguire il rivale. Infine ottenemmo dati su 670 coppie di avversari. Registrammo il loro comportamento per dieci minuti dopo l'incidente aggressivo, e di nuovo il giorno dopo come controllo.

Usando la stessa finestra di dieci minuti di osservazione, avevamo precedentemente scoperto che dopo un conflitto i reso cercano il contatto con l'avversario in media una volta su cinque. Trovammo una frequenza molto maggiore nei macachi orsini, che lo

Un giovane accetta passivamente un finto morso da una femmina adulta. Questi morsi sono altamente ritualizzati: sono sempre preceduti da una minaccia e diretti a un polso o una caviglia. Non causano mai ferite. (Wisconsin Primate Center.)

fanno dopo un conflitto su due, il 56% delle volte, per essere esatti. I riavvicinamenti avvengono di solito entro uno o due minuti e sono palesemente diversi dai contatti normali. Più caratteristica è una presentazione del posteriore da parte di una scimmia e un *afferra-il-posteriore* dell'altra. Nei contatti di controllo si osserva questo tipo di tandem in meno dell'1% dei casi, mentre si verifica in più del 20% dei riavvicinamenti tra precedenti avversari. Altri comportamenti tipici sono il bacio (una scimmia pone le proprie labbra sulla bocca dell'altra, spesso con qualche leccata e annusamento), il battere i denti e l'ispezione dei genitali (annusare, tocca-

L'intimità fisica della società dei macachi orsini si manifesta in una grande varietà di situazioni. Dopo essere stato respinto dalla madre, un piccolo torna da lei, battendo i denti a breve distanza. (Wisconsin Primate Center.)

re con la bocca o le dita la regione genitale presentata). La nostra conclusione è che la riconciliazione tra gli orsini sia più comune ed esplicita che tra i reso.

I cosiddetti contatti accidentali non sono nello stile degli orsini. Questi macachi hanno pochi problemi a guardarsi reciprocamente in faccia, sia che siano di alto o di basso rango, e non hanno bisogno di «scuse» per avvicinarsi ai nemici. Uno dei miei studenti si sta ora occupando di un altro aspetto altamente sviluppato: la riconciliazione *pubblica*. Kim Bauers studia le espressioni vocali, che vanno dal melodioso tubare solitario dei piccoli alle urla laceranti durante gli scontri. La spettrografia visualizza la struttura dei richiami e l'osservazione della situazione in cui vengono emessi aiuta a determinarne il significato. Sembra che determinati grugniti annuncino un'imminente riconciliazione, mentre alte strida attraggano l'attenzione sull'evento stesso. Questi segnali possono essere sentiti solo dopo scontri di maggiore gravità.

Ecco un esempio: le quattro figlie adulte di Silver e la matriarca stessa inseguono Yolinda, una femmina di basso rango. Mephisto protegge Yolinda e compie parate di salti tra lei e le attaccanti; viene coinvolta anche Honey, la migliore amica di Yolinda. Dopo un caos di urla il gruppo si placa. Passano due minuti prima che Stella, una delle sorelle-S, vada verso un angolo della gabbia emettendo una serie di sommessi grugniti; due sorelle la seguono. Yolinda e Honey camminano al loro fianco nella stessa direzione. Ai grugniti di Stella si unisce un coro formato dagli stessi suoni emessi dalle altre. Il grugnito si trasforma in grida acute quando Yolinda presenta Stella. Si osservano varie combinazioni di *afferra-il-posteriore* tra i partecipanti al precedente conflitto, sia alleati sia avversari. A un certo punto si osserva un *afferra-il-posteriore* a «treno», fra tre femmine. Silver e altri membri del gruppo si avvicinano alla scena, attratti dal tumulto.

Osservazioni di questo genere danno l'impressione che i macachi orsini abbiano speciali suoni per informare gli altri del ristabilirsi della pace, e questo è forse un tratto esclusivo della specie. Anche se il loro habitat naturale è poco conosciuto, io immagino sempre queste scimmie che vagano nella foresta, tra il denso fogliame. In un ambiente in cui è difficile seguire con gli occhi gli eventi, ha senso informare vocalmente il resto del gruppo su importanti sviluppi, come la fine di una disputa. In questo modo tutti gli interessati possono prendere parte all'avvenimento e l'atmosfera del gruppo può migliorare.

La distinzione tra riconciliazioni pubbliche e private non va confusa con la distinzione, esaminata nel capitolo precedente, tra riconciliazioni esplicite e implicite. Le riconciliazioni implicite non possono essere pubbliche, mentre quelle esplicite possono sicuramente venire tenute segrete. I bambini, a volte, dopo un litigio nel cortile della scuola, scrivono bigliettini ai loro amici, in cui dicono: «Mi dispiace». Queste sono offerte esplicite di pace (anche se viene evitato il contatto visivo), ma allo stesso tempo sono segrete (a meno che il maestro non intercetti il messaggio e lo legga ad alta voce, che è forse il modo migliore per rovinare tutto).

Nelle società umane le riconciliazioni pubbliche coinvolgono personaggi pubblici. Nel 1982, Harald Schumacher, portiere della squadra di calcio della Germania Ovest, atterrò il popolare giocatore francese Patrick Battiston con un calcio, che a molti spettatori televisivi sembrò assolutamente intenzionale. Battiston perse tre denti, ebbe due costole rotte, soffrì di una commozione cerebrale e restò in ospedale per settimane. A leggere i giornali francesi, si sarebbe detto che Francia e Germania erano di nuovo in guerra. Fu organizzata una conferenza stampa per placare gli animi, in cui comparivano entrambi gli eroi. Battiston accettò le scuse di Schumacher con una stretta di mano ed entrambi dichiararono che la collisione era stata un incidente.

In anni recenti i media ci hanno mostrato riconciliazioni di proporzioni molto maggiori, o meglio, passi verso la riconciliazione, poiché sarebbe ingenuo pensare che ferite profonde guariscano dopo un unico incontro al vertice. C'è stato il gesto molto pubblicizzato del presidente francese François Mitterrand, che ha stretto la mano al cancelliere tedesco Helmut Kohl, di fronte alle tombe di Verdun, nel 1984. Alcuni giornalisti hanno dato un'enfasi eccessiva al significato dell'incontro, senza menzionare che a Verdun sono sepolti i soldati della prima guerra mondiale, non della seconda. Un altro incontro storico è avvenuto a Roma nel 1986, quando papa Giovanni Paolo II, primo papa nella storia, visitò una sinagoga. Il papa espresse apertamente la sua disapprovazione per l'antisemitismo, passato e presente, e chiamò gli ebrei «fratelli» dei cristiani. Era senza dubbio un passo importante, anche se molti ebrei pensarono che il mea culpa per la passività della Chiesa durante l'olocausto avrebbe potuto essere più esplicito. Il perdono di atrocità su larga scala è un processo così lento che i residui dell'antagonismo scompaiono solo quando non ha quasi più importanza.

La complessità e la portata di tali eventi internazionali non è ovviamente paragonabile con i riavvicinamenti descritti nelle scimmie, ma vi è un principio comune: la riconciliazione viene segnalata al resto del mondo. Il mondo dei macachi orsini è piccolo e ristretto, il nostro ormai ha circa le dimensioni del pianeta. Qualunque sia l'estensione della rete sociale, è essenziale che ognuno sappia in quale direzione si sviluppano le inimicizie. La riconciliazione pubblica permette a tutte le parti, comprese quelle marginali, di regolare il loro atteggiamento; l'armonia risuona ben oltre l'epicentro del conflitto.

L'armonia che abbraccia tutti

Gli orsini somigliano agli scimpanzé maschi nell'aver trasformato la riconciliazione in un rituale di rango. Nel 94% dei casi è il subordinato che presenta e il dominante che afferra il posteriore. I dominanti possono anche tirare un braccio o una gamba per dare un falso morso senza espressione di minaccia (che noi considereremmo come un nuovo conflitto), ma pur sempre un falso morso. Il processo di pacificazione, dunque, mette in luce chi domina su chi. Questo è un interessante spostamento dell'enfasi rispetto alle scimmie reso, che esprimono la dominanza nel risultato della lotta stessa, più che nella successiva riconciliazione.

RenMei considera la presentazione del posteriore come una scusa formale e il gesto di afferrare il posteriore come la sua accettazione. Secondo lei, quindi, è il subordinato a chiedere di solito scusa. Tuttavia, non tutti i riavvicinamenti seguono questo schema. Voltandosi le scimmie dominanti possono rifiutare una presentazione. È ancora peggio quando un dominante cerca di imporre al rivale un *afferra-il-posteriore*. Un subordinato non collaborativo, se il dominante continua a spingere e tirare il suo didietro, può mettersi a urlare come un matto, e così riprende il conflitto, spesso a un più alto livello di intensità. Qui sembra operare il meccanismo di rassicurazione condizionale. In altre parole, la distensione del rapporto richiede che ambo le parti concordino sulla loro differenza di rango. La regola vale quasi sempre, eppure i dominanti compiono il 6% delle presentazioni; sappiamo inoltre che prendono l'iniziativa in più di un terzo delle riconciliazioni. I dominanti, per esprimere le loro buone intenzioni, adottano a volte il ruolo del subordinato? È perché si pentono delle loro precedenti azioni? Si sono spinti troppo oltre o sono stati irragionevoli?

Come gli orsini dominanti, in rare occasioni che non abbiamo ancora ben compreso, hanno la flessibilità per «scusarsi» con le loro vittime, così i subordinati possono assumere un ruolo aggressivo senza essere automaticamente considerati una minaccia per lo status quo. Vorrei ora esporre un esempio che dà anche un'idea dell'intelligenza di questa scimmia.

Joey, il terzo maschio della gerarchia, e Honey svicolano fuori per un rendez-vous all'aperto, mentre il resto del gruppo se ne sta accucciato nella piccola gabbia interna. Le attività sessuali di Joey non vengono tollerate dai due maschi dominanti più vecchi. All'apice del loro accoppiamento clandestino, Joey ha l'espressione facciale dell'orgasmo ed emette un grugnito, il primo della serie di grugniti soffocati che i maschi producono durante l'eiaculazione.

Mephisto (a destra) emette grida acute mentre si afferra ai fianchi di Wally, dopo un conflitto tra femmine in cui i due maschi avevano dato il loro appoggio a parti diverse. Wally emette grugniti profondi. Alcuni mesi dopo l'incidente Wally diventò il maschio dominante. Da allora in poi, i ruoli dei due maschi nei rituali di afferra-il-posteriore si sono invertiti. (Wisconsin Primate Center.)

Honey volta immediatamente la testa e minaccia Joey con lo sguardo, dopodiché l'accoppiamento si conclude in silenzio. Forse Honey era preoccupata per il rumore di Joey, che avrebbe potuto tradirli. Questa interpretazione fu confermata qualche giorno più tardi, quando i due si incontrarono di nuovo in circostanze simili. Mentre si accoppiavano, Honey si voltò prima che Joey emettesse alcun suono, lo guardò e gli toccò la bocca con la mano.

Se Honey e Joey fossero state dei reso, le cose sarebbero andate diversamente. Se una femmina reso dominante minaccia il maschio con cui si sta accoppiando, lui farebbe meglio a saltare via subito. Se lei fosse di rango inferiore, invece, la sua minaccia avrebbe un effetto disorientante. Chi sfiderebbe un maschio nel bel mezzo di un accoppiamento? Non ho mai osservato una simile situazione, ma mi azzardo a supporre che il maschio romperebbe il contatto per inseguire la femmina. In ogni caso la minaccia della femmina non verrebbe presa come un semplice avvertimento, come è stato tra Honey e Joey. Tra i macachi reso i gesti di minaccia sono troppo un'espressione di rango, e il rango è troppo importante per permettere tanta flessibilità.

Purtroppo, la nostra idea della vita di gruppo dei primati è stata per lungo tempo determinata dall'esempio della società dei reso, dato che questa era ed è la specie di gran lunga più studiata. Ora sappiamo che questi lottatori non sono affatto i primati tipo che credevamo, e che ogni specie ha sviluppato le sue variazioni sul tema dell'organizzazione sociale. Oltre alle variazioni esaminate finora (la peculiare vita sessuale, l'alta tolleranza sociale e le riconciliazioni frequenti), è necessario menzionare altre due caratteristiche del comportamento dei macachi orsini.

In primo luogo, queste scimmie adorano fare *grooming*; in media nel nostro gruppo un adulto trascorre il 19% del suo tempo a fare *grooming*, mentre nel gruppo dei reso la percentuale è solo del 7%. Tra gli orsini, Cinnamon è una campionessa: passa più di un terzo del suo tempo in questo compito meticoloso.

In secondo luogo, gli orsini mostrano un alto tasso di aggressività. Nelle scimmie reso, ho assistito a diciotto atti aggressivi per individuo ogni dieci ore di osservazione. Per gli orsini la media è di trentotto. Questa cifra può rendere alquanto perplessi, considerando ciò che sappiamo della specie. Il punto importante, tuttavia, è che la probabilità di una progressiva intensificazione dell'aggressività è estremamente bassa. Soltanto uno scontro su mille porta a morsi violenti, il che rende il tasso di incremento dell'aggressività diciotto volte più basso che nelle scimmie reso. L'alta frequenza delle aggressioni negli orsini è più che compensata dalla loro bassa intensità, e da ciò consegue la sporadicità della violenza.

Se ne ricava un'impressione complessiva di grande attività in ogni settore sociale; si assiste a molti litigi e a molto *grooming*. Gli orsini alternano di continuo gesti amichevoli a piccole ostilità, come accade in una vivace famiglia umana a tavola. La società dei reso è più disciplinata: l'aggressione è aggressione, i subordinati sono ben educati e invisibili steccati separano le famiglie matrilineari. Nei macachi orsini tutto questo è molto ambiguo. La riconciliazione, per esempio, non è più tipicamente maschile che femminile e coinvolge tutto il gruppo, senza escludere nessuno. Per questa specie, l'armonia e la coesione devono essere di enorme importanza. Ho idea che in natura queste scimmie camminino e si riposino in gruppi molto uniti e risolvano i conflitti interni disperdendosi il meno possibile. Forse affidano ai maschi la difesa collettiva contro i predatori, e un gruppo compatto può essere protetto meglio di uno sparpagliato.

Quanto fortemente uniti possano essere i maschi orsini fu dimostrato in modo lampante quando Wally, il nostro secondo maschio, raggiunse l'età per sfidare Mephisto. Dopo un paio di scontri, in cui ambedue riportarono ferite di poco conto, Wally diventò il maschio alfa. Il cambiamento avvenne in pochi giorni e portò a un rovesciamento dei diritti sessuali; Wally ora si accoppiava liberamente e apertamente, mentre Mephisto divenne più riservato. Una volta sistemata la questione della dominanza, i due maschi, nonostante il prolungarsi delle tensioni, limitarono la loro aggressività. Avevano ancora molti conflitti, in cui Wally si lanciava su Mephisto. Poiché entrambi i maschi abbaiavano e urlavano, la prima impressione era di uno scontro molto serio. Ma osservando da vicino si vedeva che, invece di mordersi e battersi, i due rivali usavano soltanto le mani. Si afferravano reciprocamente per le braccia o le spalle, restando in piedi per meno di un secondo, prima di separarsi di nuovo. Non si ferivano mai. Questi strani incontri di pugilato avevano sempre immediatamente termine con baci o con un *afferra-il-posteriore* in cui Wally, come nuovo dominante, teneva i fianchi di Mephisto. I due si facevano anche molto più *grooming* del solito. Dopo alcune settimane la loro relazione si era distesa. Wally e Mephisto si comportavano di nuovo in modo fraterno, e diventò difficile capire chi dominava chi, tranne momenti di competizione sessuale e i rituali di *afferra-il-posteriore*.

In seguito alle osservazioni su tre diverse specie di macachi in cattività, un etologo francese, Bernard Thierry, ha iniziato a pensare in modo molto simile a noi. Una delle sue specie è il raro macaco nero. Questo grosso macaco nero, considerato da molti la specie più bella del genere, non è un parente particolarmente stretto

Una fila di macachi orsini che si fanno *grooming*. In natura la coesione sociale può essere di vitale importanza per questa specie. (Wisconsin Primate Center.)

del macaco orsino, ma ha in comune con esso molte caratteristiche comportamentali. Thierry considera questi tratti parte di un unico complesso. In altre parole, la scarsa inclinazione alla violenza del macaco nero potrebbe essere collegata alla ricchezza del suo comportamento di rassicurazione; la simmetria dei suoi scontri aggressivi potrebbe riflettere un ridotto timore di un aumento della violenza, e il confondersi delle linee di parentela potrebbe essere dovuto alla permissività con cui i piccoli vengono allevati.

Invece di considerare una specie come prototipo del modo in cui i gruppi di scimmie sono organizzati, noi cominciamo a vedere le incredibili differenze tra le specie. I membri del genere *Macaca*, senza eccezioni, stabiliscono gerarchie ben delineate, ma fino a che punto ne seguano lo schema è alquanto variabile. Ogni specie sembra individuare un suo equilibrio tra interessi individuali e collettivi; le specie «egoiste» danno importanza ai diritti di priorità, le specie «indulgenti» sacrificano alcuni di questi diritti in nome dell'armonia del gruppo e delle relazioni amichevoli. Sono necessari dati raccolti in natura, per comprendere l'evoluzione di queste differenze nello stile di dominanza, e come queste diano forma alla struttura complessiva del gruppo. È un compito affascinante, che alla fine farà luce sulle nostre stesse società.

5

SCIMPANZÉ NANI

Quando emerse l'uomo dai primati? La domanda è
del tutto irrilevante; c'era fin dall'inizio.

JOHN NAPIER

Numerose osservazioni suggeriscono che... lo scopo
della femmina era di ottenere cibo, non soltanto di co-
pulare. La «presentazione» e la copula riducono la
tensione che si crea per la presenza del cibo e rendono
i maschi più tolleranti.

SUEHISA KURODA

Come vi sentireste se foste un elefante africano che non sa nulla
del suo corrispettivo asiatico, oppure un grizzly che non sa nulla
dell'orso polare? Probabilmente a questi animali non importerebbe
molto, ma noi umani siamo affascinati dai nostri parenti evolutivi
e vorremmo conoscerli tutti. Eppure, il bonobo o scimpanzé nano,*
una delle quattro scimmie antropomorfe, ci è ancora in gran parte
sconosciuto.

Il parametro più obiettivo con cui misurare il grado di parentela di specie diverse è l'analisi delle molecole di DNA che trasmet-
tono i caratteri ereditari. Questa nuova e potente tecnica ha indicato connessioni molto strette fra specie quali il cane e la volpe, il
cavallo e la zebra: nulla di sorprendente. La scoperta sconcertante
è stata quella di trovare una somiglianza altrettanto stretta, circa il
99%, fra l'uomo e le due scimmie del genere *Pan*, lo scimpanzé e
il bonobo. Fino agli anni Sessanta, la scienza ha seguito la guida di
Carlo Linneo che ha posto la specie umana in una categoria a se
stante. Nuovi dati mettono in discussione questa classificazione
vecchia di duecento anni, e mostrano che il dubbio segreto di Linneo era giustificato. Negli ultimi anni della sua vita, infatti, il na-
turalista svedese finì col pentirsi della sua decisione tassonomica.
Aveva creato la categoria umana, disse, per evitare problemi con la

---

* Dei due nomi comuni, utilizzeremo in questa sede quello di bonobo, in
quanto queste antropomorfe non sono affatto «nane», come la nomenclatura anti-
quata farebbe pensare.

Chiesa, pur non essendo a conoscenza di alcuna caratteristica generale in grado di differenziare umani e scimmie antropomorfe. Molti credono che le differenze fra noi e le antropomorfe siano maggiori dell'1%, ma è anche vero che l'umanità non ha una storia di giudizi obiettivi sul proprio posto nell'universo.

È stato stimato che l'antenato comune di uomini e antropomorfe africane sia vissuto circa otto milioni di anni fa. Da un punto di vista evolutivo, dato che la vita sulla Terra risale a 3,5 miliardi di anni fa, è come se la separazione fosse avvenuta ieri. Il ramo evolutivo uomo-antropomorfe nel suo insieme si è distinto dall'albero dei primati circa trenta milioni di anni fa. In altre parole, noi condividiamo con scimpanzé e bonobo almeno venti milioni di anni di evoluzione che non condividiamo con le scimmie. Non è dunque sorprendente che in molti aspetti (anatomici, mentali e sociali) queste antropomorfe differiscano dagli altri primati più che da noi.

Gli studi sul DNA pongono le altre due specie di scimmie antropomorfe, il gorilla e l'orangutan, a una distanza maggiore da noi. A quanto pare i bonobo, gli scimpanzé e gli uomini sono più strettamente imparentati fra loro che con le altre due antropomorfe giganti. Questa conclusione è ancòra controversa, in parte perché la sua accettazione segnerebbe la fine della vecchia tassonomia antropocentrica. Anticipando quel momento è già stato proposto che la razza umana cambi il proprio nome generico da *Homo* in *Pan*, chiamandosi forse *Pan sapiens*, lo scimpanzé sapiente. L'alternativa è di accogliere almeno altre due specie nel genere *Homo*.

Considerando l'unicità della relazione che hanno con noi, è un peccato che i bonobo siano così poco conosciuti. Non credo di poter descrivere il comportamento dei bonobo senza prima presentare la specie. Dove vive il bonobo? Perché questa specie ha suscitato l'interesse di scienziati di tutte le discipline? La sua scoperta, che è stata definita giustamente «uno dei più grandi eventi faunistici del secolo», è destinata ad avere tanto impatto sul modo in cui guardiamo a noi stessi, quanto ne ebbe la scoperta, ben più antica, dello scimpanzé. In particolare, l'interpretazione della nostra vita sessuale non sarà più la stessa.

Lo «scimpanzé nano» non è né scimpanzé né nano.

All'età di ventisei anni Rembrandt dipinse *La lezione di anatomia*, in cui il professor Nikolaas Tulp, circondato da un gruppo di at-

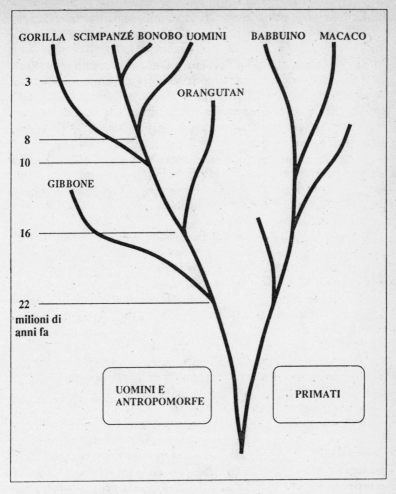

GORILLA SCIMPANZÉ BONOBO UOMINI   BABBUINO   MACACO

3

ORANGUTAN

8

10

GIBBONE

16

22
milioni di
anni fa

UOMINI E
ANTROPOMORFE

PRIMATI

Circa trenta milioni di anni fa, la linea dei primati del Vecchio Mondo si è divisa in due rami, le scimmie e gli ominoidei. Il secondo ramo ha prodotto il progenitore comune di uomini e antropomorfe. Si ritiene che la divisione tra ominidi da un lato e bonobo e scimpanzé dall'altro sia avvenuta otto milioni di anni fa. (L'albero evolutivo qui illustrato si basa su un confronto tra molecole di DNA compiuto da Charles Sibley e Jon Ahlquist.)

tenti colleghi, seziona il braccio sinistro di un cadavere umano. L'immediata notorietà che questa notevole opera d'arte diede a Rembrandt non sarebbe certo stata tale se il cadavere fosse stato ricoperto di pelo. Lo stesso professor Tulp, nel 1641, fornì alla scienza la prima accurata descrizione di una scimmia antropomorfa. Egli notò che certi particolari anatomici somigliavano talmente a quelli umani «che difficilmente si può trovare un uovo più simile a un altro».

A quei tempi gli esploratori europei erano piuttosto incerti sulla collocazione delle antropomorfe nell'ordine naturale. Gorilla, oranghi, scimpanzé e gli uomini primitivi dei continenti appena scoperti venivano a malapena distinti gli uni dagli altri. Ciò non era dovuto soltanto all'ignoranza; vi era anche una certa riluttanza a fare distinzioni appropriate, cioè ad accettare dei non-caucasici come membri a pieno titolo della razza umana. Per gran parte del secolo scorso, gli scienziati continuavano a confrontare seriamente «tipi inferiori di uomini» con «tipi superiori di scimmie». Era la posizione dell'uomo occidentale nella natura a essere in pericolo, non quella delle antropomorfe.

Tulp non contribuì certo a chiarire la questione dando il nome di satiro indiano all'animale che aveva studiato, e aggiungendo che la popolazione locale lo chiamava «orang-outang». In realtà, la scimmia di Tulp non proveniva affatto dalle Indie, ma dall'Africa, probabilmente dall'Angola. Soltanto il suo nome veniva dalle Indie orientali: in malese, infatti, *orang hutan* significa uomo delle foreste. Il famoso disegno che Tulp fece del suo satiro, riprodotto più e più volte nei libri del XVII e del XVIII secolo, sembra mostrare una femmina di scimpanzé. O almeno questa era la versione accettata da tutti finché nel 1967 Vernon Reynolds affermò coraggiosamente che Tulp aveva dissezionato un bonobo.

Reynolds basò la sua affermazione sulle piccole dimensioni dell'animale di Tulp («la sua altezza si avvicina a quella di un bambino di tre anni») e sulla presenza di una membrana fra il secondo e il terzo dito del piede. In effetti, una delle caratteristiche dei bonobo è proprio l'avere due dita congiunte, ma distinguere questo particolare nell'illustrazione di Tulp richiede una certa immaginazione. Inoltre, sebbene il bonobo sia conosciuto anche come scimpanzé nano, la specie non può essere distinta dal comune scimpanzé sulla base delle dimensioni. Lo scimpanzé comune (classificato come *Pan troglodytes*) viene distinto in tre sottospecie: i maschi adulti della sottospecie più piccola pesano in media quarantatré chili, mentre i maschi di bonobo raggiungono i quarantacinque chili; le femmine di ambedue le specie pesano approssimativamente trentatré chilogrammi. Quindi Tulp deve aver sezionato un individuo giovane, sia che fosse un bonobo (ora classificato come *Pan paniscus*) o uno scimpanzé comune.

Mi è successo di sentire per caso alcuni visitatori dello zoo esclamare: «Quello deve essere lo scimpanzé nano!», indicando un piccolo di due anni, fra gli altri bonobo della colonia dello zoo di San Diego. Apparentemente queste persone non considerano gli altri animali abbastanza «nani» da giustificare il nome, e hanno ragione, visto che i bonobo adulti sono grandi e forti. Una volta un maschio adulto sollevò un custode da terra con una mano sola, afferrandolo per un braccio, attraverso le sbarre della gabbia. Tulp aveva acutamente osservato che il bonobo ha «legamenti così solidi e collegati a così forti muscoli, che può tentare qualsiasi impresa e riuscirci». Anche in questo caso la descrizione si attaglia tanto ai bonobo che agli scimpanzé.

Quali sono allora le differenze? È come paragonare un Concorde a un Boeing 747, un'orchidea a una dalia, un ghepardo a un leone, la raffinatezza di città alla rozzezza di campagna. Non intendo offendere gli scimpanzé, ma i bonobo hanno più stile. Nonostante la somiglianza di peso e dimensioni, i bonobo hanno una costituzione più gracile degli scimpanzé. Il loro corpo è magro e sottile, la testa più piccola, il collo più esile e le spalle più strette. Le gambe sono più lunghe e si distendono nel camminare, le arcate sopraccigliari sono più sottili, le labbra sono rossastre su un volto nero, le orecchie più piccole, e le narici larghe quasi quanto quelle dei gorilla. I bonobo hanno un volto dall'espressione più aperta e la fronte più alta; inoltre, come se non bastasse, hanno una pettinatura attraente con peli neri, lunghi e sottili, con una scriminatura al centro così perfetta da far pensare che ogni individuo passi un'ora al giorno davanti allo specchio. Gli elementi più facili per riconoscere il bonobo sono questa pettinatura e le labbra chiare. I piccoli di bonobo sono ancora più facili da distinguere, poiché nascono con la faccia nera. Gli scimpanzé, invece, appena nati hanno la faccia chiara, anche se, a molti di loro, nel giro di un paio di anni, si scurisce e può anche diventare nera.

Abbastanza stranamente la scoperta dei bonobo è avvenuta in un museo belga, grazie a un'attenta ispezione di un cranio che era stato attribuito, a causa delle sue piccole dimensioni, a uno scimpanzé giovane. In un giovane, però, le suture fra le ossa del cranio dovrebbero essere incomplete, mentre in questo esemplare erano completamente fuse. Quindi il teschio doveva appartenere a un adulto con una testa insolitamente piccola. Ernst Schwarz arrivò a questa conclusione e, nel 1929, descrisse una nuova sottospecie di scimpanzé. Nel 1933, Harold Coolidge descrisse con maggiore accuratezza l'anatomia di questa antropomorfa, riclassificandola come una specie nuova appartenente al genere *Pan*, genere che include lo scimpanzé.

Mezzo secolo dopo la scoperta, alcuni nodi vennero al pettine.

I bonobo sono di costituzione più elegante degli scimpanzé e i piccoli nascono con la faccia scura. (Zoo di San Diego.)

Tra il 1911 e il 1916, allo zoo di Amsterdam, vivevano due giovani antropomorfe: Mafuca (*a sinistra*) e Kees. Anton Portielje aveva ipotizzato che potessero appartenere a specie diverse, ma i bonobo sono stati riconosciuti ufficialmente come specie distinta soltanto nel 1929. Da questa vecchia foto risulta evidente che Mafuca era un bonobo e Kees uno scimpanzé. Si diceva che Mafuca fosse l'animale più popolare dello zoo. (Per gentile concessione di *Natura Artis Magistra*.)

Coolidge affermò di essere stato il primo a osservare che le suture delle ossa craniche dell'esemplare del museo erano chiuse. Nell'eccitazione del momento lo aveva detto al direttore del museo, che, a sua volta, lo comunicò a Schwarz due settimane più tardi. Schwarz afferrò carta e penna e pubblicò la scoperta. In un recente convegno, Coolidge ha esclamato: «Mi hanno battuto sul tempo sul piano tassonomico».

Per completare questo panorama storico, Amsterdam, la città in cui Tulp aveva sezionato, forse per primo, un bonobo morto, potrebbe essere stata anche la prima città a esporre al pubblico i primi esemplari vivi. Nel 1916 Anton Portielje scrisse di uno speciale scimpanzé, di nome Mafuca, ospite dello zoo di Amsterdam. Portielje, un osservatore meticoloso, concluse che quella antropomorfa rappresentava «probabilmente una nuova specie». Una fotografia di Mafuca non lascia dubbi sul fatto che si trattasse di un bonobo.

Bonobo selvatici e teorie selvagge

Crani e ossa non mi attraggono, tanto che per me la nuova antropomorfa non è esistita, per così dire, finché non ho visto un bonobo vivo nel 1978. Da quel giorno ho cercato un'opportunità per studiare questa specie, e intanto raccoglievo tutta la letteratura al riguardo su cui potevo mettere le mani. È una raccolta molto modesta, rispetto alle intere biblioteche che sono state scritte sugli scimpanzé o sulle scimmie reso, eppure non mancano affermazioni controverse. Il bonobo è stato definito il più intelligente di tutti gli animali e l'antropomorfa più simile ai nostri antenati.

I bonobo hanno un areale di distribuzione limitato, nel centro dell'Africa: si trovano solo nello Zaire, a sud del fiume omonimo. Secondo una recente indagine, ci sono probabilmente meno di centomila bonobo. Anche se questo può sembrare un numero ragionevole, la distruzione delle foreste, che si sta verificando in tutte le regioni tropicali del mondo, sta danneggiando seriamente l'habitat di questa specie. Un'altra minaccia è la predazione umana: i bonobo vengono cacciati e mangiati dalle popolazioni locali. Perfino nelle aree senza bonobo, nei villaggi si parla della loro carne come parte del menù.

Un fattore addizionale è la vendita illegale: i commercianti stranieri offrono, per un giovane bonobo, una somma che equivale a quattro volte il salario mensile di quella zona. Dato che la specie è estremamente sensibile alle malattie respiratorie e alla polmonite, ben pochi degli animali catturati sopravvivono. Nel 1959, quando il commercio era ancora legale, nel giro di qualche settimana, gli ottantasei bonobo pronti per essere imbarcati a Kisangani, destinati ai laboratori statunitensi, morirono nelle loro gabbie. Per ogni bonobo che arriva in occidente, un numero imprecisato di animali va perduto. Ancora saltano fuori individui importati clandestinamente, specialmente in Belgio, ma per fortuna nessuno osa più comprarli. Al giorno d'oggi ci sono circa cinquanta bonobo, posseduti legalmente da laboratori e zoo, un piccolo numero se confrontato con le migliaia di scimpanzé in cattività.

I bonobo vengono studiati nel loro ambiente naturale soltanto dal 1974. Un progetto fu iniziato da Noel e Alison Badrian, una giovane coppia di origine irlandese e sudafricana; questi ricercatori ebbero il coraggio e la determinazione di andare nella giungla da soli, quasi senza sostegni finanziari. L'altro progetto fu iniziato, in una zona diversa, da Takayoshi Kano con un gruppo di studiosi giapponesi. Un decennio di ottima ricerca in ambedue le stazioni, in circostanze difficili e di notevole isolamento, ci ha insegnato in che cosa l'organizzazione sociale dei bonobo differisca da quella degli scimpanzé.

Ciò che le due specie del genere *Pan* hanno in comune è una struttura sociale fluida: i membri di una comunità numerosa non si spostano né si nutrono tutti insieme; si formano, invece, delle piccole bande che cambiano in composizione fondendosi e dividendosi (*fission-fusion*). La differenza è che mentre tra gli scimpanzé si formano spesso bande di maschi adulti, nei bonobo questo non si verifica. In questa specie l'attrazione più forte è tra le femmine adulte e fra i sessi, mentre i legami fra i maschi sono relativamente deboli. Perciò la società dei bonobo è fondamentalmente diversa da quella degli scimpanzé, in quanto le femmine detengono una posizione molto più centrale.

Fra i bonobo maschi c'è tensione, e raramente questi spartiscono fra loro il cibo, mentre le femmine lo raccolgono fianco a fianco. Spesso i maschi inizialmente pretendono per sé i cibi più ghiotti, ma poi li dividono con le femmine. Il sesso sembra avere un ruolo cruciale di coesione, quando gli individui mangiano. Le femmine di bonobo sono quasi continuamente ricettive, cioè esibiscono un roseo rigonfiamento dei genitali e sono disponibili all'accoppiamento per gran parte del loro ciclo mensile. Non solo si accoppiano con i maschi, ma hanno interazioni sessuali anche fra di loro. Gli studiosi di ambedue i gruppi di ricerca hanno sottolineato l'importanza del comportamento sessuale per evitare i conflitti, specialmente in relazione al cibo. «Fate l'amore, non fate la guerra» potrebbe essere lo slogan dei bonobo. Queste osservazioni dimostrano che l'intensa vita erotica della colonia di bonobo di San Diego, di cui parlerò estesamente, non è un'aberrazione dovuta alla cattività.

Ne *La scimmia nuda*, Desmond Morris ha presentato gli umani come i più erotici di tutti i primati, sostenendo che la ricettività quasi continua delle donne è necessaria per mantenere il legame di coppia. Il legame di coppia, a sua volta, può essere un modo di evitare la competizione fra uomini. Durante la caccia o la difesa del territorio, gli uomini devono cooperare strettamente, e non possono permettersi dispute giornaliere riguardo al sesso. Le tensioni vengono ridotte spartendo le donne con accordi duraturi. Altri hanno ampliato queste teorie; Owen Lovejoy, per esempio, ha incluso la stazione eretta in questo quadro. I legami monogamici permettevano alle madri di rimanere a casa con la prole e di avere cura di più di un piccolo alla volta, cosa che le femmine di antropomorfe non possono fare. Dato che gli uomini, a tale scopo, dovevano portare il cibo a casa, camminare su due gambe divenne un vantaggio importante: lasciava le mani libere per il trasporto. In cambio di questi servigi maschili, le donne facevano l'amore con chi si prendeva cura di loro.

Fino a ora, queste sono da considerarsi pure supposizioni su cui molti scienziati non sono d'accordo. Anche una giovane femmina di *Australopithecus*, di nome Ruby, ha fatto un commento al riguardo: «Una cosa non è cambiata in tre milioni di anni, i maschi ancora pensano che il sesso spieghi tutto». Questo fossile parlante, un prodotto dell'immaginazione di Adrienne Zihlman e Jerrold Lowenstein, ha anche chiarito la propria origine: «"I piccoli scimpanzé erano i nostri antenati o, almeno, così ha detto mia nonna. Vi sarete resi conto quanto io vi somiglio (agli intervistatori)". Noi lo avevamo notato, ma fummo troppo educati per fare commenti su una somiglianza così chiara».

Si dà il caso che le affermazioni pubbliche di Ruby coincidessero con l'opinione di Zihlman sui bonobo, gli scimpanzé piccoli. Le proporzioni corporee dei bonobo, specialmente le loro gambe relativamente robuste, sono più simili a quelle dell'*Australopithecus* che a quelle di qualunque altra antropomorfa vivente. I bonobo stanno in piedi e camminano su due zampe più spesso e con maggiore facilità degli scimpanzé comuni, i quali non possono distendere così tanto la schiena. Quando i bonobo stanno eretti, sembrano usciti direttamente dalla rappresentazione dell'uomo preistorico fatta da un'artista. Nella foto di pagina 182 è chiaro però che c'è una grande imperfezione: i piedi del bonobo non somigliano affatto a quelli dell'uomo.

Questa foto è stata scattata in uno zoo, e non si sa se i bonobo in libertà utilizzino la stazione eretta in misura sostanziale. Prevalentemente camminano appoggiandosi sulle nocche delle mani,* e così si spostano a terra nel labirinto di sentieri che si snodano nella foresta. Sugli alberi hanno diversi modi di muoversi, compreso quello di camminare su due gambe. Comunque, secondo Randall Susman, la stazione eretta viene impiegata dai bonobo in meno del 10% dei loro spostamenti sugli alberi della foresta. Questo modo di

---

* Ossia, camminano e corrono sui quattro arti appoggiandosi sulle nocche delle mani e sulle piante dei piedi (*knucklewalk*).

spostarsi viene spesso usato per cercare di impaurire dall'alto elefanti o sconosciuti. Le tattiche di intimidazione di queste antropomorfe consistono nello scuotere i rami, nell'emettere urla furiose e nell'urinare sulle loro stupefatte vittime. È interessante, a proposito delle teorie esposte sopra, che un'altra situazione in cui i bonobo spesso si spostano su due gambe è quando necessitano di ambedue le mani per trasportare grossi frutti.

I bonobo mostrano tre degli elementi presenti nello scenario delle prime fasi dell'evoluzione umana:

(1) Le femmine sono sessualmente ricettive per lunghi periodi.
(2) La vita sessuale è intensa e spesso collegata al cibo.
(3) I bonobo sembrano camminare su due gambe più facilmente delle altre antropomorfe.

Gli altri elementi delle teorie sull'evoluzione umana non coincidono in modo altrettanto preciso.

(4) Fra i maschi di bonobo non sono state osservate cooperazioni particolarmente strette.
(5) Le femmine di bonobo non rimangono «a casa», ma si spostano insieme alla loro prole nelle stesse aree dei maschi.
(6) I legami di coppia sono sconosciuti in questa specie, anche se spesso i maschi stanno insieme alle femmine, e queste associazioni sono ritenute più stabili e strette che negli scimpanzé.

Molti problemi sono ancora da risolvere, ma non si può negare che il bonobo sia una specie chiave per la comprensione dell'evoluzione umana.

Vorrei ora aggiungere una mia speculazione un po' azzardata che riguarda l'abilità dei bonobo ad assumere la stazione eretta e il notevole senso dell'equilibrio che essa richiede. I bonobo sono degli incredibili acrobati. John McKinnon li ha osservati nella foresta: «Mi ha meravigliato l'agilità dei bonobo; la loro grazia sulla cima degli alberi e la sicurezza del loro passo erano molto diverse dai movimenti alquanto cauti e ponderati degli scimpanzé». Si potrebbe pensare, come ritiene McKinnon, che tale agilità sia un segno che i bonobo sono specializzati per la vita sugli alberi. Finora, però, non è stato ancora appurato se i bonobo siano più o meno arboricoli degli scimpanzé. Una teoria del tutto diversa, proposta inizialmente per spiegare l'andatura eretta nell'uomo, può essere applicata al bonobo. È stata pubblicata nel 1960 da Alister Hardy, dopo lunghe esitazioni, dato che, come lui stesso diceva, «sembrava

Louise (*a sinistra*) e Kevin in attesa dei custodi. (Zoo di San Diego.)

I bonobo hanno un notevole senso dell'equilibrio. Loretta mangia tranquillamente alcune foglie mentre cammina sulla fune. (Zoo di San Diego.)

troppo fantastica». I titoli dei giornali l'hanno grossolanamente riassunta con «L'uomo è un'antropomorfa marina» e «L'uomo discende dal delfino», mentre Elaine Morgan si ispirò a questa teoria per scrivere *The Aquatic Ape* (La scimmia acquatica). Secondo tale teoria, i nostri antenati iniziarono a camminare su due gambe per guadare le acque costiere poco profonde, in cui pescavano e scavavano alla ricerca di molluschi e crostacei. L'andatura eretta era ovviamente più vantaggiosa dell'andare a tentoni nell'acqua, su tutti e quattro gli arti.

Un fatto straordinario è che i bonobo non abbiano paura dell'acqua. Mi stupì moltissimo vederli giocare nei giorni di pioggia, facendo la lotta e scivolando sul cemento bagnato. Questi allegri balletti acquatici sono impensabili per gli scimpanzé, che odiano la pioggia. Infatti gli scimpanzé hanno una particolare espressione del volto, chiamata faccia della pioggia o faccia sporca, che assumono quando si riparano da un acquazzone. Con il labbro inferiore tutto sporto in fuori e i denti superiori leggermente scoperti, sono un'immagine di acuto malessere. Gli scimpanzé annegano, anche se l'acqua arriva solo fino al ginocchio, perché non sanno nuotare e si fanno subito prendere dal panico. È per questa ragione che gli zoo possono tenerli su isolotti, il che non funzionerebbe con le scimmie, e forse nemmeno con i bonobo. Non so se i bonobo effettivamente sappiano nuotare (il che li renderebbe unici fra le antropomorfe), ma è noto che entrano volontariamente in pozze e fossi, che sguazzano nell'acqua e che vanno anche sott'acqua.

La differenza fra le due specie può non essere assoluta (scimpanzé allevati dall'uomo imparano a volte ad amare l'acqua, mentre non tutti i bonobo sono necessariamente attratti da essa), ma in generale la differenza è notevole. L'ambiente naturale dei bonobo è ricco di fiumi e corsi d'acqua, e la foresta allagata copre gran parte del loro areale. Molte delle zone in cui vivono subiscono inondazioni stagionali e anche se i bonobo preferiscono le parti più asciutte della foresta potrebbero esservi stati dei periodi, nel loro passato evolutivo, in cui l'acqua era ancora più abbondante di quanto sia oggi.

Sia Kano sia i Badrian hanno sentito gli indigeni affermare che i bonobo catturano e mangiano pesce. Per molti anni i ricercatori hanno trovato solo buche e impronte di antropomorfe nel fango di piccoli corsi d'acqua, ma nessuna prova che catturino pesci. Tuttavia, i Badrian, in una recente perlustrazione, hanno visto due femmine di bonobo risalire la corrente stando in acqua: afferravano manciate di foglie morte galleggianti, tirandone fuori qualcosa che portavano alla bocca. Quando i bonobo videro i ricercatori fuggirono, e questi poterono così sperimentare la tecnica di mettere in fuga i numerosi pesciolini nascosti sotto le foglie morte. Susman ha osservato che molte delle tracce dei bonobo lungo i corsi d'acqua non hanno le impronte delle nocche. Questo gli ha fatto pensare che i bonobo, quando attraversano i ruscelli, assumano la stazione eretta per evitare di bagnarsi le mani. Quindi la teoria di Alister Hardy sull'antropomorfa acquatica, o almeno la parte che collega la stazione eretta all'attraversamento di acque poco profonde, può servire a spiegare perché i bonobo abbiano gambe tanto lunghe e robuste.

Secondo la teoria di Hardy, i primati acquatici, fra i quali egli include anche l'uomo, dovrebbero avere tra le dita dei piedi una membrana (della quale comunque soltanto l'1% degli umani è dotato), e avere sulla testa peli molto lunghi come protezione dal sole e per offrire ai piccoli un appiglio in alto sopra l'acqua. Morgan ha ulteriormente ipotizzato che, negli umani, l'accoppiamento frontale e la vagina in posizione anteriore siano adattamenti a uno stile di vita acquatico. Gli altri mammiferi che vivono in questo ambiente, delfini, manati, lontre marine e castori, si accoppiano nello stesso modo. La cosa affascinante è che ognuno di questi elementi è vero anche per i bonobo. In queste antropomorfe è comune la presenza di una membrana, anche se poco visibile, fra le dita dei piedi e i peli sulla testa sono più lunghi che negli scimpanzé. È anche un fatto accertato che nella femmina di bonobo il canale sessuale è diretto ventralmente e che l'accoppiamento avviene spesso nella «posizione del missionario». Uno studio pubblicato nel 1954, prima della rivoluzione sessuale, per pudore ha utilizzato i seguenti termini latini per indicare che negli scimpanzé si osserva la *copula more canum*, mentre nel bonobo si osserva la *copula more hominum*.

La teoria dell'antropomorfa acquatica non viene presa molto sul serio dalla comunità scientifica, perché evoca immagini di ominidi con piedi palmati e maschera da sub. Anche il mio adattamento di questa teoria ai bonobo va preso con un po' di ironia. Ciononostante, credo sinceramente che la speciale relazione di questa specie con l'acqua possa aver avuto una importanza tutt'altro che marginale nella sua evoluzione.

L'antropomorfa più intelligente?

È evidente che testa e cervello più piccoli non rendono i bonobo intellettualmente svantaggiati rispetto agli scimpanzé. Messi di fronte a uno specchio i bonobo mostrano tutti i segni dell'autoriconoscimento; in cattività usano abilmente gli strumenti e rivelano una grande intelligenza sociale. Alcuni scienziati sostengono perfino la loro superiorità mentale. Il 25 giugno 1985 sulla prima pagina del «New York Times» è comparsa una notizia che riguardava Kanzi, un giovane maschio bonobo del Language Research Center di Atlanta. Secondo quanto afferma Sue Savage-Rumbaugh, Kanzi impara molto più velocemente a usare simboli geometrici che rappresentano parole di quanto facessero i due scimpanzé addestrati precedentemente al centro. Kanzi ha una maggiore comprensione del linguaggio parlato dei suoi maestri, migliore di qualunque altro animale in cui questa capacità sia stata misurata.

Io sono a disagio di fronte all'affermazione che i bonobo sono le antropomorfe più intelligenti. A San Diego ho trovato la loro intelligenza evidente e straordinaria, ho incontrato Kanzi e sono d'accordo nel dire che è estremamente dotato, ma va fatto notare che Kanzi è la prima antropomorfa a essere addestrata in presenza della madre, il che, probabilmente, ha un effetto stabilizzante sulla sua personalità, e questo potrebbe migliorare le sue prestazioni. Inoltre, molti scimpanzé che conosco sono tutt'altro che stupidi. Le manovre politiche di Yeroen o le abilità diplomatiche di Mama forse non hanno molto a che fare con simboli o linguaggio, ma non sono meno stupefacenti.

Che dovremmo pensare, allora, dell'elogio, spesso citato, di Robert Yerkes delle capacità intellettuali di Prince Chim? Yerkes acquistò, nel 1923, due giovani antropomorfe; il maschio fu chiamato Prince Chim, la femmina Panzee. Egli notò molte differenze tra i due. Il suo famoso libro, *Almost Human*, si ispirò alle insuperabili «perfezione fisica, prontezza di riflessi, adattabilità e amabilità» di Chim. Questo genio veniva contrapposto a Panzee, che Yerkes considerava poco intelligente. I primatologi dubitavano che si trattasse di due scimpanzé, ma Yerkes viveva, come Portielje prima di lui, in un'epoca in cui il bonobo non era ancora stato riconosciuto in quanto specie a sé. Chim fu riconosciuto come bonobo soltanto qualche anno dopo la morte, quando Coolidge ne esaminò la pelle e lo scheletro all'American Museum of Natural History.

Il confronto che Yerkes faceva fra le sue due antropomorfe non era equo. Innanzitutto, lo scimpanzé comune soffriva di tubercolosi, mentre Chim era sano. In secondo luogo, la costituzione più gracile del bonobo ne faceva sottostimare l'età. A Yerkes era stato detto che Chim aveva meno di due anni. Lo studioso aveva corretto questa stima, e pensava che il bonobo avesse più di tre anni di età. In base all'ispezione *post mortem* della dentatura di Chim, Coolidge concluse che doveva avere come minimo cinque o sei anni. Pertanto la differenza di intelligenza era quella fra uno scimpanzé malato, quasi in procinto di morire, e un bonobo vigoroso e chiaramente più maturo. Lo stesso Yerkes era cosciente delle limitazioni del suo confronto (in un articolo sulle caratteristiche dei giovani scimpanzé ha scritto: «È evidente che il temperamento e il carattere dipendono quasi quanto l'intelligenza dalla costituzione fisica»), ma per sfortunata queste riserve vengono citate raramente.

Jacques Vauclair e Kim Bard hanno confrontato le abilità manipolative di un bambino, di uno scimpanzé e del bonobo Kanzi. All'inizio dello studio, tutti e tre avevano sette mesi. Le manipolazioni di oggetti del bambino erano le più complesse, ma non esistevano differenze significative fra le due piccole antropomorfe. Una differenza notevole consisteva, però nel fatto che il bimbo (una bimba) usava i piedi nell'8% delle manipolazioni di oggetti, lo scimpanzé nel 7%, mentre Kanzi in più del 40%. A San Diego ho notato che i bonobo usano i piedi in modo completamente intercambiabile con le mani. Afferrano il cibo, si danno calci e gesticolano perfino, con i loro «piedi-mano». Analogamente a quanto fanno gli scimpanzé protendendo il braccio teso con la mano aperta, i bonobo, per chiedere qualcosa, protendono la gamba.

Ci sono molte differenze di temperamento fra le antropomorfe. Clemens Becker, per esempio, ha notato che i giovani bonobo dello zoo di Colonia dominano completamente la scena quando giocano in gruppo con giovani oranghi. Nonostante le dimensioni molto inferiori, il loro modo di giocare era così violento che gli oranghi raramente osavano iniziare degli incontri di lotta. D'altro canto gli oranghi erano più bravi nei giochi con oggetti. Gli oranghi sono creature pazienti, giocano in un modo più costruttivo rispetto ai bonobo (costruendo torri, per esempio). Eduard Tratz e Heinz Heck hanno notato un'altra caratteristica: il bonobo è la specie di antropomorfa più nervosa e vigile. A proposito dei bonobo dello zoo di Hellabrun, in Germania, i due studiosi hanno scritto: «Il bonobo è una creatura straordinariamente sensibile e gentile, ben diversa dalla *Urkraft* (forza primitiva) demoniaca dello scimpanzé adulto». I bonobo di Hellabrun morirono di paura durante la seconda guerra mondiale, terrorizzati dal tremendo rumore dei bombardamenti sulla città. Nessuno dei numerosi scimpanzé dello zoo ha sofferto degli attacchi di cuore che hanno ucciso i bonobo.

Il problema di distinguere tra intelligenza e temperamento è evidente nell'abituale confronto che si fa tra cane e gatto. I proprietari di cani sono convinti che il loro animale sia più intelligente, ma non si rendono conto di quanto la loro opinione sia influenzata dallo scodinzolante desiderio del cane di far piacere al padrone. Allo stesso modo, la facilità con cui i bonobo comunicano con le persone e la loro naturale prontezza, in alcune situazioni sperimentali, possono conferire loro dei vantaggi, ma le differenze tra le quattro specie di antropomorfe non possono essere espresse da una semplice scala di intelligenza, dall'alto verso il basso. Al contrario, io vedo un insieme multidimensionale di caratteristiche della personalità, alcune delle quali (l'emotività, per esempio) interferiscono con l'esecuzione di compiti intellettivi, mentre altre caratteristiche (l'abilità a concentrarsi) contribuiscono a essa.

La famiglia Nocciolina

Nel 1959, gli ufficiali di polizia della capitale dello Zaire arrestarono una donna che presumibilmente aveva sparato al suo fidanzato e lo aveva ucciso perché aveva una storia con un'altra donna. La polizia confiscò un bonobo neonato, trovato in casa della sospettata. Circa un anno più tardi, l'animale arrivò allo zoo di San Diego. Ricevette il nome di Kakowet, dal francese *cacahouette*, poiché sembrava avere le dimensioni di una nocciolina (pesava soltanto 6,5 chili e si pensava che avesse circa due anni). Non ci volle molto perché Kakowet conquistasse il cuore di tutto il personale dello zoo. Anche lo scopritore della specie, Ernst Schwarz, che non aveva mai visto prima un bonobo vivo, gli fece visita per conoscerlo. Si dice che, mentre Schwarz se ne stava tutto contento col piccolo in braccio, venisse salutato da una donna che disse: «Così lei è l'uomo che ha dato il nome a quella buffa piccola scimmia». Una frase scioccante per chi ha tanta familiarità con la distinzione tra antropomorfe e scimmie!

Nel 1962 arrivò quella che, per tutta la vita, sarebbe stata la compagna di Kakowet. Lui e Linda diventarono la coppia di bonobo più feconda al mondo. Linda partoriva a intervalli insolitamente brevi, perché i suoi piccoli appena nati le venivano tolti per darli alla *nursery* dello zoo. Di solito, le antropomorfe danno alla luce un piccolo ogni quattro, sei anni; Linda invece ebbe dieci figli in quattordici anni. Molti dei suoi neonati furono mostrati al mondo nel programma televisivo di Johnny Carson. Devo dire che aborrisco la pratica veterinaria di sottrarre i piccoli a madri competenti. Lo zoo di San Diego ha ormai cambiato condotta e ora possiede vari bonobo (nati dalle figlie di Linda) allevati in modo naturale. Quando arrivai allo zoo per svolgervi il mio studio, il primo di questi scimmiotti più fortunati aveva due anni. Kakowet non era più in vita e Linda e due delle sue figlie erano state mandate ad Atlanta per farle riprodurre.

I miei colleghi del Wisconsin hanno scherzato sulle vere motivazioni del mio migrare a sud, durante la stagione delle grandi nevicate. E in effetti, l'inverno 1983-84 si è rivelato uno dei peggiori che abbiamo mai avuto. Nel sud della California ho trascorso un periodo praticamente senza pioggia (e senza neve!), con un clima piacevole. San Diego ha un giardino zoologico molto bello, non solo per gli animali che ospita, ma soprattutto per la flora esotica delle sue colline. Ogni giorno entravo in questo paradiso con il mio pesante equipaggiamento e con un grosso cartello che invitava gentilmente il pubblico a non disturbare l'osservatore di bonobo. Ho condotto le mie osservazioni stando in piedi davanti al recinto, separato dalla folla da una corda con una serie di vistose bandierine rosse.

All'inizio del mio studio lo zoo teneva i suoi dieci bonobo in tre gruppi separati. Due gruppi di adulti stavano in un recinto antiquato del tipo «a grotta», con un fossato asciutto che separava gli animali dai visitatori. I gruppi venivano esposti al pubblico in modo alternato: un giorno un gruppo, il giorno dopo l'altro. Questa procedura confondeva i visitatori regolari. Una volta un bambino, tutto eccitato, spiegò al padre quanto velocemente crescano le antropomorfe. Indicando Kalind, un bonobo circa della sua stessa età (sette anni), che era il più piccolo del gruppo, esclamò: «In una settimana, in una settimana!», indicando con le mani le dimensioni del piccolo di due anni che faceva invece parte del secondo gruppo.

I quattro membri del terzo gruppo avevano tutti meno di sei anni e sembrava mancare loro il contatto con gli adulti. Vivevano in un recinto ideale, spazioso e con alberi vivi su cui salire. Sugli alberi e sulle strutture per arrampicarsi i giovani si comportavano abbastanza normalmente, ma non appena scendevano per girovagare sul terreno coperto d'erba formavano «trenini», appoggiandosi con braccia e testa sulla schiena dell'individuo che camminava davanti a loro. Erano in prevalenza gli esemplari più giovani ad assumere questa posizione, che in qualche modo sostituiva quella dell'essere portati sul dorso dalla madre. Il modo in cui si afferravano l'uno all'altro mi ricordava le cosiddette scimmie «strette-insieme» di Harry Harlow. Le scimmie reso allevate in gruppo senza le madri diventano quasi totalmente dipendenti dal confortante contatto che trovano nello stare strettamente abbracciate ai loro compagni.

Anche se non mancavano litigi, i giovani bonobo erano in genere allegri e briosi. Non ricordavano il clima di terrore e crudeltà presente nel gruppo di bambini abbandonati, efficacemente descritto ne *Il signore delle mosche*. William Golding, con questo suo romanzo del 1954, raffigurò letterariamente quello che Lorenz e altri etologi più tardi descrissero da un punto di vista scientifico. La storia richiamava l'attenzione sul lato violento della natura umana. Anche se valido, il messaggio era esagerato: i bambini diventavano a ogni pagina più assetati di sangue. La cattiveria è comune tra i piccoli umani come fra quelli delle antropomorfe, ma, anche in assenza della supervisione degli adulti, non è totalmente incontrollata.

Una volta, Leslie, la più vecchia e dominante dei giovani, era di umore particolarmente cattivo. Iniziò la giornata terrorizzando Kako, il più giovane, scacciandolo più volte e senza una ragione apparente dalla struttura per arrampicarsi. Leslie gli impediva, in pratica, di unirsi agli altri, e così fece arrabbiare la seconda femmina, Lana, che faceva da mamma e protettrice di Kako. Le urla di protesta di Lana non servirono; si risolsero solo in una minacciosa

Il gruppo dei giovani dello zoo di San Diego. *Da sinistra a destra*: Lana, Akili, Kako e Leslie.

carica, per di più rivolta nella sua direzione. L'obiettivo successivo di Leslie era Akili, di solito suo amico del cuore. Akili venne inseguito da un albero all'altro, e anche brevemente morso. Alla fine della mattinata, i giochi erano finiti e tutti apparivano nervosi.

Infine Leslie si andò a sedere qualche metro dietro Akili e Lana; potevo avvertire la tensione esistente nel gruppetto. I due, a disagio, guardarono intorno e verso di lei, poi si scambiarono un'occhiata. Dovevano essersi accordati su che cosa andava fatto, perché si alzarono simultaneamente e insieme si avvicinarono al capo per farle un po' di *grooming*. Dopo circa dieci minuti Leslie si era rilassata, tutta distesa a pancia in giù su un tronco, ciondolava ritmicamente i piedi sotto di lei. Akili si allontanò, non aveva la pazienza per fare lunghe sedute di *grooming*; Lana, invece, proseguì. Più tardi Leslie stessa fece *grooming* a Lana, e quel giorno non ci furono ulteriori problemi.

I giochi dei bonobo

I giochi degli animali ci danno un'indicazione del loro livello intellettuale, senso dell'umorismo e temperamento. I bonobo dello zoo di San Diego sono molto giocosi e attivi e spesso fanno capriole

Leslie morde un dito ad Akili. (Zoo di San Diego.)

qua e là, con la loro tipica faccia da gioco, a bocca aperta. Ho imparato molto dai custodi, specialmente da Gale Foland e Mike Hammond, sui personaggi di questa colonia che ama tanto il divertimento. I due custodi conoscono intimamente i bonobo e hanno eccellenti rapporti con loro. Durante il mio primo giorno allo zoo, Mike mi portò al piano di sotto per fare un giro nelle gabbie usate per la notte, che sono sottostanti al recinto all'aperto. Anche se sono rimasto lì solo per circa dieci minuti, i bonobo mi hanno immediatamente riconosciuto tra la folla quando, tre giorni più tardi e con abiti diversi, ho iniziato le osservazioni. Ciò è ancora più straordinario se pensiamo che questi animali vedono tre milioni di volti umani all'anno. Loretta volse verso di me il suo rigonfiamento genitale, fissandomi a testa in giù tra le gambe, e Kalind reagì a questa mossa minacciandomi con tutto il pelo irto, con grugniti e con un gesto del braccio. Sembrava geloso che io avessi ricevuto quell'invito sessuale. Sebbene il messaggio della colonia fosse eterogeneo, io lo sentii come se fosse fondamentalmente di benvenuto.

Il fossato asciutto, profondo due metri, davanti al recinto, era stato reso accessibile ai bonobo mediante una catena che pendeva al suo interno. Gli animali potevano scendere e risalire come e quando volevano almeno finché Kalind non cercava di fare lo spiritoso. Infatti adorava tirare su la catena dopo che qualcuno, preferibilmente il maschio dominante, era sceso. Kalind guardava giù, verso Vernon, con la faccia da gioco e colpiva con la mano aperta il lato del fossato, in gesto di scherno. In varie occasioni Loretta è accorsa per «salvare» il suo compagno, buttando di nuovo giù la catena. Io credo che queste interazioni siano basate sull'empatia, cioè sulla capacità dei bonobo di immaginare se stessi nella situazione di un

Kalind. (Zoo di San Diego.)

altro. Sia Kalind sia Loretta conoscevano bene la funzione della catena per qualcuno nel fossato e si comportavano di conseguenza, l'uno prendendo in giro, l'altra aiutando chi si trovava in difficoltà.

C'erano due giochi cui ero particolarmente interessato, perché sembravano rispecchiare processi mentali più elevati. Dovrò essere un po' vago in questo, perché ovviamente non posso sapere ciò che passa nella testa di un bonobo, ma ritengo che dovesse comportare un certo livello di consapevolezza. Ambedue i giochi venivano fatti ogni giorno, nel gruppo dei giovani.

Moscacieca. Il bonobo si copre gli occhi con un oggetto (una foglia di banana o un sacchetto), oppure si mette due dita sugli occhi, o un braccio sulla faccia. Così svantaggiato, l'animale inciampa qua e là sull'impalcatura, a più di cinque metri da terra. Il gioco viene eseguito con molta serietà; ho visto più volte i bonobo quasi perdere l'equilibrio e scontrarsi uno con l'altro. Leslie è particolarmente brava in questo gioco. Una volta, per dimostrare la sua familiarità con le impalcature, afferrò una delle corde e, tenendosi gli occhi chiusi con una mano mentre si dondolava liberamente, atterrò e saltò nei posti giusti.

Questo gioco dimostra che i bonobo sono capaci di regole autoimposte. È come se dicessero a loro stessi: «Non posso guardare, a meno che non stia perdendo l'equilibrio». Sono dunque in grado di giocare con la loro percezione del mondo. Lo stesso gioco viene praticato da altre antropomorfe e anche in alcune specie di scimmie, ma non l'ho mai visto fare con tanta dedizione e concentrazione come dai bonobo. Il gioco è comune, ovviamente, anche nei bambini. Emily Hahn lo ha descritto sia nel suo gibbone addomesticato sia in sua figlia, Carol. La bambina, per lo meno, poteva dare una sorta di spiegazione; lei lo vedeva come un gioco esistenzialistico. Diceva: «Carol non c'è più» e saltava dentro la credenza.

Facce buffe. I giovani bonobo spesso mostrano strambe espressioni facciali, senza rivolgerle a qualcuno in particolare. Per accentuare un'espressione, si ficcano un dito in una guancia o tirano fuori la lingua. Possono verificarsi insoliti movimenti delle mascelle; Lana spesso copre i denti superiori con il labbro, scopre i denti inferiori e spinge in fuori la mandibola, muovendola rapidamente su e giù. Questo modificarsi la faccia non somiglia alla normale comunicazione della specie. Le facce buffe possono comparire quando stanno seduti da soli, oppure mentre stanno giocando a fare il solletico. Leslie, per esempio, seduta sopra Akili, gli solletica il collo con i piedi. Akili risponde prima con la faccia da gioco, ma poi prosegue con facce fantasiose, rigonfiando il labbro superiore.

193

Lana gioca a moscacieca con una foglia di banana. *Sotto*: in mancanza di un oggetto per coprirsi gli occhi, li tiene chiusi con il pollice e l'indice di una mano, mentre con l'altra esplora intorno. (Zoo di San Diego.)

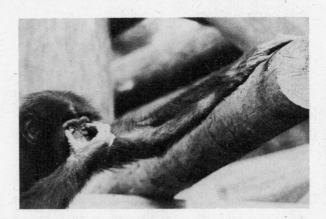

Esempi di facce buffe dei giovani bonobo. Le espressioni sono complicate e difficili da imitare. Per esempio, Kako ghigna (*in alto a destra*) senza ritrarre gli angoli della bocca e Lana (*in basso a destra*) fa un bel giro per mettersi le dita in bocca. (Zoo di San Diego.)

Anche Leslie si impegna in acrobazie facciali assumendo la sua famosa «faccia risucchiata»; ciascuno dei due non può vedere le espressioni dell'altro.

Anche se i giovani scimpanzé, occasionalmente, ritraggono le labbra o si producono in strane espressioni, non ho mai visto primati in cui il gioco delle facce si sia trasformato in una pantomima solitaria come accade nei giovani bonobo. Il loro notevolissimo controllo volontario della muscolatura facciale porta a domandarsi quanta della loro normale comunicazione sia soppressa o simulata. Un altro problema è ciò che i bonobo provano. Se noi stessi cerchiamo di assumere una particolare espressione, un ampio sorriso o una faccia profondamente corrucciata, possiamo percepire un'eco delle emozioni normalmente associate a quella faccia. Perfino facce del tutto nuove e inventate mettono in moto le nostre emozioni. I bonobo passano attraverso questa stessa esperienza? È per questo che il gioco piace loro così tanto?

Primati Kama-sutra

Un nuovo custode dello zoo, ignaro del tipo di rapporti sessuali dei bonobo, una volta accettò un bacio da Kevin, ma fu colto alla sprovvista quando si sentì in bocca la lingua di Kevin! L'uso del bacio alla francese è una delle straordinarie differenze tra l'appassionato erotismo di questa antropomorfa e la sessualità funzionale e un po' noiosa dello scimpanzé comune. Gli scimpanzé mostrano poche variazioni nell'atto sessuale, e la maggior parte dell'attività sessuale degli adulti è connessa alla riproduzione. I bonobo, invece, attuano ogni possibile variazione, come se praticassero il Kama-sutra. La loro vita sessuale è in gran parte scissa dalla riproduzione e serve anche a molte altre funzioni; una di queste, ne sono sicuro, è il piacere, un'altra è la risoluzione dei conflitti e delle tensioni. Ovviamente, quest'ultima è quella che mi interessa di più, ma prima descriverò il comportamento sessuale dei bonobo.

Immaginate gli sguardi stupefatti dei visitatori dello zoo che mi sentivano per caso registrare sul magnetofono osservazioni come: «Tutti i peni fuori, in questo momento». Misuravo l'eccitazione sessuale registrando ogni cinque minuti quali maschi avessero una erezione. Dato che i bonobo possono ritrarre il pene, esso non è visibile per gran parte del tempo. Quando l'organo appare, però, non è solo notevole per le dimensioni, ma anche perché il suo colore rosa acceso risalta rispetto al pelo scuro. I maschi invitano gli altri «presentando» il pene con le gambe ben allargate e la schiena inarcata, e spesso lo agitano anche su e giù (un potente segnale). I genitali dei maschi di bonobo sono tra i più grandi nel mondo dei primati. Di sicuro, in proporzione alle dimensioni corporee (e probabilmente anche in assoluto), le dimensioni del testicolo e la lunghezza del pene eretto di questa antropomorfa superano quelle di un maschio umano medio, finora ritenuto il campione.

Jeremy Dahl, che ha registrato allo Yerkes Primate Center i cicli mestruali di Linda e delle sue figlie adulte, ha scoperto che erano in uno stato sessualmente attraente, con l'area genitale rigonfia, quasi nel 75% del tempo. Negli scimpanzé la percentuale corrispondente è solo il 50%. Inoltre, tra gli scimpanzé gli accoppiamenti al di fuori della fase in cui è presente il rigonfiamento dei genitali sono praticamente assenti, mentre si verificano con regolarità tra i bonobo. Pertanto il ciclo mestruale pone poche limitazioni al comportamento sessuale dei bonobo, analogamente a quanto si verifica negli umani, dove l'indipendenza dal ciclo è perfino maggiore.

Poiché nel bonobo l'apertura vaginale e il clitoride sono diretti frontalmente, le posizioni sessuali faccia a faccia sono piacevoli e facili da assumere. In sei anni non ho mai osservato una copula frontale nella colonia di Arnhem, eccetto in un'occasione in cui due scimpanzé si accoppiarono attraverso le sbarre che dividevano i ricoveri dove stavano di notte. A San Diego, oltre l'80% degli accoppiamenti tra bonobo adulti o adolescenti di sesso opposto sono di tipo frontale. La percentuale riportata per la specie nel suo ambiente naturale è circa del 30%. La frequenza in genere più alta di accoppiamenti frontali negli studi in cattività è dovuta al fatto che per la femmina, probabilmente, è più comodo stare sdraiata con la schiena sul pavimento di una gabbia, o sull'erba di un recinto esterno piuttosto che in alto, sul ramo di un albero. In effetti, il numero di accoppiamenti frontali in natura potrebbe essere più alto di quanto riportato. Gli studiosi sono raramente in grado di osservare attività sessuali che avvengono a terra, dato che i bonobo fuggono sugli alberi non appena scorgono persone non familiari.

L'accoppiamento «stile cane» è un po' problematico per i bonobo a causa della vagina frontale. Invece di sdraiarsi sulla pancia come una femmina di scimpanzé, la femmina deve sollevare l'addome dal terreno per permettere al maschio di entrare. Ovviamente, questo è solo un problema secondario per una specie che non si tira indietro di fronte alle acrobazie del sesso, al punto che si accoppia anche stando sospesa su corde.

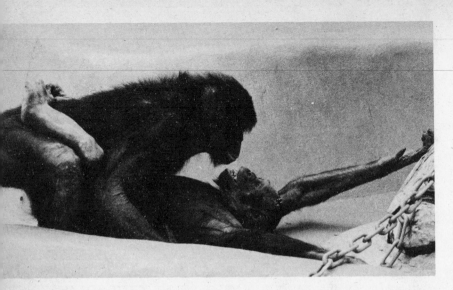

Gli accoppiamenti frontali, qui tra Vernon e Loretta, sono comuni nella colonia di bonobo di San Diego.

Gli accoppiamenti sono brevi per gli standard umani, durano in media tredici secondi, con un massimo di mezzo minuto. Poiché i partner spesso sono in contatto visivo, l'amplesso appare più intenso e intimo che nelle specie che si accoppiano da dietro; in posizione frontale, maschio e femmina possono leggere le emozioni reciproche. All'apice dell'atto, quando il maschio rallenta per le spinte finali, più profonde, la femmina a volte scopre i denti in una smorfia sorridente ed emette alcune grida roche. La piccola Lenore emise un suono simile durante i suoi contatti sessuali con Vernon, il quale non cercò nemmeno di introdurre il pene, che era enorme rispetto a lei. La mise invece sulla pancia e strofinò il pene sul suo pelo. In altri casi lei toccava il pene per farlo venir fuori, e poi ci premeva brevemente sopra la vulva, dimostrando di conoscere la connessione. Lenore faceva esperimenti simili anche con maschi adolescenti.

Dei seicento accoppiamenti e monte osservati, meno di duecento coinvolgevano individui maturi di sesso opposto. Oltre al sesso con piccoli, vi erano molti contatti «omosessuali», soprattutto dopo che i due gruppi di adulti vennero uniti. Tra i maschi si andava da monte frettolose da dietro a eccitati abbracci frontali, con spinte e mutuo strofinamento del pene. Anche se, in queste situazioni, i maschi non arrivavano mai all'introduzione del pene o all'eiaculazione, i loro contatti sessuali erano insolitamente intensi per maschi di primati non umani.

Le due femmine mature, Loretta e Louise, mostravano un tipo di accoppiamento presente unicamente in questa specie, noto come *strofinamento-GG* (strofinamento genito-genitale) e osservato sia in libertà sia in altre colonie in cattività. Due femmine, con pance a contatto e facce vicine, strofinano i loro rigonfiamenti genitali, con rapidi movimenti laterali. A volte una sta sdraiata sulla schiena, ma di solito si afferra alla compagna, tenendole le gambe intorno alla vita. La femmina che sta sopra solleva l'altra da terra, come se portasse un piccolo. Era quasi sempre Louise, più vecchia e dominante, che si assumeva il compito più faticoso. In altre occasioni, le due femmine strofinavano rigonfiamenti e clitoridi mentre guardavano in direzioni opposte, una sdraiata sulla schiena, l'altra in piedi su tutti e quattro gli arti. Le analisi dei filmati hanno rivelato che le due femmine si stimolavano l'un l'altra esattamente con lo stesso ritmo delle spinte pelviche di un maschio: 2,2 movimenti al secondo.

La forte sensualità di questa specie era dimostrata anche dalla frequente autostimolazione di labbra, capezzoli o genitali. Se Kalind era frustrato perché nessuno voleva dividere il cibo con lui, se ne andava in giro, imbronciato e cupo, carezzandosi un capezzolo col pollice. La masturbazione veniva praticata con la mano o con il piede, ma l'orgasmo non veniva mai raggiunto, o almeno non dai maschi; per le femmine era più difficile stabilirlo. I maschi si stimolavano l'un l'altro anche prendendo in mano la guaina del pene dell'altro e muovendolo delicatamente su e giù, un paio di volte.

A volte, tra i giovani, lotta e solletico si potevano trasformare in giochi erotici. Quando uno dei maschi aveva un'erezione durante il putiferio, capitava che andasse da un compagno di giochi e che gli infilasse il pene in bocca. Occasionalmente, tutti e quattro i giovani praticavano sesso di gruppo; alcuni si davano alla fellatio, mentre altri dimenavano gioiosamente insieme i genitali o si baciavano con la lingua.

In nessuna occasione, ho mai pensato di trovarmi di fronte a un campione di animali patologicamente ipersessuati. I comportamenti sessuali descritti non sono assolutamente esclusivi di questa particolare colonia, ma sono caratteristici della specie. I bonobo sembravano fare ciò che veniva loro naturale, ed erano inibiti soltanto dall'occasionale gelosia di altri individui (Vernon interrompeva regolarmente le profferte sessuali dei giovani maschi dirette alle femmine adulte). Sarebbe anche una distorsione vedere il loro

Sia in natura sia in cattività, tra le femmine bonobo si verificano intensi contatti sessuali. Qui Loretta si afferra con braccia e gambe a Louise, nella tipica posizione dello strofinamento-GG (*sopra*). In una variante di questo (*sotto*), Louise è sdraiata sulla schiena; Loretta strofina il suo rigonfiamento genitale contro quello di Louise, mentre il piccolo di Louise sta a guardare. *Nella pagina a fianco*: Louise (in piedi) invita Loretta a un contatto sessuale. (Zoo di San Diego.)

comportamento come un'espressione di «libertà sessuale». La moralità sessuale semplicemente non c'entra niente con i bonobo, e tra gli uomini è un elemento assai variabile. L'atteggiamento vittoriano nei confronti del sesso orale, per esempio, non è universale. La storia ricca, anche se non documentata, di questa pratica, ci tramanda il ricordo di un'antica usanza cinese, secondo la quale nonne, madri e balie calmavano i neonati maschi con la fellatio, e la notizia secondo la quale Cleopatra era nota come la migliore «fellatrix» del suo tempo

Oggi noi viviamo in società che sopprimono le attività sessuali tra bambini, con i bambini e tra membri dello stesso sesso. Spesso si sente il ritornello che il sesso è «preposto» alla riproduzione, e pertanto non dovrebbe essere praticato al di fuori di tale contesto. Anche la pillola è vista da alcuni come uno strumento immorale, in quanto permette di praticare sesso non riproduttivo. Questi criteri morali, basati su ciò che si presuppone essere naturale, non hanno, in realtà, alcun fondamento. La maggior parte degli animali pratica attività sessuali in età precoce, e io non mi sorprenderei se molti problemi di frustrazioni e ossessioni sessuali nelle nostre società fossero il risultato del senso di colpa con cui circondiamo questi giochi di sperimentazione e di prova. Inoltre, il rapporto sessuale tra individui dello stesso sesso non è affatto insolito negli animali; ciò che è insolito è indirizzarsi esclusivamente verso partner dello stesso sesso. La notevole frequenza di questo tipo di comportamento tra gli uomini non è stata ancora spiegata, ma in questo caso ancora una volta l'intolleranza potrebbe essere determinante. Imponendo una scelta, essa porta a una divisione più netta di quanto sarebbe altrimenti necessario tra chi ha tendenze omosessuali e chi non le ha.

Un argomento più serio è quello che riguarda le relazioni sessuali tra adulti e bambini. Alcuni usano una definizione eccessivamente ampia di abuso sessuale verso i bambini, includendovi quasi tutte le forme di comportamento sessuale. Ma alcune di queste non possono essere escluse senza limitare le forme di contatto corporeo che molti considerano perfettamente normali. Se una madre, che sta pulendo il suo bambino, lo bacia e lo tocca ovunque *tranne* che sui genitali, ciò non può che causare la vaga sensazione nel bambino che deve esserci qualcosa di molto sbagliato in queste parti del corpo. Io trovo che la distinzione principale non sia tra contatti che coinvolgono o meno gli organi sessuali, ma tra rapporti responsabili e piene d'amore tra adulti e bambini, e relazioni cercate solo per il piacere degli adulti. Quest'ultimo tipo di relazioni può facilmente generare abusi, cioè danneggiare il bambino, soprattutto se associate a coercizioni fisiche e psicologiche.

Una volta ebbi l'opportunità di presentare le mie osservazioni sui bonobo a un convegno di esperti di maltrattamento infantile. Furono d'accordo sul fatto che, sebbene Vernon, Kevin e Kalind avrebbero potuto essere condannati a vent'anni di prigione se fossero stati membri di una società occidentale, il loro comportamento non presentava elementi veramente preoccupanti. I maschi non montavano mai i giovani senza che questi acconsentissero; se così non fosse stato, lo si sarebbe visto dai tentativi di divincolarsi dei giovani per sfuggire agli adulti. I contatti erano brevi, amichevoli, senza penetrazione, e spesso cercati dagli stessi giovani. È anche possibile che gli abusi sessuali verso i bambini siano una patologia unicamente umana.

I bonobo, di solito, non fanno sesso esclusivamente per divertimento; come viene spiegato più avanti, la maggioranza degli accoppiamenti e delle monte avvengono in situazioni di tensione. Sia la concezione romantica del sesso come «fare l'amore» sia la visione del sesso come orientato al concepimento andrebbero estese, almeno per quanto riguarda queste antropomorfe, includendo il concetto di sesso come alternativa all'ostilità. I bonobo usano il sesso allo stesso modo in cui si dice che venisse usato dalle nonne cinesi: come pacificazione. Così le interazioni erotiche fra i bonobo potrebbero essere essenziali per mantenere il gruppo in armonia. Questa più ampia funzione non è in conflitto con quella riproduttiva, poiché i maschi eiaculano solamente durante i contatti con le femmine mature.

L'ipotesi del contratto sessuale

Ogni giorno, verso mezzogiorno, le antropomorfe ricevevano un extra di cibo, un fascio di rami e foglie o succosi germogli di banano. Non appena i custodi lungamente attesi apparivano all'orizzonte, si verificavano immediate erezioni del pene, che raggiungevano un picco quando il cibo veniva lanciato dentro il recinto. Normalmente i maschi erano in erezione in meno del 5% del tempo, ma al momento del pasto la percentuale saliva oltre il 50%. Questo semplice dato illustra la relazione tra sesso e cibo, che è *molto* stretta nel bonobo. Il comportamento sessuale è parte integrante del comportamento di richiesta e di divisione del cibo di questa specie.

Kako, con la faccia imbronciata, tocca il cibo di Lana, la sua migliore amica (*sopra*). Qualche minuto dopo, Lana (*a destra*) e Kako si abbracciano in reciproca difesa di fronte a un attacco di Akili che non ha avuto cibo (*a sinistra*). (Zoo di San Diego.)

All'inizio il cibo viene preso dagli individui dominanti del gruppo, mentre gli altri si raccolgono tutt'intorno per averne la loro parte. Raramente chiedono cibo con gesti delle mani, piuttosto si mettono con la faccia vicina alla faccia del dominante e lo osservano con attenzione mentre mangia ogni foglia; si lasciano assorbire così tanto da questo spettacolo da mettersi a mimare i movimenti di masticazione del dominante. Questo fatto, insieme al coro di grugniti e squittii eccitati, crea l'impressione che tutti stiano gustandosi il pasto, anche prima che sia avvenuta la divisione del cibo. I subordinati esprimono il loro interesse per il cibo anche emettendo flebili guaiti e adottando un'espressione conosciuta come «faccia imbronciata». Questo segnale, che muove a compassione, viene usato specialmente quando i dominanti si rifiutano di lasciar andare una foglia già toccata e annusata con desiderio da uno dei mendicanti.

I bonobo, con le loro emozioni ben controllate, raramente si lasciano andare a scene di disperazione quando vengono rifiutate le loro richieste; soltanto una volta ho visto un adulto sull'orlo di una crisi. Loretta non era sessualmente attraente, e di conseguenza le era più difficile ottenere cibo da Vernon. Dopo aver seguito per un po' il maschio, che aveva con sé il grosso fascio di rami, lo vide dirigersi verso la catena che permette di scendere nel fossato asciutto. A questo punto Loretta lo abbracciò con il muso imbronciato, ma dato che, così facendo, non le riuscì di fermarlo, gli si gettò ai piedi, facendo un po' di bizze. In confronto al chiasso che gli scimpanzé fanno in circostanze simili, la dimostrazione di disperazione di Loretta era stata breve e civile; ma ciononostante non servì. Bisogna anche aggiungere, comunque, che Loretta finiva sempre per ottenere gran parte del cibo, sia che avesse un rigonfiamento genitale sia che non lo avesse. L'unica variabile era quanto a lungo Vernon rimaneva in possesso del cibo, di solito mai più di dieci minuti.

Nel secondo gruppo la situazione era diversa. Louise era una dominante egoista e Kevin doveva aspettare a lungo prima di potersi unire al banchetto. Un giorno, per esempio, vennero dati quattro grossi pezzi di banano. Dopo che Louise si era presa i primi due pezzi, Kevin si avvicinò al terzo. Lo toccò attentamente poi si leccò le dita, lanciando in continuazione occhiate verso Louise. Quando alla fine si decise a prendere il pezzo, Louise saltò improvvisamente verso di lui e si appropriò del cibo, pretendendo poi per sé anche il quarto pezzo. E siccome Louise aveva sempre gli occhi più grandi della pancia, mezz'ora più tardi Kevin si ritrovò due pezzi tutti per sé.

Con cibi meno compatti, Kevin beneficiava della sua popolarità presso la piccola Lenore, che aveva libero accesso al mucchio di cibo della madre. Una volta Louise si era presa l'intero fascio di foglie che era stato gettato dentro il recinto. Col pene eretto, Kevin invitò la piccola Lenore, lei si arrampicò sulla sua pancia e lui fece dei movimenti di monta. Allora Lenore prese con noncuranza due rami dal mucchio della madre e li spinse verso Kevin. Il maschio diede alcune pacche affettuose sulla schiena della piccola con una mano, mentre con l'altra prendeva i rami. Poi si andò a sistemare distante da Louise per mangiarsi le foglie portate dal servizio di corriere fatto da Lenore. Lenore non aveva sempre successo, perché la madre sapeva quali erano le sue intenzioni; non c'erano problemi finché Lenore mangiava dal mucchio, ma appena iniziava ad allontanarsi con un ramo, Louise cercava di recuperarlo.

La divisione del cibo tra le antropomorfe raramente implica l'atto di donare attivamente; la seguente straordinaria eccezione fu osservata nel 1971 da Thomas Patterson nei bonobo di San Diego. La figlia di due anni di Linda piagnucolava e guardava, con la faccia imbronciata, la madre. Linda non aveva cibo, ma sembrava capire ciò che la piccola voleva. Normalmente, i piccoli usano questo segnale quando vogliono essere allattati, ma va ricordato che tutti i figli di Linda furono allevati artificialmente. La piccola era stata reintrodotta nel gruppo molto tempo dopo che Linda aveva smesso di allattare. Linda andò alla fontana e aspirò un po' d'acqua nella bocca, poi si andò a sedere davanti alla piccola e si inclinò in avanti con le labbra protruse. La piccola bevve dalla sua bocca; Linda ritornò alla fontana tre volte.

Questo è un esempio efficace, anche se poco comune, di spartizione. Durante il mio studio, il «flusso» di cibo da un individuo a un altro avveniva in prevalenza attraverso uno di questi tre sistemi: mendicando, mangiando rilassatamente insieme, o esigendo il cibo con autorità.

Chi mendicava cibo a volte ne riceveva una buona parte. Se Vernon, per esempio, veniva avvicinato più volte da Loretta e Kalind, divideva in due il suo fascio di rami e si allontanava con la parte più piccola. Questo comportamento somigliava al dare: è chiaro che Vernon non era ignaro del destino del cibo che si lasciava dietro.

Mangiare insieme da un mucchio di cibo messo in comune era tipico di individui molto intimi, come Louise e sua figlia oppure Lana e il suo figlio adottivo Kako. Questo comportamento di grande tolleranza era frequente anche tra le due femmine adulte.

Naturalmente, pretendere d'autorità il cibo di un altro bonobo era il metodo usato dai dominanti, ma anche i subordinati mostravano questo comportamento; lo usava soprattutto Loretta quando era sessualmente attraente. Si accoppiava con Vernon e subito dopo emetteva i versi acuti tipici di quando c'è del cibo, contemporaneamente si impossessava del fascio del maschio. Non gli dava quasi modo di prenderne un ramo; a volte, proprio nel bel mezzo del rapporto sessuale, gli strappava il cibo di mano. Le persone che guardano le mie videocassette con queste scene non possono fare a meno di fare un parallelo con la prostituzione, ma l'interpretazione è problematica.

Il termine «prostituzione» è carico di significati. Fu usato per la prima volta per primati non umani, negli anni Trenta, sia da Solly Zuckerman sia da Robert Yerkes. Yerkes, nel 1941, affermò che «l'abilità della femmina di negoziare la relazione sessuale è incomparabilmente più grande di quella del maschio». Le sue interpretazioni furono messe in ridicolo da Ruth Herschberger in *Adam's Rib* (la costola di Adamo). Herschberger ha permesso a una delle femmine di scimpanzé di Yerkes, Josie, dandole modo di comportarsi «da dominante», di non essere «il sesso subordinato per natura» al quale l'altro sesso solo a volte si sottomette. Josie protestò: «Posso ottenere dalla vita una qualche soddisfazione che non mi sia stata *concessa* da uno scimpanzé maschio? Dannazione!». Recentemente, altre autrici femministe hanno fatto eco a questa critica.

Prima di tutto prendiamo le distanze da un termine che rievoca bui angoli di strada e oscure «organizzazioni». Un'antropologa, Helen Fisher, ha scritto nel 1983 *The Sex Contract* (Il contratto sessuale), in cui propone una teoria che si ispira alle idee di Owen Lovejoy e Desmond Morris. Gli ominidi femmina, dice la teoria, usavano il sesso per fondare relazioni stabili con i maschi e beneficiare così della loro protezione. Fisher riassume il tutto in questo modo: «I maschi e le femmine stavano imparando a dividersi i compiti, a scambiare carne e verdure, a spartirsi il "bottino" della giornata. Una sessualità non più limitata a periodi particolari aveva iniziato a legarli uno all'altra e la dipendenza economica stava stringendo il nodo». Secondo Fisher, l'elemento chiave di questa organizzazione era la forte propensione al sesso della femmina, la sua capacità di accoppiarsi durante tutto il ciclo e la preferenza per la copula frontale (che accresce intimità, comunicazione e comprensione). L'autrice ritiene che questi sviluppi siano esclusivamente umani, evidentemente ignora il comportamento dei bonobo, ai quali sembrano applicabili molte parti della sua teoria.

Se l'ipotesi del contratto sessuale dà fastidio alle femministe, è perché sostiene che il potere dei maschi e delle femmine è fondato su basi nettamente diverse: la dominanza fisica nei maschi, attrazione sessuale e legami familiari nelle femmine. Nessuna delle due forme di potere è più «naturale» dell'altra, ma il potere delle femmine è meno diretto. Nessuno che abbia visto un maschio di scimpanzé lottare contro una femmina può dubitare che le femmine hanno bisogno di altre risorse oltre a muscoli e denti per raggiungere i loro obiettivi. È per questo che combattono le loro battaglie col sesso opposto in altre arene sociali. Fino a che punto questo procuri loro posizioni influenti dipende decisamente dal temperamento del maschio; tattiche raffinate servono a poco quando si ha a che fare con prepotenti spietati.

Nella maggioranza dei casi, i maschi moderano la loro aggressività nei confronti di femmine e giovani. Nelle colonie di molti zoo, i maschi di gorilla dominano sulle femmine solo entro certi limiti. Se il maschio si prende gioco di una delle regole non scritte del gruppo, le femmine si coalizzano contro di lui. Un maschio adulto di gorilla è la più formidabile macchina da combattimento del mondo dei primati, senza dubbio capace di tenere a bada, anche di uccidere, un certo numero di femmine della sua specie, molto più piccole di lui. Tuttavia, sembra psicologicamente incapace di sfruttare appieno questo vantaggio. È abbastanza spettacolare vedere una coalizione di femmine urlanti inseguire, perfino colpire, il gigantesco maschio, le cui mani sembrano legate dietro la schiena dai neuroni del suo cervello.

Vernon aveva inibizioni analoghe, non soltanto quando viveva con Loretta e Louise (che insieme formavano una squadra forte, dato che le femmine bonobo, ben più delle femmine gorilla, hanno dimensioni simili ai maschi), ma anche quando viveva con la sola Loretta. Loretta era magra e non poteva competere con Vernon, un maschio muscoloso con lunghi canini, il quale ciononostante evitava scontri diretti. Una volta in cui Loretta afferrò il cibo a mezz'aria prima che Vernon arrivasse, lui la caricò passandole vicino più volte, con tutto il pelo irto. Invece di farsi intimorire e lasciare il bottino, Loretta fu presa dall'ira e con urla sibilanti si mise a gesticolare furiosamente verso il piantagrane. Vernon allora si sfogò su Kalind, che fuggì.

Se la gentilezza di Vernon verso le femmine fosse tipica dei maschi bonobo, questa caratteristica permetterebbe una relazione

Nonostante le molte differenze nel modo in cui scimpanzé e bonobo si riconciliano, entrambe le specie usano il gesto di tendere la mano per invitare gli avversari. (Zoo di San Diego.)

tra i sessi più paritaria di quella presente in molti altri primati. So di vari gruppi di bonobo in cattività dominati da una femmina; la domanda è se anche il rapporto sessuale contribuisce a tale equilibrio di potere. Io credo sia così, ma non proprio nella forma di scambio calcolato suggerito dalle teorie trattate più sopra. Se avessi osservato soltanto Loretta e Vernon, sarei stato d'accordo, dato che sembravano davvero seguire questo schema. Ma l'ipotesi del contratto sessuale non spiega tutta l'attività sessuale che avviene tra i bonobo al momento del pasto. Si manifesta in tutte le combinazioni di sesso ed età, che il cibo venga diviso o meno, e l'iniziativa viene presa tanto dai dominanti quanto dai subordinati. Infatti vi erano altrettanti accoppiamenti correlati al cibo tra Louise e Kevin che tra Loretta e Vernon. Nella prima coppia, Louise era completamente dominante, otteneva tutto il cibo che voleva e dopo l'accoppiamento di rado lo divideva con Kevin. Sebbene questo confermi l'affermazione di Yerkes secondo cui il maschio beneficia meno della femmina dal contatto sessuale, dimostra anche che la femmina non ha in mente necessariamente un « prezzo ».

È superfluo dire che c'è più aggressività al momento del pasto che in altri momenti della giornata. Diversamente dall'ipotesi del contratto sessuale, che sostiene l'importanza dello scambio di favori, io pongo l'accento sull'attenuazione delle tendenze competitive. I bonobo sostituiscono gran parte delle loro rivalità con piacevoli attività erotiche. Il loro comportamento sessuale è legato alla tensione connessa al cibo, più che al cibo stesso. Questo meccanismo può venire sfruttato da alcuni individui come Loretta perché i bonobo sono abbastanza scaltri da imparare come il sesso addolcisca i dominanti. Tale scambio è uno sviluppo secondario, comunque; la funzione più fondamentale e diffusa del sesso nei bonobo è la risoluzione dei conflitti.

Per complicare le cose, esiste una terza ottica, molto semplice, per la quale il sesso al momento del pasto non è niente di più che un fenomeno di generica eccitazione. Secondo questa spiegazione, l'eccitazione legata a un cibo che fa gola si trasforma in eccitazione sessuale. Uno degli scopi della mia ricerca era risolvere questo problema. Se, come affermato sopra, la vita sessuale dei bonobo serve ad ammorbidire relazioni tese o incrinate, la presenza del cibo non dovrebbe essere un prerequisito; ciò che conta è se esiste un'aggressività potenziale. Dunque la domanda chiave diventa: queste antropomorfe usano il sesso anche per risolvere conflitti non collegati al cibo?

Sesso per pace

Al centro giapponese di ricerca di Wamba, nello Zaire, i bonobo vengono attirati fuori dalla foresta dando loro ogni giorno canna da zucchero. Questa procedura ha permesso a Suehisa Kuroda, Akio Mori e altri di studiare il legame tra sesso e cibo. Mori ha confrontato le sue osservazioni con quelle sugli scimpanzé delle Mahale Mountains, dove viene usata la stessa tecnica di approvvigionamento. Mori, colpito dalla socievolezza dei bonobo, è giunto alla mia stessa conclusione. L'aggregazione pacifica è possibile, secondo lui, «cambiando il carattere del comportamento sessuale in affiliativo, e diminuendone così il significato riproduttivo, a favore di una partecipazione di tutti gli individui». Poiché un'alimentazione artificiale ha lo svantaggio di disturbare le normali abitudini di foraggiamento, i primatologi occidentali, in un secondo centro di ricerca, lavorano senza questo tipo di intervento. È difficile seguire i bonobo in una fitta foresta e riuscire a osservarli senza metterli in fuga. Nelle rare occasioni in cui vi è un inseguimento aggressivo tra gli animali, di solito ai ricercatori non resta che fare ipotesi sul risultato, dato che i rivali ben presto non si vedono più. Per questi problemi, non esistono dati in natura sulla riconciliazione tra bonobo che non siano quelli raccolti nel contesto alimentare.

Al riguardo la mia ricerca è unica; non ho avuto alcun problema a seguire per un po' gli avversari, per vedere se si riconciliavano. Sebbene la frequenza di riconciliazione possa essere più alta in un ambiente in cui gli animali non possono evitarsi, il *modo* in cui fanno pace è probabilmente lo stesso che in natura. Sono ritornato da San Diego con più dati di quanti avessi sognato. Alla mia assistente Katherine Offutt e a me, c'è voluto più di un anno per elaborare le cinquemila e più interazioni sociali filmate o incise sul registratore. Adesso questo materiale è opportunamente immagazzinato nel computer del Wisconsin Primate Center. Spiegherò ora l'analisi relativa al nostro problema, che riguarda varie centinaia di incontri ostili non connessi al cibo.

Il computer è stato programmato per confrontare il comportamento antecedente e successivo a ciascun conflitto con quello del cosiddetto livello di base, cioè con il comportamento del resto del giorno. Si è scoperto che gli individui facevano *grooming* reciproco meno del normale prima di uno scontro aggressivo e che, successivamente, il *grooming* restava al di sotto del livello di base, per un certo tempo. Il grafico degli abbracci, del contatto fisico amichevole e del contatto sessuale, mostrava invece un andamento opposto. Subito dopo un'aggressione, la frequenza di questi contatti balzava a un livello più alto, restando ben al di sopra del livello di base per venticinque minuti.

Per alcuni contendenti il cambiamento misurato era alquanto drastico. Vernon, per esempio, scacciava regolarmente Kalind nel fossato asciutto, generalmente in reazione alle avances dell'adolescente verso Loretta. Dopo questi incidenti, i due maschi avevano un numero di contatti dieci volte maggiore di quanto fosse normale per loro. Vernon strofinava il suo scroto sul posteriore di Kalind, o quest'ultimo offriva il suo pene per essere masturbato. In altre occasioni si abbracciavano e poi giocavano a farsi il solletico. Senza questi contatti Vernon non avrebbe permesso a Kalind di tornare nel recinto; perciò, appena risalito dal fossato, il primo compito di Kalind era di stare intorno al capo e aspettare un segnale amichevole.

A volte Kalind era così spaventato che non si fidava neanche delle profferte più amichevoli; se Vernon si avvicinava per prende-

Una sequenza di conflitto e riconciliazione sessuale tra Vernon e Kalind.

Vernon carica Kalind, che è fuori visuale. Qualche minuto dopo Kalind (*a destra*) si avvicina a Vernon, guardandolo negli occhi da una distanza di sicurezza. La sua posizione «a rana» indica che è pronto a fuggire.

Vernon (*ora a destra*) abbraccia Kalind che mostra nervosamente i denti. Si noti anche qui il contatto visivo. Nella scena finale, Vernon fa a Kalind un massaggio genitale. (Zoo di San Diego.)

re la mano tesa del giovane, Kalind si ritraeva. Allora Vernon faceva il tipico gesto «vieni qui», con la mano aperta e con rapidi movimenti delle dita verso di sé. Dopo molta esitazione Kalind toccava la mano di Vernon, una scena che richiama alla mente le due mani al centro della *Creazione di Adamo* di Michelangelo. Soltanto quando questo coraggioso contatto si verificava senza spiacevoli conseguenze, il maschio più giovane si avventurava nel raggio d'azione di Vernon, urlando eccitato durante la riconciliazione che ne seguiva.

Nell'altro gruppo, a un contrasto tra Kevin e la piccola Lenore, una volta seguì un interessante episodio. Kevin stava giocando con alcune catene e corde sistemandole intorno a sé in un cerchio, nel modo in cui le antropomorfe in natura si costruiscono un nido di rami. Mentre Kevin si era allontanato per raccogliere altro materiale, Lenore si andò a sedere nel nido vuoto. Non appena tornato, Kevin la scacciò, ma Louise, che aveva sentito i gemiti laceranti della figlia, emise un verso di ammonizione. Allora la piccola, con improvviso coraggio, caricò Kevin. Lo scontro continuò con alti e bassi, finché Louise non recuperò Lenore e calmò Kevin mettendogli un braccio intorno alle spalle. Qualche minuto più tardi la piccola Lenore rivolse al suo avversario una presentazione dei genitali, sdraiandosi sulla schiena con le gambe allargate e i genitali in direzione del maschio. Kevin la montò con una serie di spinte pelviche, poi la portò via. Così facendo, aveva commesso un grave errore: fu la prima e unica volta in cui lo vidi portare la piccola fuori dal campo visivo della madre. Non appena Louise si accorse di che cosa era successo, si mise a correre per tutto il recinto finché non li trovò e, raccolto il suo «gioiello», punì il trasgressore mordendogli un alluce. Subito dopo, però, tornò da Kevin, prese in mano il suo piede e ne leccò premurosamente il sangue.

Questi che ho descritto sono solo alcuni esempi tra i tanti; l'aumento dei contatti dopo l'aggressione era un fenomeno diffuso. Mentre gli scimpanzé si abbracciano e si baciano durante la riconciliazione, ma non fanno sesso, i bonobo mostrano lo stesso repertorio sessuale che utilizzano al momento del pasto. Questa è una prima prova convincente del fatto che il comportamento sessuale è un meccanismo per superare l'aggressività. Non che questa funzione sia assente in altri animali (o anche nell'uomo), ma l'arte della riconciliazione sessuale potrebbe benissimo aver raggiunto il suo apice evolutivo nel bonobo.

Data questa premessa, molti scontri assumono uno speciale significato. Una volta, nel gruppo dei giovani, Leslie si trovò con Kako che le bloccava la strada su un ramo. Prima lo spinse, e Ka-

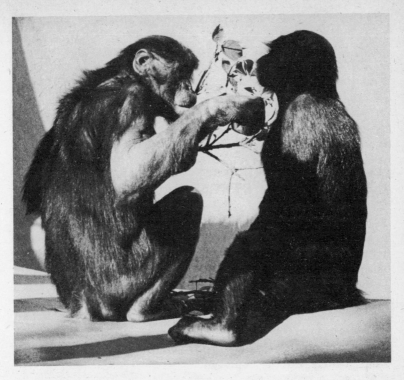

Vernon (*a sinistra*) punisce Kalind per le sue continue richieste, colpendolo ritmicamente sul petto. Kalind sopporta passivamente i colpi, poi lascia Vernon solo. Queste forme di aggressione inibita sono tipiche dei bonobo. (Zoo di San Diego.)

ko, che non era molto sicuro di sé sugli alberi, non si mosse, ma, mostrando nervosamente i denti, aumentò la stretta. Allora Leslie gli morsicò una mano, forse per fargli allentare la presa. Kako emise un acuto squittio e rimase fermo. Poi Leslie strofinò la sua vagina sulla spalla di Kako, che si calmò e si incamminò davanti a lei. Sembrava che Leslie fosse quasi stata sul punto di usare la forza, ma invece, con questo strofinamento genitale, aveva rassicurato se stessa e Kako.

In un altro episodio le due femmine adulte, Louise e Loretta, stavano giocando per il possesso di una scatola di cartone. Si rotolavano allegramente qua e là e si strappavano l'un l'altra la scatola. Louise cercava di dominare il gioco; faceva resistenza prima di cedere la scatola e, in modo un po' rude, colpiva in continuazione Loretta se questa non acconsentiva. Tutto questo lo facevano per scherzo, con espressioni e grida di gioco. Nelle giovani antropomorfe, però, queste interazioni possono trasformarsi in litigi, e io avevo la sensazione che le due femmine si stessero avvicinando a quel punto. Quando il gioco diventò troppo teso, comparve un nuovo elemento: Louise invitò Loretta a fare con lei uno strofinamento-GG; la cosa successe più volte e non si arrivò mai a uno scontro.

Non possiamo affermare che l'assenza di aggressione in questi casi possa essere dovuta all'uso dell'«alternativa» sessuale. Un comportamento che *quasi* succede non può essere misurato. Gli etologi hanno bisogno di nuove tecniche per registrare sottili cambiamenti negli umori e nelle intenzioni degli animali, così che si possa imparare come i conspecifici vi reagiscono. Se la sensibilità alle emozioni umane può essere una misura, le antropomorfe devono essere maestre nello scorgere segnali non verbali. Quelli che lavorano con antropomorfe adulte hanno la sensazione di essere misteriosamente trasparenti. Le antropomorfe reagiscono a ogni sorta di umore prima che noi stessi ci rendiamo conto di quanto quel giorno siamo nervosi, depressi o irritabili. Analogamente ci leggono nel pensiero anche quando cerchiamo di nascondere qualcosa di spiacevole, come un'imminente visita del veterinario. Fra di loro questa capacità di percezione deve permettere di anticipare le situazioni di conflitto, come facciamo noi, e di adottare misure preventive ogni qual volta sia possibile.

I conflitti erano riconciliati più spesso tra i bonobo che tra gli scimpanzé della colonia dello zoo di Arnhem. Mi affretto ad aggiungere che è difficile valutare questo risultato, vista la differenza, tra le due colonie, nella dimensione del gruppo e nello spazio a disposizione. Una seconda importante differenza, comunque, sembra difficile da attribuire alle condizioni di vita. I riavvicinamenti di bonobo ex avversari vengono iniziati in gran parte dai dominanti, il che non si verifica nel caso degli scimpanzé. Dato che gli scontri aggressivi vengono di solito iniziati dai dominanti, il risultato implica che gli sforzi di pace tra i bonobo vengano compiuti tipicamente da chi ha offeso, quasi gli dispiacesse di aver perso il controllo. Quindi, anche se gli individui più giovani e più indifesi ricevevano un discreto numero di minacce e di blande punizioni, queste erano quasi invariabilmente seguite da una rassicurazione. Accadeva così in tutti i gruppi della colonia e il risultato era che la vita sociale sembrava essere governata dalla *compassione*.

Non stupisce pertanto che l'aggressione tra i bonobo non comportasse mai i ripetuti colpi, pestoni e morsi, che talvolta si osservano tra scimpanzé. L'aggressione fisica non era assente, ma raramente durava più di un secondo. Kevin poteva caricare passando vicino a Lenore e colpirla sulla schiena, oppure Leslie poteva afferrare la mano di Akili, mordergli un dito e poi lasciarlo andare. Gli attaccanti potevano lanciarsi selvaggiamente in avanti, ma venivano bloccati da un freno interiore prima che si verificasse una collisione. Una volta Vernon continuò a inseguire il povero Kalind fino all'esaurimento. Quando alla fine l'adolescente si accucciò in un angolo, mi aspettavo una vera strigliata. Vernon, con tutto il pelo irto, iniziò la sua carica finale, ma si fermò appena in tempo, con gentilezza colpì la vittima urlante sulla schiena e se ne andò tranquillo, come se non avesse mai avuto intenzione di fare niente di più.

I bonobo, come anche altri ricercatori hanno notato, sono una specie estremamente mite, ma dobbiamo anche considerare che, fino a un decennio fa, avevamo la stessa opinione di scimpanzé e gorilla. Adesso ne sappiamo di più. Di recente, Takayoshi Kano ha pubblicato un resoconto abbastanza sconvolgente sulle anormalità fisiche presenti nei bonobo selvatici. Un incredibile numero di individui manca di dita o addirittura di intere mani; due terzi dei maschi e un terzo delle femmine mostrano anormalità agli arti. Kano ha elencato una lista delle possibili cause: malformazioni congenite, trappole di bracconieri, morsi di serpenti velenosi, cadute dagli alberi e violenza intraspecifica. La più alta incidenza di anomalie tra i maschi, specialmente quelli adulti, suggerisce un collegamento con l'aggressione e la tendenza dei bonobo a dirigere i morsi alle estremità può spiegare la causa dei difetti.

Kano ha incontrato anche un maschio cui mancavano entrambi i testicoli, il che poteva essere il risultato di una lotta. Questa possibilità ci ricorda la fine fatta da Luit, e ci mette in guardia contro un'idealizzazione dei bonobo. Questi animali non sono stati studiati intensamente quanto le altre antropomorfe, e si sa molto poco, per esempio, delle loro relazioni fra comunità. Se si verificano episodi di violenza, presumibilmente avvengono durante scontri territoriali.

Fino a questo momento si tratta di congetture, ma vorrei sottolineare di nuovo che, all'interno del gruppo sociale, i bonobo sono considerevolmente meno bellicosi dei loro parenti più stretti. Non sono mai state osservate lotte molto violente, neanche quando allo zoo di Francoforte padre e figlio ebbero una grave contesa per il potere. A volte i due maschi si prendevano a pugni, ma furono trovate soltanto due lievi ferite sul maschio più vecchio, durante gli stressanti mesi in cui perse la sua posizione. Inoltre, i due stavano in una gabbia che ospitava anche altri quattro individui. Evidentemente, la capacità di gestire conflitti è così ben sviluppata tra i bonobo che l'*escalation* si osserva di rado, mentre di solito si verifica il fenomeno opposto.

Epilogo

I due gruppi di adulti dello zoo di San Diego furono messi insieme alcune settimane prima della mia partenza. I loro membri erano tutt'altro che estranei; dagli alloggi notturni si erano potuti vedere e sentire ogni notte. Non erano comunque stati a contatto diretto per due anni, per cui noi eravamo abbastanza preoccupati, specialmente per Vernon e Kevin, il maschio adolescente. Si sarebbero feriti l'un l'altro? Per tenere meglio le cose sotto controllo, pianifi-

Vernon (*a sinistra*) e Kevin durante il loro primo incontro pieno di tensione. Kevin allarga le gambe per presentare il pene. Più tardi i due maschi si calmeranno con un abbraccio. (Zoo di San Diego.)

Uno dei più interessanti nuovi rapporti nati dall'unione dei due gruppi era quello tra Loretta (*a destra*) e Louise (*a sinistra*). Le due femmine non si sono mai scontrate; a volte, però, la figlia di Louise creava tensioni afferrando il cibo di Loretta (che Loretta non poteva rifiutarle senza incorrere nell'ira di Louise). Nella situazione illustrata dalla foto, Loretta sorride e tende la mano verso la piccola, mentre sposta il fascio di rami fuori della sua portata. Questo sorriso o ghigno non è, come nei macachi, un segno di sottomissione. Loretta è chiaramente dominante sulla piccola, ma cerca di pacificarla. Nei bonobo, la funzione di questo segnale si avvicina a quella del sorriso umano. (Zoo di San Diego.)

cammo di introdurre inizialmente solo i due maschi. Un gruppo di persone mi ha assistito nella raccolta di tutti i particolari e i custodi erano pronti ad aprire una porta a ghigliottina, nel caso Kevin necessitasse di una via di scampo.

All'inizio, i due giravano uno intorno all'altro, con un eccitato dialogo di urla, rapidamente alternate. Ambedue avevano erezioni, che regolarmente si mostravano a vicenda. Kevin invitava Vernon con gesti a mano aperta, a volte scuotendo con impazienza le mani, altre volte facendo dei cenni con le dita. Il maschio più giovane, comunque, non osava avvicinarsi e anche Vernon si teneva a distanza. Il loro concerto di urla durò sei interi minuti e non sembrava affatto aggressivo, ma estremamente nervoso. Era come se ogni maschio desiderasse il contatto, ma non sapesse se si poteva fidare

Diversi mesi dopo la formazione del gruppo più numeroso, Vernon è diventato
così ostile nei confronti dei due maschi adolescenti, che si è reso necessario separarli. Qui Vernon (*a sinistra*) e Kalind in tempi più felici. Il maschio adulto fa il
solletico sotto l'ascella al giovane, che muore dalle risate. (Zoo di San Diego.)

dell'altro. Infine Vernon rispose a uno degli inviti sessuali di Kevin, correndo verso di lui. Si abbracciarono frontalmente, con larghi sorrisi sui volti; Vernon muoveva il pene contro quello di Kevin. All'improvviso i due maschi si calmarono e iniziarono a raccogliere l'uvetta che era stata sparsa lì intorno. Ora, invece di gridare, emettevano eccitati i tipici «versi del cibo». Fummo tutti sollevati che fosse stato così facile; i custodi, sempre orgogliosi dei loro animali, dissero che i bonobo sono semplicemente troppo furbi per combattere. Un'ora più tardi vennero aggiunti gli altri, senza problemi. Il nuovo gruppo consisteva di un maschio adulto, due femmine adulte, due maschi adolescenti e della femmina nata da poco. Ho già descritto alcune scene del gruppo ampliato, quali le interazioni sessuali tra le due femmine. Nel corso di due settimane Vernon costituì un'intensa relazione con Louise; all'inizio la piccola Lenore era gelosa: infatti, se il maschio faceva *grooming* alla madre, lei gli saltava sulla testa e lo colpiva sugli occhi. Vernon, a volte, la scacciava come un insetto fastidioso, ma in generale si comportava in modo tollerante; tuttavia, diventava sempre meno paziente verso i giovani maschi.

Dopo mesi di crescente tensione, fu deciso di togliere i maschi adolescenti, il che fu comunque meglio, visto che erano fratelli delle due femmine in età riproduttiva. Di solito, l'interesse sessuale tra fratelli e sorelle è basso, ma non nel caso di Kevin e Kalind. I due erano stati messi insieme alle sorelle troppo tardi (dopo un periodo nella *nursery* dello zoo) per sviluppare le inibizioni naturali che prevengono l'*inbreeding*, ovverosia l'incrocio tra consanguinei. I due maschi verranno sicuramente mandati in altri zoo per farli riprodurre con femmine non imparentate; frattanto vengono tenuti nel gruppo dei giovani. Quando ho visitato di nuovo San Diego, nell'estate del 1985, i bonobo avevano un recinto nuovo di zecca, almeno quattro volte più grande del precedente. Sono stato molto colpito dai miglioramenti compiuti dal personale che si occupa degli animali. Al mattino, prima di far uscire i bonobo, i custodi nascondono piccoli pezzi di cibo nell'erba, sotto i cespugli e anche nel terreno; viene sparsa uva passa un po' ovunque e vengono messi semi di girasole in fori appositamente scavati nei tronchi. In un termitaio artificiale viene messo miele, che può essere estratto infilando lunghi fili d'erba o rametti sottili nelle aperture.

Il cosiddetto arricchimento ambientale, così è chiamato, sta diventando sempre più popolare negli zoo. Previene la noia e l'apatia negli animali, è di beneficio alla loro salute sia mentale sia fisica, e fornisce al pubblico più motivi di interesse. I custodi ritengono che il programma di arricchimento dello zoo di San Diego renda più naturale il ritmo giornaliero dei bonobo. Ogni mattina sono occupati per ore a scavare nella sabbia, a scuotere i cespugli e ad armeggiare nel termitaio.

Forse è interessante ripetere il mio studio su queste antropomorfe che «vanno a caccia di uova». Per varie mattine ho osservato come la scoperta del cibo stimolasse l'attività erotica. Una volta Lisa, una giovane arrivata da poco da Atlanta, si imbatté in un'arancia mentre scavava nella sabbia. Prima di dissotterrare il frutto, si guardò intorno per vedere che cosa stavano facendo gli altri. Kevin, ora capo del gruppo di giovani, si stava avvicinando, ignaro della scoperta di Lisa. Immediatamente lei abbandonò la postazione per andargli incontro, gli si buttò sulla schiena e lo afferrò per le spalle. Durante l'accoppiamento che ne seguì Lisa emise un grido acuto, poi corse via per dissotterrare il premio. Non so cosa avrebbe fatto Kevin in assenza di tale contatto con lei, ma in questa situazione lasciò che Lisa si tenesse l'arancia e addirittura la difese quando Kalind cercò di impossessarsene.

È difficile immaginare la società dei bonobo senza il comportamento sociosessuale: sarebbe come un motore senza lubrificante. La risoluzione sessuale dei conflitti è la chiave dell'organizzazione sociale dei bonobo e gli individui imparano il suo valore strategico fin da piccoli. Ciò potrebbe essere particolarmente rilevante per le femmine e spiegherebbe la loro posizione centrale nella società osservata in natura. In questo modo si crea una relazione stretta e bilanciata tra i due sessi e anche tra le stesse femmine (che mostrano il loro peculiare strofinamento-GG, sconosciuto negli scimpanzé). Può darsi che i nostri antenati umani abbiano attraversato una fase simile nell'organizzazione sociale, prima di limitare alla vita familiare il ruolo pacificatorio e consolidante del sesso. Una coppia che discute animatamente e poi va a letto per sancire il processo di riconciliazione si comporta in modo molto simile ai bonobo.

Invece di indagare su quale specie, tra il bonobo e lo scimpanzé, somigli di più a noi umani, possiamo chiederci più fruttuosamente quali elementi della nostra vita sociale abbiamo in comune con una o l'altra specie, e quali siano esclusivamente nostri. Nella natura, unità e diversità procedono insieme e la nostra abitudine di porre troppo l'attenzione sull'unicità umana ci ha portato a ignorare un quadro più vasto. Dobbiamo identificare sia i temi sia le variazioni dell'immensa «fuga» di cui noi siamo una parte. I temi sono i caratteri che condividiamo con le antropomorfe, dovuti presumibilmente ai nostri antenati in comune. Le variazioni sono quegli elementi unici, evolutisi negli ultimi milioni di anni o che si sono prodotti culturalmente. Lo studio dei bonobo, pur confermando i temi principali, ha svelato un certo numero di nuove e inattese variazioni, che inevitabilmente avranno un impatto notevole su tutte le future teorie dell'evoluzione umana.

6

UOMO

Chi prenderemmo a botte, se non gli amici?

SIR RALPH RICHARDSON A SIR ALEC GUINNES,
prima di dargli un pugno in faccia.

Purtroppo gli studi sull'aggressività umana sono seriamente ostacolati da un'altra difficoltà: i ricercatori
vengono pressantemente sollecitati, o da chi li finanzia
o dalla loro coscienza, a scoprire che cosa *fare* per risolvere un certo problema, prima che si siano fatti una
chiara opinione di ciò che il problema *è*.

PAUL BOHANNAN

Se quattro specie di primati fanno abitualmente pace dopo aver
combattuto, è probabile che un comportamento simile in un'altra
specie strettamente imparentata abbia la stessa origine. Nessuno
muoverebbe obiezioni a questa estrapolazione se la quinta specie
fosse un altro animale, ma, dato che la specie cui mi riferisco è il
«Re del Creato», è inevitabile che nascano controversie. Gli animali sono considerati schiavi degli istinti, mentre gli uomini sono
ritenuti creature di intelletto. Tuttavia, la distinzione non è così
netta. Gli animali non reagiscono in modo automatico, e gli uomini non sono affatto liberi da emozioni e desideri che vengono dal
profondo.

Capire la specie umana è un compito particolarmente stimolante. Non sorprende che esistano tante scuole di pensiero e tante
teorie contrastanti, dato che è impossibile raggiungere una visione
davvero obiettiva di se stessi. Anche se c'è spazio per tutti i punti di
vista, un particolare approccio, quello del biologo, incontra la generale ostilità degli studiosi del comportamento umano. Ma se la
prospettiva biologica è così in contrasto con tutte le altre, credo che
proprio per questo vada presa in considerazione. Non è ignorando
le visioni divergenti, che si ha il progresso scientifico.

Questo capitolo finale ha un doppio scopo: primo, evidenziare
l'incredibile mancanza di dati sulla riconciliazione nelle relazioni
private umane; secondo, riflettere su questa nostra capacità in modo nuovo e potenzialmente illuminante, affiancando comporta-

225

mento umano e animale. Ho un grande rispetto per la complessità psicologica delle scimmie e delle antropomorfe, e credo che le somiglianze con il comportamento umano possano emergere in molti modi, gran parte dei quali possono essere soltanto oggetto di supposizioni. Due specie possono comportarsi nello stesso modo perché hanno in comune una lunga storia genetica, perché hanno appreso soluzioni simili per risolvere problemi simili, per queste due ragioni insieme o per nessuna delle due. Di conseguenza le analogie qui tratteggiate non sono da considerarsi prova del fatto che le nostre azioni sono inesorabilmente dettate dalla natura. Il comportamento sociale è, in tutte le specie, una miscela di tendenze innate, esperienza e decisioni razionali.

Il comportamento umano è senza alcun dubbio influenzato dall'ambiente socioculturale. Golda Meir, ex primo ministro d'Israele, in un'intervista con Oriana Fallaci ha detto che i libri scolastici palestinesi pongono problemi di aritmetica di questo genere: « Hai cinque israeliani. Ne uccidi tre; quanti israeliani rimangono da uccidere? ». Non possiamo certo aspettarci che nasca l'amore per la pace in bambini nutriti di tale odio, e ovviamente questo è proprio ciò che si intende ottenere. D'altronde, il fatto che genitori e insegnanti possano plasmare la mentalità di un bambino non è un argomento valido contro la presenza di influenze genetiche sul comportamento. Un'influenza non esclude l'altra. Molti aspetti del comportamento umano sono così universali che possono essere spiegati meglio come prodotto combinato di materiale biologico grezzo e di modificazioni culturali, che come invenzioni indipendenti di ciascuna cultura. Nonostante la particolare complessità di una specie, sono questi materiali grezzi, non i prodotti finiti, che sembrano essere gli stessi per le cinque specie di primati trattate in questo libro.

La scarsità di informazioni

In una stazione di polizia di Amsterdam, tre ragazzi vennero interrogati per aver destato sospetti spendendo più soldi di quanto sia normale per ragazzini di dieci anni. I tre ammisero di aver trovato un portafoglio contenente cinque banconote da mille fiorini, ma con loro ne avevano solo poco più di duemila. Che fine avevano fatto gli altri soldi? La risposta finì in prima pagina. I ragazzi avevano gettato due dei cinque biglietti da mille in uno dei vecchi canali della città: era stata la loro soluzione all'indivisibilità di cinque per tre. Questa è una straordinaria dimostrazione di quanto valore le persone attribuiscano all'avere buoni rapporti tra loro.

Devo fare alcune precisazioni. Noi diamo valore ai buoni rapporti ma entro un certo limite. I tre ragazzi devono essere stati grandi amici. Se uno di loro fosse stato un nuovo venuto, appena arrivato nel vicinato, la divisione avrebbe potuto essere completamente diversa. A chi importa di un nuovo venuto, a meno che non sia davvero un «duro»? Lo scopo di appianare i conflitti non è la pace di per sé, ma il mantenimento di rapporti di collaudato valore. Valore che può essere altamente variabile, non solo tra relazioni diverse, ma anche nel tempo, all'interno di una determinata relazione. Pertanto, una coppia di coniugi, dopo aver concluso con una riconciliazione migliaia di conflitti, può ugualmente arrivare al punto in cui ritiene che compiere di nuovo quello stesso rituale non valga più la pena. I due porranno l'interesse personale sempre più al di sopra dell'armonia coniugale.

Per le persone un obiettivo importante è avere relazioni che vadano a proprio vantaggio. Se questo si verifica in perfetta armonia, bene. Se sono necessarie coercizione e minacce seguite da parole gentili, spesso va ancora bene. Anche se una delle due parti esercita una pressione costante, la relazione viene mantenuta finché se ne ha bisogno. Noi facciamo tutto il possibile per mantenere funzionante la nostra rete sociale, ma non necessariamente con i metodi più piacevoli. Alcuni dei migliori rapporti sono turbati da litigi in cui le due parti ora rinforzano il legame, ora cercano di trarne il massimo vantaggio. È un po' come quello che accade quando un ponte mobile viene utilizzato da due tipi di traffico. Tenere il ponte abbassato causa un ingorgo di barche nel canale; tenerlo alzato porta a un arresto del traffico automobilistico. Proprio come un ponte mobile non può mai restare in una sola posizione, così le relazioni passano attraverso alti e bassi, per non lasciare irrisolti i contrasti e per lenire i sentimenti feriti.

Sebbene l'aggressività faccia parte di ogni relazione umana, gli studiosi di scienze sociali la considerano come un comportamento intrinsecamente cattivo. «È possibile che l'aggressività sia il più grave problema umano» è una tipica frase di apertura di libri sull'argomento (questa in particolare è di Jeffrey Goldstein). A sostegno di tale affermazione gli autori presentano un elenco di esempi di aggressività deviante e di tutta la sofferenza che ne deriva. Io non sono certamente dell'opinione che l'aggressività sia incondizionatamente buona (ho visto la mia parte di sangue e ferite), ma preferirei che gli studiosi avessero una visione meno limitata. A parte eccessi come l'omicidio, lo stupro e i maltrattamenti infantili, esiste un'intera gamma di ostilità, fra cui quelle di ogni giorno, di fronte alle quali in effetti ci troviamo abbastanza a nostro agio. Piuttosto che partire dall'assunto che l'aggressività modifica la nostra vita in modo solo negativo, dovremmo essere tanto saggi da lasciare aperte tutte le possibilità, compresa quella di eventuali risultati costruttivi del conflitto.

Parlo dopo anni di frustrazione dovuta alla lettura di quanto si scrive sul comportamento umano. Come si comportano realmente le persone? Ciò di cui disponiamo sono risposte a questionari, che, nella migliore delle ipotesi, ci rivelano come le persone vedono se stesse e, nella peggiore, come vogliono essere viste. Abbiamo anche dati sul comportamento di soggetti umani in esperimenti, durante i quali persone che non si conoscono tra loro vengono portate in un laboratorio. In questa situazione si presume che tutte le variabili siano rigidamente controllate, ma il legame con la vita reale va perduto. I rapporti sociali che si osservano non hanno passato né futuro; sarebbe come studiare il nuoto dei pesci tirandoli fuori dall'acqua. Dove sono le osservazioni sulla condotta umana all'interno della famiglia, al lavoro, a scuola, alle feste, per strada e così via? Certo ci sono problemi metodologici, ma non dovrebbe essere troppo difficile prendere nota delle azioni delle persone; di sicuro non più difficile dello studio in natura di delfini o primati arboricoli. Nelle scienze naturali, i semplici dati descrittivi costituiscono le fondamenta su cui si costruiscono le teorie. Linneo viene prima di Darwin. Le scienze sociali, invece, sembra vogliano evitare questa fase noiosa. Non è facile trovare studi che raggiungano la minuzia descrittiva degli studi etologici sugli animali.

Il comportamento di riconciliazione negli uomini è un caso tipico. A parte resoconti su bambini in età prescolare e osservazioni antropologiche occasionali, non sono al corrente di dati sulla riconciliazione: il problema non viene considerato importante. Gli indici analitici dei più importanti libri sull'argomento forniscono abbondanti riferimenti a «violenza» e «aggressività», ma non ne ho ancora trovato uno su «riconciliazione» o «perdono» tra persone (unica eccezione la letteratura clinica, che tratta il processo così come viene mediato dai terapisti). Se la grande quantità di ricerche sull'aggressività finanziate negli anni Sessanta e Settanta hanno mancato di mettere in luce i meccanismi della risoluzione dei conflitti, ciò è in gran parte dovuto alla forte prevenzione nei confronti dell'idea che l'aggressività possa, o debba, venire *integrata* nelle nostre vite. All'epoca dei Figli dei Fiori, l'aggressività umana era considerata un prodotto puramente culturale, altamente indesiderabile, la cui esistenza dipendeva solo da noi. Per liberarsene, la gente non doveva fare altro che controllare senso del possesso, desiderio di dominio e gelosia sessuale. Perché l'umanità avrebbe optato per canalizzare, sublimare o integrare questi «diabolici» tratti, se fosse stato possibile sradicarli? Molti studiosi di scienze sociali erano e sono scarsamente interessati ai sistemi di controllo dell'aggressività, semplicemente perché si rifiutano di credere che l'aggressività è con noi e ci rimarrà. Oggi, negli anni Ottanta, sulla scia del totale fallimento del tentativo di scrollarsi di dosso l'eredità indesiderata, siamo ancora in attesa di una revisione di queste ottimistiche teorie.

Di recente ho chiesto a un notissimo psicologo americano, esperto di aggressività umana, che cosa sapesse della riconciliazione. Non solo non aveva informazioni sull'argomento, ma mi ha guardato come se la parola gli giungesse nuova. Ovviamente, la mia è un'opinione di parte, ma non è questo il problema. Egli rifletté sulle mie osservazioni, ma evidentemente il concetto non era mai stato al centro dei suoi pensieri. Quando avanzai l'ipotesi che i conflitti tra le persone sono inevitabili e che l'aggressività ha una storia evolutiva così lunga che è logico aspettarsi la presenza di potenti meccanismi per farvi fronte, il suo interesse si trasformò in irritazione. Non capiva che cosa c'entrasse l'evoluzione e sostenne che l'obiettivo più importante è comprendere e rimuovere le cause del comportamento aggressivo.

Bisogna ignorare i meccanismi di omeostasi per vedere l'aggressività esclusivamente come qualcosa di negativo e disadattativo. Se una scimmia picchia il proprio piccolo, e subito dopo lo abbraccia e lo consola, gli ha insegnato ciò che riteneva necessario, dimostrandogli allo stesso tempo la continuità del suo affetto. L'effetto sul rapporto madre-figlio non è necessariamente quello che pensiamo. Per esempio, le madri reso, che sono alquanto severe con i piccoli, sviluppano con le figlie legami che durano tutta la vita. Le madri scimpanzé, che di raro puniscono la prole, non hanno strette famiglie matrilineari; quasi tutte le figlie migrano in altre comunità. Se l'aggressività fosse il nostro unico criterio, definiremmo le madri reso «cattive» e le madri scimpanzé «buone». Il giudizio sarebbe l'opposto se scegliessimo di usare il legame come unità di misura. E che cosa accadrebbe se preferissimo i rilassati legami degli scimpanzé agli stretti, ma rigidamente gerarchici, vincoli delle scimmie reso? Più riflettiamo su questi argomenti, meno le categorie morali hanno un senso.

Evitando i problemi morali, cerco forse di perdonare tutte le forme di aggressività? Ritengo che abusi e violenze siano tollerabili se seguiti da scuse, promesse o regali? Ovviamente no. Il punto è che gli effetti dannosi dell'aggressività sono un approccio troppo limitato per comprendere un così ampio complesso comportamentale. È una questione di gradi; sappiamo affrontare nevicate, non una valanga. Finora gli scienziati hanno visto l'aggressività come una valanga. Nella loro ottica, chiunque parli di scontri poco dannosi o perfino piacevoli deve essere pazzo. Io, tuttavia, sono convinto che se includeremo nelle nostre indagini le forme non distruttive di aggressività, potremo in effetti raggiungere anche una migliore comprensione delle forme che ci creano problemi.

Le società umane vengono strutturate dal gioco tra antagonismo e attrazione. Che l'antagonismo scompaia non è solo poco realistico: è un desiderio sbagliato. Nessuno vorrebbe vivere in una simile società, perché mancherebbe la differenziazione tra gli individui. Un banco di aringhe è un buon esempio di aggregazione basata prevalentemente sull'attrazione: i pesci si spostano insieme senza problemi, ma non hanno alcuna organizzazione sociale. Alcune specie, come l'uomo, raggiungono un alto grado di differenziazione sociale, di divisione dei ruoli e di cooperazione, e ciò avviene perché i conflitti interni si contrappongono alla tendenza alla coesione. Gli individui delineano la loro posizione sociale in competizione con gli altri. Non si possono avere tutt'e due le cose: un mondo in cui ogni individuo realizza la propria identità e un mondo senza lo scontro fra interessi individuali.

«Quando la ricerca mette a fuoco esclusivamente l'aggressività, senza valutare i comportamenti affiliativi, si tende a esagerarne le conseguenze antisociali» hanno concluso Heidi Swanson e Richard Schuster sulla base dei loro risultati sperimentali, secondo i quali un moderato livello di aggressività promuove, invece che frenare, la cooperazione tra i ratti. Questo tipo di ricerca non dovrebbe essere limitato agli animali. È giunto il momento di imparare come le persone usano il comportamento aggressivo per raggiungere i loro obiettivi, e come ne affrontano le conseguenze. La comprensione di questi processi, senza dubbio, renderà confusa la distinzione tra azioni positive e negative, dato che tutte le azioni sono fuse nella relazione stessa ed è soltanto il risultato finale che conta. Non mi stupirei, per esempio, se la riconciliazione facesse di più che salvare le relazioni umane dai conflitti e dalle tensioni che le minano. Il desiderio di superare i sentimenti ostili non è forse l'estrema prova d'amore? Urla e grida seguiti da dolcezza possono in effetti rafforzare un legame, in quanto la sequenza rassicura ambo le parti sulla vitalità della relazione. Non ci fidiamo di una nave prima che abbia superato una tempesta. Ugualmente, una storia di

Le madri reso sono alquanto severe con i piccoli. Questo piccolo risponde con un ghigno di paura al morso della madre: aveva fatto resistenza al tentativo di lei di toglierselo dalla pancia. (Wisconsin Primate Center.)

felici riconciliazioni può dare il coraggio di aprirsi davvero l'uno con l'altro.

Sono i paradossi a rendere avvincenti il processo del perdono e della riconciliazione: ratti litigiosi ma cooperativi, competitori uniti in gerarchie, lotte per il cibo risolte con il sesso, mogli maltrattate eppure legate al marito, la simpatia degli ostaggi per i rapitori, e così via. Quest'ultimo enigma è stato spiegato da Charles Bahn con lo svilupparsi di sentimenti di estrema gratitudine verso qualcuno che ha minacciato in modo credibile la vita di qualcun altro, senza poi agire in tal senso. In altre parole, i terroristi che uccidono sono assassini, quelli che quasi uccidono sono cavalieri che lottano per una giusta causa, almeno agli occhi di alcune delle vittime.

I paradossi turbano le nette dicotomie che tracciamo per rendere chiari i nostri pensieri. Per questo motivo, i paradossi vengono spesso trattati come bizzarrie. Eppure, il loro numero può raggiungere un livello tale che creare dicotomie diventa inutile. Evidentemente io credo che questo sia ciò che è successo alla divisione tra comportamento agonistico e affiliativo; non che sia difficile distinguerli (tutti sappiamo distinguere tra uno schiaffo e un bacio su una guancia), ma perché, a lungo andare, i due comportamenti si intrecciano. Condannare l'aggressività come comportamento antisociale è, come tutti i moralismi, una semplificazione. Se gli scienziati non si allontaneranno da questi giudizi di valore, non raggiungeranno mai una completa comprensione del modo in cui il conflitto modifica la nostra vita sociale.

Gradi di raffinatezza

Le antropomorfe e le scimmie adattano il loro comportamento alle circostanze e raggiungono una grande raffinatezza nella risoluzione dei conflitti. Non hanno trattative preliminari per decidere la forma della tavola alla quale si incontreranno le parti né organizzano i cosiddetti dialoghi di avvicinamento con intermediari che fanno la spola tra delegazioni in stanze diverse; ciononostante gli scimpanzé sanno cos'è la mediazione. Nella colonia di Arnhem non è raro che una femmina rompa il ghiaccio tra due maschi adulti che dopo uno scontro stanno vicini, ma sembrano incapaci di riaprire la comunicazione. I due maschi evitano il contatto visivo e fanno il noto gioco in cui uno lancia brevi occhiate mentre l'altro guarda altrove. Una femmina può avvicinarsi a uno dei maschi, toccarlo brevemente o fargli un po' di *grooming*, poi proseguire verso l'altro con il primo che la segue da vicino. In questo modo il maschio non è costretto a guardare verso l'avversario. Quando la femmina si siede vicino al secondo maschio, tutti e due le fanno *grooming*. Basta un piccolo spostamento perché i due si facciano *grooming* tra loro, dopo che la femmina si è allontanata. Che la mediatrice sappia ciò che sta facendo risulta chiaro dal modo in cui si guarda indietro e aspetta il maschio che esita a seguirla. Può anche tornare indietro e trascinarlo per un braccio.

Anche se non ho mai osservato macachi mediare un conflitto, ciò non implica necessariamente una mancanza di consapevolezza sociale in queste scimmie. Una volta il secondo maschio della gerarchia, Hulk, aveva inseguito Tom, uno dei maschi più giovani. Subito dopo, la madre di Tom si era avvicinata a Hulk per fargli *grooming*. Mentre lei stava facendo questo, Tom si fece sempre più vicino, finché si sedette a meno di un metro da loro. Appena la madre si accorse di lui, si fece da parte guardando altrove e abbandonò la scena quando il figlio prese il suo posto contro la schiena di Hulk. Abbiamo osservato un certo numero di situazioni simili in cui scimmie si fanno da parte per permettere il contatto tra precedenti rivali. Queste osservazioni ci avvertono che le capacità di mediazione di scimpanzé e uomini potrebbero non essere del tutto senza precedenti. I nostri antenati scimmieschi potevano avere già un importante prerequisito: l'abilità di saper riconoscere e facilitare i tentativi di riconciliazione tra gli altri.

Perdere la faccia è una calamità che noi umani sappiamo riconoscere facilmente, eppure troviamo difficile definirla in termini comportamentali oggettivi. Sono convinto che le tattiche per salvare la faccia siano importanti tra i nostri parenti scimmieschi quanto lo sono tra noi. Se due maschi scimpanzé sono riluttanti a fare pace, ma colgono senza esitazione l'opportunità di compiere un approccio da dietro la schiena di un mediatore, è come se l'orgoglio avesse impedito di prendere loro stessi l'iniziativa. In qualche caso i maschi risolvono questo problema senza l'aiuto di un terzo individuo. Yeroen, per esempio, si fingeva interessato a un piccolo oggetto per rompere la tensione e attrarre l'attenzione del suo avversario. Improvvisamente scopriva qualcosa nell'erba e schiamazzava forte, guardando in tutte le direzioni. Un certo numero di scimpanzé, compreso il suo avversario, accorrevano sul posto. Subito gli altri si disinteressavano e si allontanavano, mentre i due maschi rivali restavano lì. Emettevano suoni eccitati mentre odoravano e maneggiavano la scoperta, concentrando su questa tutta la loro attenzione. Così facendo, le loro teste e le loro spalle si toccavano. Dopo qualche minuto i due si calmavano e iniziavano a farsi *grooming*. L'oggetto, che io non sono mai riuscito a identificare, era stato dimenticato.

Perché una bugia collettiva funzioni è necessario che una parte inganni e l'altra agisca *come se* fosse stata ingannata. Sono tentato di spiegare i precedenti episodi in questo modo. Il fatto che, oltre allo stesso Yeroen, il suo rivale fosse affascinato da una scoperta che risvegliava così poco interesse negli altri, suggerisce che ambedue i maschi comprendevano lo scopo delle loro azioni. Negli uomini, le bugie collettive sono metodo usato comunemente per salvare la faccia. Colin Turnbull ha descritto un bell'esempio di questo comportamento nei pigmei BaMbuti del Congo. In questo popolo che vive nella foresta, le capanne vengono sempre costruite dalle donne; durante le dispute matrimoniali queste se ne fanno un punto di forza e demoliscono parte della casa. Di solito il marito si arrende quando il litigio arriva a tal punto. Tuttavia, una volta un uomo molto testardo non ha fermato la moglie, e ha anche detto, davanti a tutta la tribù, che lei avrebbe avuto terribilmente freddo quella notte. Per non essere svergognata, la donna doveva continuare l'opera di distruzione. Così iniziò pian piano a tirare via i bastoni che costituivano l'intelaiatura della capanna. Secondo l'antropologo, lei era in lacrime perché il passo successivo consisteva nell'impacchettare le sue cose e tornare dai genitori. L'uomo era altrettanto triste. La situazione gli stava chiaramente sfuggendo di mano, e per peggiorare ancora di più le cose tutta la tribù era venuta a guardare. All'improvviso l'uomo si rasserenò e disse alla moglie di lasciar stare i bastoni, dato che solo le foglie del tetto erano sporche. Lei lo guardò confusa, poi capì. Insieme portarono le foglie al torrente e le lavarono. Tutti e due erano di umore molto migliore quando la donna rimise le foglie sulla capanna e l'uomo andò a cacciare per la cena. Turnbull sostiene che, anche se nessuno credeva che la donna avesse tolto le foglie perché erano sporche, tutti stettero al gioco. «Per vari giorni le donne cortesemente parlarono degli insetti tra le foglie delle loro capanne e portarono alcune foglie al torrente per lavarle, come se fosse una procedura del tutto normale. Non l'avevo mai visto fare prima di allora né lo vidi in seguito.»

Le bugie collettive permettono di raggiungere compromessi senza creare né vincitori né vinti. È la strategia opposta a quella di una riconciliazione esplicita, in cui le parti discutono apertamente del problema che le divide. L'uso di scuse per un riavvicinamento aggiunge un ulteriore livello di intenzionalità al processo di pace. Oltre il livello dei motivi espliciti troviamo un insieme molto differente di motivazioni. Negli uomini, i motivi nascosti sono di solito meno nobili di quelli dichiarati al mondo esterno; l'interesse personale è alla base, in pratica, di ogni gesto di pace. Potremmo anche scoprire qualcosa di veramente malvagio. Gli individui possono arrivare al punto di fingere di essere disposti a fare pace per raggiungere l'obiettivo opposto: la vendetta. Tra gli scimpanzé di Arnhem, negli anni in cui li ho osservati, questa estrema forma di inganno si è verificata in sei distinte occasioni ed era stata perpetrata in tutte e sei da femmine che non erano riuscite, in un precedente scontro aggressivo, a mettere le mani sull'avversario. La femmina si avvicinava alla mancata vittima con un gesto di invito, come una mano tesa, e manteneva l'atteggiamento amichevole fino a quando l'altro, così attratto, non era vicino. Solo a questo punto la femmina, improvvisamente, afferrava e attaccava il suo ingenuo avversario.

Invece di definire questo comportamento un raggiro, potremmo invocare una spiegazione alternativa, secondo la quale la femmina aveva cambiato idea e voleva davvero fare pace ma, quando l'avversario si era avvicinato, i suoi sentimenti di ostilità si erano riaccesi. Tuttavia questa interpretazione ha dei punti deboli. Perché le vittime erano sempre individui di basso rango in grado di sfuggire alla femmina? Perché lei aspettava proprio l'ultimo momento per cambiare idea? E che bisogno aveva di punire fisicamente la vittima, quando un leggero grugnito sarebbe bastato a fermare l'approccio? La mia impressione è che gli attacchi fossero troppo repentini e cattivi per essere il risultato di esitazione e di emozioni contrastanti. Io credo che queste fossero mosse premeditate che avevano lo scopo di regolare il conto. La capacità dello scimpanzé di fingere è avvalorata da altre osservazioni in cattività e in natura, e anche da ricerche sperimentali.

I precedenti aneddoti chiariscono che mettere in relazione il comportamento umano e quello animale non implica affatto che le nostre capacità di risoluzione dei conflitti siano «istintive» (nel senso restrittivo dell'uso corrente della parola), e cioè comportamenti innati e stereotipati che eseguiamo senza pensare. Se i primati usano tanta della loro intelligenza in queste situazioni, gli uomini non faranno altrettanto o di più? Previsione e pianificazione permeano tutti gli aspetti della nostra vita sociale, compreso il modo in cui fronteggiamo tensioni e aggressività. Mi ricordo ancora come, da bambino, mi affrettassi a fare pace col mio fratello più piccolo se sentivo arrivare uno dei miei genitori, sapendo benissimo per chi avrebbe parteggiato. I miei fratelli più grandi facevano lo stesso, dopo aver bisticciato con me. Poiché le prime esperienze non si dimenticano mai, ho subito riconosciuto il meccanismo quando l'ho visto in opera in una famiglia di scimpanzé allo Yerkes Primate Center di Atlanta, dove ho recentemente condotto uno studio.

Questa famiglia era compostá da una femmina di nome Lolita e da due figli, una femmina ormai adulta, Sheila, e un maschio di sei anni, Brian. I tre vivevano in un gruppo di venti scimpanzé. Anche se Lolita è, per gli standard degli scimpanzé, alquanto minuta, è la femmina alfa della colonia (forse perché è l'individuo più vecchio). Sheila non era benvoluta dal gruppo, diversamente dalla madre. Nell'esperimento che avevo organizzato per registrare il comportamento di spartizione del cibo, si era rivelata molto egoista. Sheila era l'obiettivo preferito di due turbolenti giovani maschi, quando erano in vena di provare sulle femmine le loro capacità di lotta. Uno di questi maschi era Brian, il fratello minore di Sheila. Quando il suo compagno era vicino e lo affiancava, Brian spesso infastidiva Sheila tirandole sabbia, sputandole addosso o dandole improvvisi colpi sulla schiena. Ovviamente questo non andava giù a Sheila. Quando lei lo trovava da solo, gli dava spinte se dormiva, rifiutava le sue richieste di *grooming* e si comportava in altri modi sottilmente negativi che a volte portavano a uno scontro. Anche se Sheila era più forte del fratello, doveva stare attenta. Appena Brian gridava un po', Lolita alzava lo sguardo. Non l'ho mai vista accorrere per rimediare alla situazione, ma li teneva d'occhio e spesso si avvicinava. Si sedeva a qualche metro di distanza, comportandosi diplomaticamente come se non accadesse nulla. Questo era proprio il tipo di pressione di cui Sheila aveva bisogno per fare pace. Allora lei abbracciava Brian, gli faceva *grooming* o gli tirava per gioco una gamba (di solito lei non giocava mai). Spesso i due lanciavano occhiate alla madre. Lolita intervenne solo due volte e in tutti e due i casi Brian se ne avvantaggiò, aiutando la madre a inseguire la grossa sorella.

Le riconciliazioni strategiche sono comuni tra scimpanzé. Ad Arnhem, Nikkie faceva pace con il suo alleato nel bel mezzo di un conflitto, se il terzo maschio iniziava una parata di intimidazione. Alla Yerkes Field Station, ho osservato riconciliazioni insolitamente veloci tra femmine che avevano avuto uno scontro, prima che arrivasse il custode con il fascio di rami che usavo per i test sulla spartizione del cibo. Alla vista del custode, le femmine rivali si abbracciavano e si baciavano in fretta. Suppongo che nessuna delle due volesse correre il rischio di non essere in buoni rapporti con l'altra, nel caso in cui la rivale ottenesse il cibo.

In breve, sia negli uomini sia negli scimpanzé si possono trovare alcune importanti variazioni di base sul tema della riconciliazione, compresa la mediazione di terzi, l'opportunismo e l'inganno. Nel decidere se appianare una disputa, non c'è dubbio che gli uomini superano le antropomorfe nel grado di raffinatezza con cui sanno prendere in considerazione opzioni e conseguenze. Tuttavia il punto saliente è che ambedue le specie prendono decisioni basate sull'esperienza e sul calcolo. Per questo motivo le somiglianze osservate possono avere più a che fare con il modo in cui il cervello risolve i problemi che con la programmazione genetica del comportamento.

Nelle scimmie la risoluzione dei conflitti sembra un processo più semplice e più diretto, ma nel confrontarle con gli uomini e le antropomorfe non dovremmo accentuare le differenze a spese della continuità. Tutte le cinque specie di primati qui esaminate ricercano il contatto con gli ex avversari. Lo fanno in modi diversi, dallo strofinamento-GG delle femmine bonobo a schemi umani specifici delle singole culture, come una stretta di mano. Ogni specie utilizza la consapevolezza sociale e l'intelligenza di cui dispone. La complessità dell'approccio va da un semplice contatto di *grooming* tra due scimmie reso alla strategia tipicamente umana di sondare, attraverso intermediari prima che i rappresentanti delle due parti si incontrino, gli umori in campo avversario.

Solo alcuni elementi devono essere innati, perché il meccanismo della riconciliazione funzioni. Un requisito minimo indispensabile è, ovviamente, il riconoscimento individuale; i membri della specie devono essere in grado di ricordare con chi si sono scontrati. Altri elementi necessari sono la capacità di subire cambiamenti emotivi relativamente rapidi dall'ira ad atteggiamenti amichevoli, e di venire tranquillizzati dal contatto corporeo e da certi gesti, come il ritrarsi delle labbra dai denti in un ghigno o in un sorriso. Ma anche questi aspetti sono influenzati dall'ambiente. Una scimmia allevata in isolamento, per esempio, sarà molto turbata la prima volta che viene toccata. Perciò la ricerca dei princìpi fondamentali e immutabili della riconciliazione è un po' come la ricerca del Sacro Graal. È molto più proficuo pensare in termini di *potenzialità*. Abbiamo in comune con i nostri parenti scimmieschi uno schema psicologico che, completato attraverso le interazioni con genitori, fratelli e coetanei, ci permette di sviluppare le abilità sociali della riconciliazione.

La presenza di questo schema non è sempre ovvia, e la natura lo ha prodotto in forme diverse, a seconda dell'ambiente e del tipo di vita della specie. Le caratteristiche dello schema umano sono indubbiamente collegate alla nostra lunga storia di cacciatori-raccoglitori. Vista l'intensa vita comunitaria e la grande interdipendenza negli attuali cacciatori-raccoglitori, possiamo supporre che la capacità di trovare alternative all'aggressione diretta e di ricostituire il tessuto sociale danneggiato devono essere state di importanza cruciale nell'evoluzione umana.

Condizioni di pace

John Paul Scott ha scritto, dando voce all'idea tradizionale che l'aggressività porta alla dispersione, che «l'effetto più generale del conflitto è di far sì che un animale ferito si allontani da un altro; ciò porta a una regolazione nell'uso dello spazio». Le mie osservazioni mostrano che la regola non vale per i primati che vivono in gruppo, e che per questi primati «guarire dalle proprie ferite» non è una questione di tempo. Essi dispongono di mezzi per accelerare il processo. Ho saputo da colleghi primatologi che finora tre studi non pubblicati hanno messo in luce questo fenomeno in altre specie. Ora che ciò è stato dimostrato, dobbiamo studiare le *condizioni* che determinano se due individui si riavvicinano dopo un conflitto, entrano in una spirale di violenza, o ignorano il danno subito dalla loro relazione. La scelta dipende senza dubbio da molteplici considerazioni, come il valore della relazione, la sua storia e il costo di serbare rancore.

La pace è sempre legata a condizioni particolari. In politica internazionale, la nazione A è pronta a mostrarsi amica della nazione B, soltanto se B smette di aiutare certi ribelli, ritira le sue truppe da una terza nazione, risarcisce A per i crimini di guerra, restituisce questo o quello ad A, accetta le rivendicazioni di A su una regione di confine, è pronta ad aiutare A contro i suoi nemici, e così via. Maggiore è la forza di una nazione, più numerose sono le sue richieste, dato che l'accordo preferito è quello in cui A può decidere come B si dovrà comportare in futuro. Oltre a porre fine alla guerra, un trattato di pace segna l'inizio di un rapporto basato su nuovi termini. Ogni leader ha chiare in mente queste condizioni e non soltanto quando la guerra finisce. Prima che l'esercito italiano decidesse di unirsi a Hitler nell'invasione della Francia nel 1940, si racconta che Benito Mussolini disse ai suoi marescialli: «Ho bisogno solo di qualche migliaio di morti, così mi potrò sedere alla conferenza di pace come un uomo che ha combattuto».

La motivazione della rappacificazione tra i primati è in gran parte ancora inesplorata. Le scimmie reso si riconciliano soprattutto con parenti e con membri della propria classe sociale. Dato che questi sono in genere anche i loro alleati, non è difficile indovinare le ragioni per fare pace. Gli scimpanzé d'altronde mostrano una straordinaria differenza tra sessi: i maschi sono molto più aggressivi e si riconciliano di più delle femmine (il che, come ho spiegato, può essere correlato alla flessibile rete di coalizioni dei maschi e al loro bisogno di rimanere uniti per affrontare i conflitti tra gruppi).

Il meccanismo che permette agli scimpanzé maschi di raggiungere l'integrazione sociale nonostante un'accesa competizione è l'ordine gerarchico formalizzato, che facilita la riconciliazione attraverso la divisione dei ruoli. Perciò l'indicazione di miglioramento in un rapporto competitivo è l'emergere di un chiaro vincitore. Anni fa ho trascorso varie centinaia di ore a registrare una lotta per la dominanza tra Yeroen e Luit, che si svolgeva nelle gabbie dove la colonia di scimpanzé di Arnhem trascorre l'inverno. Il mio obiettivo era di essere presente quando uno dei due maschi si fosse sottomesso formalmente all'altro mediante il noto rituale di inchini e grugniti ansimanti, per poter confrontare la relazione prima e dopo questo momento. Alla fine, dopo tre mesi di intimidazioni giornaliere e di conflitti rumorosi, Yeroen capitolò. Credo di aver assistito proprio al primo grugnito di sottomissione che Yeroen rivolse a Luit, dato che in quell'occasione gli altri scimpanzé reagirono correndo ad abbracciare i due maschi. Il gruppo doveva aver aspettato quel momento con la mia stessa impazienza. I miei dati rivelarono un improvviso e drastico miglioramento della relazione tra i due rivali. Nella successiva settimana i due si facevano *grooming* venti volte di più che nel periodo precedente al riconoscimento dello status di Luit da parte di Yeroen, e la frequenza e l'intensità dei loro scontri diminuirono rapidamente.

Pure tra gli uomini l'accettazione di una disparità allevia le tensioni? Anche questa è un'area del comportamento umano per la quale, a quanto ne so, non ci sono dati. La leggendaria rivalità tra Anatolij Karpov e Garij Kasparov, i due campioni russi di scacchi che si contendevano il titolo mondiale, assomiglia alla lotta tra Yeroen e Luit. I giocatori di scacchi hanno bisogno di enorme concentrazione e pertanto a volte (come in questo caso) considerano i movimenti del corpo o l'abbigliamento dell'avversario come deliberate azioni di disturbo. L'ostilità, la suspense e le accuse tra Karpov e Kasparov aumentavano a ogni partita e davvero ce ne furono molte. Occorsero novantasei partite, un numero senza precedenti, prima che fosse raggiunto un risultato decisivo. Dopo la mossa finale sulla scacchiera, che sancì la detronizzazione del campione mondiale Karpov, i due uomini si alzarono, si strinsero la mano e scambiarono qualche parola. Questo fu il primo contatto amichevole osservato in due anni. A guerra conclusa, i due potevano finalmente permettersi un po' di calore umano.

L'uguaglianza e l'unità sono difficili da combinare all'interno di un unico sistema sociale. In assenza di un'organizzazione gerarchica, il contrasto interno porta a scissioni. I movimenti politici di sinistra che hanno cercato di organizzarsi per ragioni ideologiche senza capi eletti, tendono a dividersi in fazioni. Confrontiamo la Chiesa cattolica romana con i gruppi religiosi protestanti. Nonostante una discreta quantità di discordie interne, i cattolici sono tenuti insieme da un'autorità centrale, mentre i protestanti si organizzano essenzialmente su base territoriale, con una pluralità di sette autonome. Data questa differenza, ci si chiede se potrà mai essere raggiunto l'ideale ecumenico, la riconciliazione tra tutti i cristiani, senza adottare una struttura piramidale. Questo processo è attualmente in atto tra la Chiesa anglicana e Roma, ed è interessante seguirne le mosse preparatorie. Nonostante l'ovvio timore di venire assorbiti dalla cosiddetta Madre Chiesa, l'arcivescovo anglicano Runcie ha messo l'accento sull'utilità del papato «come punto focale di unità e amore» («Time», 7 giugno 1982). Se un patto sta per essere stretto, il suo profilo gerarchico è già riconoscibile.

Questo non significa che la risoluzione di un conflitto su base paritaria è impossibile; è stata, per esempio, descritta per gabbiani in coppia. Secondo quanto afferma Judith Hand, le coppie di gabbiani risolvono i conflitti per il cibo spartendosi i pezzi più grossi e mangiando i più piccoli in base alla regola del primo arrivato. È una semplice convenzione, semplice come la regola di priorità in un rapporto gerarchico. Ciò può essere visto come l'insorgere di quelle che Hand chiama sfere di dominanza nell'ambito di una relazione. In questa forma più flessibile di risoluzione del conflitto, ogni partner periodicamente cede all'altro, a seconda della questione in ballo. Molte coppie sposate seguono questo schema.

Le femmine bonobo rappresentano un'altra possibile eccezione. Da ciò che ho osservato allo zoo di San Diego e appreso da resoconti in natura (in ambedue i casi si tratta di dati preliminari), le femmine di questa specie vivono notevolmente bene, nonostante l'assenza di una pronunciata gerarchia. I loro intensi contatti sessuali fungono da alternativa? Quanto è efficiente questo tipo di organizzazione sociale rispetto a una gerarchica? Viene in mente la difesa del lesbismo fatta inizialmente dal movimento femminista, che aveva l'intento di creare solidarietà. Davvero funziona in questo modo? Dobbiamo studiare queste alternative per conoscere l'intera gamma di meccanismi di unificazione sociale, avendo chiaro in mente che il metodo più vecchio e diffuso, adottato sia dai maschi sia dalle femmine di molte specie, è la formazione di una gerarchia.

L'unificazione attraverso la subordinazione ha dato forma al mondo. Anche se le guerre dividono temporaneamente i popoli, storicamente sono state una forza unificante. Molte delle moderne nazioni devono la loro esistenza a pochi conquistatori minori e a uno grande. Una eccezione a questa regola sono varie ex colonie, come gli Stati Uniti e l'India, che hanno raggiunto il loro senso di unità durante un periodo di insubordinazione, mentre lottavano per la libertà. Questo tipo di cooperazione tende a indebolirsi dopo che il potere coloniale ha lasciato la scena. Perciò non è detto che la Repubblica indiana riuscirà a restare unita (il Pakistan e il Bangladesh si sono già separati) e il territorio americano probabilmente oggi ospiterebbe due nazioni indipendenti se i nordisti non avessero sconfitto i sudisti in una guerra civile.

Se nella storia militare umana la sottomissione è spesso seguita dall'integrazione, esiste l'immagine speculare di questo processo, in cui le guerre tra gruppi che un tempo erano uniti si rivelano particolarmente spietate. Napoléon Chagnon ha studiato gli indios Yanomamö del Venezuela, dove i maschi ingaggiano lotte sanguinose per accaparrarsi raccolti e donne. L'antropologo ha osservato che «il peggior nemico degli abitanti di un villaggio è il gruppo dal quale si sono recentemente separati». Ciò può essere vero anche a livello interpersonale, dopo una divisione in una famiglia numerosa, per esempio, o durante un divorzio. Dobbiamo tuttavia essere molto prudenti, perché potremmo esserci fatti influenzare dalle circostanze. Forse l'odio ci *appare* peggiore quando coinvolge individui precedentemente legati rispetto a quando coinvolge estranei. La violenza brutale tra due comunità di scimpanzé a Gombe ha particolarmente sconvolto gli studiosi perché gli aggressori e le loro vittime un tempo erano amici e facevano parte della medesima comunità. «Separandosi» dice Jane Goodall «è come se avessero perso il "diritto" di essere trattati quali membri del gruppo, e pertanto venivano trattati da estranei.» La mia domanda è: venivano trattati *soltanto* come se fossero estranei o, visto il precedente legame, peggio di così?

Mi ricordo di un episodio cui ho assistito nel 1975, quando ero studente, e che ho descritto accuratamente. Il maschio alfa di un gruppo di macachi di Giava mostrava un profondo squarcio causato dai canini di un altro maschio. Gli tremavano le gambe per la paura ogni volta che il figlio adulto, che era ormai due volte più robusto di lui, gli passava accanto. Evidentemente c'era stato uno scontro tra i due, eppure il maschio più giovane non aveva mai preteso di assumere il ruolo alfa. Sembrava quasi che non si rendesse conto di essere in grado di farlo; forse aveva battuto il maschio più vecchio per difendersi, non per sfidarlo. In ogni caso, il nervosismo del maschio alfa creava una notevole tensione che i due maschi, nel modo tipico dei macachi, scaricavano su un capro espiatorio. Insieme scacciavano la vittima in un angolo della gabbia, poi la attaccavano a turno. Dopo parecchi giorni si calmarono; il maschio alfa aveva conservato la sua posizione, e io potei scrivere il mio primo articolo che trattava dell'effetto stabilizzante di un comune bersaglio da aggredire. L'unico aspetto che non sono stato in grado di spiegare fu che il capro espiatorio non era una delle scimmie di rango più basso, fra le quali di solito viene scelta la vittima, ma la madre del maschio più giovane, contro la quale lui stesso iniziava gran parte degli attacchi.

Dopo aver acquisito una ben maggiore esperienza con i primati, ora ritengo che quella fosse tutt'altro che una scelta insolita. Spesso la redirezione dell'aggressività si verifica a spese di parenti stretti e di amici. Noi esseri umani sappiamo tutti che un coniuge sfoga tensioni e frustrazioni dovute al lavoro sull'altro coniuge. Sino a quando la relazione è in grado di assorbire la tensione, senza che questa si trasformi in violenza, la procedura è abbastanza priva di pericoli, ed è forse più sicura che manifestare quei sentimenti sul posto di lavoro. Tuttavia ne risulta un altro paradosso, e cioè che l'ira viene più prontamente espressa contro persone con cui sappiamo di poter fare pace. Approfittiamo del fatto che ci amano.

Questo problema ha un altro aspetto. Se le persone hanno un rapporto del quale sono insicure, pur di conservare una pace vacillante, l'ira può non essere esternata. In termini molto generali, quindi, che l'aggressività venga mostrata o meno dipende dall'impatto che ci aspettiamo abbia sulla relazione, e che si faccia pace o meno dipende dalle richieste dell'altra persona. Se l'aggressività va troppo oltre, mettiamo in pericolo il matrimonio o l'amicizia; se la pace viene offerta troppo presto, finiamo con l'ottenere condizioni svantaggiose. Non si è ancora ben compreso come queste due tendenze si bilancino, ma dato che la stessa ambivalenza è stata notata anche in altri primati, è possibile che studi particolareggiati sulla risoluzione dei conflitti negli animali portino a teorie di cui possiamo verificare la validità per il comportamento umano.

Non c'è dubbio che i bambini, quando si arrampicano sugli alberi, corrono intorno alla casa, giocano ad azzuffarsi, somiglino alle scimmie. Non c'è nulla di sbagliato in questo paragone, finché riguarda il comportamento di gioco e le capacità motorie. Tuttavia, nei circoli accademici è nata una particolare inversione del paragone bambino-primate: l'idea che gli altri primati siano *mentalmente* come bambini umani. La nozione che tutti i primati eccetto gli esseri umani adulti appartengono al giardino d'infanzia è semplicemente troppo bella per essere vera.

La principale fonte di confusione sono i film. A Hollywood piacciono le scimmie attori. Chi va al cinema e le vede come grottesche imitazioni di esseri umani, non ne ha mai abbastanza delle loro smorfie e buffonate. Per me i film di *Bonzo* e i calendari con le antropomorfe vestite sono una maledizione. Sono un insulto alla dignità propria di queste creature e non condanno gli «attori» se a volte attaccano la *troupe* con cui lavorano, visto che il loro addestramento non è esente da punizioni fisiche.

Decine di anni fa, John Bauman ha usato un dinamometro per confrontare la forza muscolare di uno scimpanzé adulto con quella dei giocatori di rugby del college locale. Questi giovani, con una mano sola, esercitavano in media una forza di trazione di 79 chilogrammi con un massimo di 95, mentre le antropomorfe avevano una prestazione di parecchio superiore. Uno scimpanzé maschio che pesava 75 chili arrivò a sviluppare una forza di 384 chilogrammi, con una mano sola. Proprio a causa della loro temibile forza, nei film o in televisione gli scimpanzé adulti non compaiono in interazioni dirette con le persone. Le antropomorfe del mondo dello spettacolo raramente hanno più di sette od otto anni, età paragonabile a quella di un bambino di dieci anni. Per la stessa ragione gli esperimenti sul linguaggio, in cui alle antropomorfe viene insegnato a comunicare per mezzo di simboli o di segni fatti con le mani, si concludono quando i soggetti raggiungono l'adolescenza. Non sorprende quindi che, nell'immaginazione del pubblico, le antropomorfe non crescano mai. Vengono viste come creature tenere e giocherellone, che si lasciano portare in giro e che si mettono sempre nei guai. Anche gli scienziati vengono tratti in inganno, come risulta dalle frequenti affermazioni che lo sviluppo mentale delle antropomorfe non supera quello di un bambino di x anni di età. Il valore di x varia, ma di solito non supera sei. G. Ettlinger ha suggerito che «certe questioni teoriche possono essere risolte, se il confronto tra primati e uomo viene ri-specificato: *primate/bambino* umano». È tuttavia importante notare che questa opinione raramente proviene da studiosi che hanno avuto esperienza diretta con antropomorfe adulte.

Definire un certo gruppo di adulti come infantili non è una novità, e io ho sospetti sulle motivazioni per farlo. Gli uomini bianchi hanno mostrato tale atteggiamento paternalistico verso altre razze, verso le donne, perfino verso intere nazioni (sentite cosa ha detto il generale William Westmoreland: «Il Vietnam mi ricorda la crescita di un bambino»). Secondo Stephen Jay Gould l'argomento «primitivi-come-bambini» è servito a giustificare lo schiavismo: «Per chiunque voglia affermare l'innata diseguaglianza tra razze, poche argomentazioni biologiche sono più allettanti di quella della ricapitolazione, la quale asserisce che i bambini delle razze superiori (inevitabilmente la propria) attraversano e superano la condizione che gli adulti raggiungono nelle razze inferiori». L'utilizzo della stessa argomentazione per i nostri parenti antropoidi è improprio per due ragioni.

Innanzitutto, le scimmie antropomorfe da adulte non sono cooperative con l'uomo, pertanto la nostra attuale conoscenza della loro intelligenza e psicologia è basata quasi esclusivamente su esperimenti condotti con giovani. Questi individui sono rappresentativi della loro specie circa quanto i bambini in età prescolare lo sono per la razza umana. In ambedue le specie, la psicologia degli adulti è profondamente diversa e orbita intorno a rango, sesso, mezzi di sostentamento e figli. Le tattiche che gli scimpanzé maschi adulti usano nei giochi di potere e le capacità di mediazione delle femmine adulte, per menzionare solo due esempi, riflettono preoccupazioni e una consapevolezza sociale molto più simili a quelli di uomini e donne che a quelli di bambini. La castrazione e l'eliminazione di un rivale effettuate in collaborazione per motivi di competizione sessuale, osservate nella colonia di Arnhem, sono da ogni punto di vista cose da grandi.

Dalle famiglie umane che hanno allevato antropomorfe, sappiamo che i piccoli delle due specie sono ottimi compagni di gioco. Fanno lo stesso tipo di giochi (re della collina,* moscacieca, il solletico) e mostrano la stessa spensieratezza. Il loro senso del gioco, la comunicazione e perfino i gusti in fatto di programmi televisivi

---

* Si tratta di un gioco denominato in inglese «King of the hill», in cui un bambino sta in piedi su un'altura e rappresenta il re; gli altri, tutt'intorno, lo spingono violentemente per farlo cadere; il vincitore si sostituisce a lui e diventa re a sua volta. [*N.d.T.*]

concordano alla perfezione. Non dobbiamo dare per scontato che i bambini siano più svegli delle antropomorfe. Winthrop e Luella Kellogg, dopo aver preso centinaia di misure standard sulla crescita e lo sviluppo del loro figlio Donald e di una femmina scimpanzé, Gua, hanno trovato che l'antropomorfa era più brava del bambino. Fu più precoce nel mangiare col cucchiaio, nel bere dal bicchiere e nell'annunciare che doveva fare pipì (dandosi pacche sui genitali). Gua superava Donald anche nella comprensione delle parole e in molti test d'intelligenza. Le osservazioni ebbero termine quando i due piccoli avevano diciotto mesi d'età. Si potrebbe sostenere che, se l'esperimento fosse durato più a lungo, sarebbero emerse importanti differenze a favore del bambino. A questo i Kellogg hanno risposto: «Se si è davvero aperti sull'argomento, non si può ignorare la logica possibilità che l'antropomorfa avrebbe potuto continuare a mostrare la sua superiorità in molti modi diversi». Eccettuata l'abilità nel linguaggio, che è certamente meglio sviluppata nella nostra specie, l'opinione dei Kellogg, che risale ai primi anni Trenta, è ancora valida.

La seconda ragione per cui dovremmo pensarci bene prima di ridurre un complesso confronto tra due specie alla semplice conclusione che le antropomorfe sono come bambini è che la specie umana è considerata *neotenica*. Rispetto agli altri primati, gli uomini hanno una maturazione ritardata e mantengono caratteri infantili anche da adulti. Per esempio, la fronte ampia, un grosso cervello e radi peli sul corpo sono più caratteristici dei piccoli delle antropomorfe che degli adulti. Al di fuori della biologia, l'argomento della neotenia non viene compreso bene; è stato invocato per sostenere proprio l'affermazione con cui contrasta più violentemente.* Ciò che vuol dire veramente è che l'essere umano rassomiglia, per dirla con le famose parole di Louis Bolk, a «un feto di primate che è diventato sessualmente maturo». Altri hanno esteso questa idea a caratteristiche comportamentali giovanili, come la notevole giocosità e curiosità dell'*Homo ludens*, come Johan Huizinga ha chiamato la nostra specie. Riassumendo, è probabilmente più vicino alla verità dire che gli uomini somigliano a piccoli di antropomorfa e che si comportano come loro, piuttosto che le antropomorfe assomigliano e si comportano come bambini umani.

* Per esempio, il politologo Glendon Schubert scriveva nel 1986: «Data la neotenia degli umani contemporanei, non è sorprendente che il comportamento dei nostri bambini abbia così tanto in comune col comportamento degli scimpanzé adulti o dei babbuini ».

Nonostante ciò, il confronto tra uomini e altri primati comprende, da parte umana, soprattutto il comportamento infantile. Un numero crescente di ricercatori applica le tecniche di osservazione etologica allo studio dei bambini, mentre il campo del comportamento umano adulto è ancora in gran parte esente da questo cambiamento metodologico. È certo più facile osservare bambini che adulti, i quali si imbarazzano quando vengono fissati da qualcuno che prende nota di ogni volta che sorridono, alzano la voce, nascondono il volto, si passano una mano sulla fronte, ridono o sbattono la porta. I bambini si fanno gli affari loro, senza lasciarsi influenzare, anche se un'intera squadra di etologi li sta osservando. Fred Strayer, che si occupa di uno studio a lungo termine in un asilo di Montreal, ha numerosi assistenti che filmano attività di ogni tipo, dai pasti al gioco spontaneo. Avendo iniziato la sua carriera come primatologo, considera il suo attuale lavoro sostanzialmente simile all'osservazione delle scimmie, eccetto per due elementi. I bambini parlano, per cui deve essere ideato un sistema elaborato per classificare il contenuto e il tono delle verbalizzazioni. Secondo, è difficile ottenere informazioni dirette su una importantissima parte della vita dei bambini: il tempo che trascorrono a casa.

Strayer è interessato alle teorie di Michael Chance, il quale ha ipotizzato che la coesione e la coordinazione interna dei gruppi sociali sono imperniate intorno alla posizione dei membri dominanti. I subordinati sono attratti, seguono da vicino e imitano gli individui in cima alla scala sociale. A supporto di questo modello, conosciuto come *struttura dell'attenzione*, gli studi condotti a Montreal indicano che le gerarchie determinano la scelta degli amici. Già a un anno di età, i conflitti tra bambini hanno un esito prevedibile. È facilmente riconoscibile un ordine di dominanza, anche se è ancora soggetto a cambiamenti. Quando i bambini crescono l'ordine gerarchico si stabilizza e inizia a influenzare l'attrazione sociale. All'età di quattro anni, i bambini dominanti sono diventati i compagni di giochi e gli amici più ambiti. Da questo momento in poi, un alto rango tra i coetanei è associato alla popolarità. Sulla base dell'effetto strutturante dell'ordine gerarchico, e del modo in cui i bambini dominanti usano la loro posizione per porre fine alle lotte tra gli altri, Strayer è stato uno dei primi a parlare delle funzioni socializzanti del comportamento aggressivo.

Non si può però dire che l'aggressività non turbi mai le relazioni sociali. Hubert Montagner, che conduce ricerche simili in Francia, ha delineato una netta distinzione tra due tipi di bambini dominanti. Alla categoria, per dirla con Montagner, dei «dominanti aggressivi» appartengono soprattutto maschi che vanno in giro facendo i prepotenti con i coetanei. Colpiscono e spingono gli altri senza ragione, sottraggono loro i giocattoli senza chiedere e turbano l'armonia in vari modi. La seconda categoria è costituita dai cosiddetti leader, tra i quali troviamo maschi e femmine in uguale proporzione. A differenza dei dominanti aggressivi, i leader, prima di usare la forza (cosa che raramente fanno), danno un avvertimento e aspettano la risposta dell'altro. Un'altra differenza è che fanno pace dopo gli scontri e usano spesso gesti che calmano. Per esempio, se all'asilo nido arrivano nuovi bambini, i capi si avvicinano e tranquillizzano i piccoli, e minacciano chi li fa piangere. È chiaro che sono questi dominanti diplomatici a godere di maggiore popolarità, non quelli prepotenti.

L'offerta di regali è un particolare gesto di pacificazione che, sebbene molto comune nella nostra specie, è sconosciuto o molto raro negli altri primati.* Negli adulti può consistere nel mandare fiori, organizzare una cena di riconciliazione, o (per i ricchi) nel comprare gioielli. Gli studi di Irenäus Eibl Eibesfeldt su un'ampia gamma di culture umane indicano che il fare regali e lo spartire il cibo si sviluppano spontaneamente nei bambini piccoli, senza che venga loro insegnato. Montagner pone l'enfasi sull'importanza di questo comportamento dopo una discordia. Se un bambino offre un giocattolo a un altro con cui ha appena litigato, di solito i due iniziano un contatto amichevole, uno sforzo comune o un gioco di imitazione reciproca. I regali servono a riparare i legami. Se non ci sono regali adatti in giro, nessun problema: i bambini sono bravi simulatori. Cercano nelle loro tasche come se avessero con sé molte cose e offrono una mano vuota all'altro, che guarda felice il regalo immaginario.

Le osservazioni di Reinhard Schropp in un giardino d'infanzia tedesco hanno rivelato che il dono è più comune tra bambini che *non hanno* stretti legami e che viene usato come modo per iniziare un contatto. Un vantaggio, secondo Schropp, è che l'attenzione è concentrata sull'oggetto; i bambini non sono costretti a guardarsi, il che diminuisce il rischio di perdere la faccia se l'oggetto viene rifiutato. Se viene accettato, d'altronde, l'oggetto fornisce un buon argomento per ulteriori interazioni.

Un'altra interessante tecnica per salvare la faccia è stata osser-

---

* Al di fuori dell'ordine dei primati, l'offerta di un dono è abbastanza comune. L'offerta di cibo è parte della parata di corteggiamento di molti uccelli, e i maschi di alcuni insetti portano un «dono nuziale» quando si avvicinano alla femmina. Questi gesti servono a trasformare una situazione potenzialmente ostile, tra animali territoriali o predatori, in una di cooperazione.

vata da Harvey Ginsburg tra bambini americani che giocavano. Gli scontri si interrompevano di solito se una delle parti adottava una posizione accucciata ed evitava il contatto visivo. Il bambino sconfitto si appoggiava brevemente su mani e ginocchia, a volte allacciandosi le scarpe. Ginsburg ha visto questo gesto come una scusa, non un problema di lacci sciolti, perché apparentemente, quando giocavano, i lacci restavano ben annodati tutto il tempo. Inoltre, una volta un bambino ha interrotto la lotta per «allacciarsi» le scarpe che erano di un tipo senza lacci. Lo studioso ha supposto che l'allacciarsi le scarpe, pur indicando al rivale la propria sottomissione, conteneva anche un messaggio rivolto ai presenti: «Se solo le mie scarpe rimanessero allacciate, potrei davvero vincere questo scontro!».

Nel 1984, Steve Sackin ed Esther Thelen hanno pubblicato un breve articolo intitolato «Uno studio etologico degli esiti pacifici e associativi dei conflitti in bambini di età prescolare», il primo studio «naturalistico» confrontabile con i miei lavori su scimmie e antropomorfe. Riguardava bambini americani, dai cinque ai sette anni di età, di due asili nido. Furono registrati centosessantacinque conflitti con i quali gli insegnanti non avevano interferito. Questi scontri avevano fondamentalmente due esiti: o la lotta si concludeva con la sottomissione di un bambino e gli avversari si separavano, o finiva con uno scambio di comportamenti amichevoli e i due avversari restavano insieme. La riconciliazione assumeva le seguenti forme, esposte qui in ordine discendente di frequenza, così come le hanno definite gli autori:

• *Proposizioni cooperative*: affermazioni di intenti amichevoli e suggerimenti di collaborazione, come «sarò tuo amico» o «puoi aiutarmi a costruire questa casa».
• *Offerta di oggetti*: già discussa.
• *Grooming*: prendere la mano, carezze, baci, abbracci o altre forme di contatto.
• *Scuse*: espressione verbale di dispiacere per il risultato della lotta.
• *Offerta simbolica*: una promessa del tipo «ti porterò il mio camion».

A parte il *grooming* (che si verificava una volta su cinque), questi comportamenti sono esclusivamente umani. È stato anche scoperto che la frequenza di riconciliazione dipendeva dal sesso del bambino. Il 50% delle lotte tra maschi terminava con gli avversari molto vicini, e lo stesso accadeva nel 40% degli scontri tra femmine, ma solo nel 12% delle lotte tra un maschio e una femmina. Va fatto notare che questa non è la stessa differenza tra sessi rilevata in due delle quattro specie di primati che ho studiato. I bambini e le bambine si riconciliano all'incirca altrettanto spesso, ma quasi esclusivamente con individui dello stesso sesso. Ciò non sorprende, considerando la ben nota preferenza che i bambini piccoli hanno nel formare amicizie con individui dello stesso sesso.

Vorrei di nuovo ricordare che i bambini non sono il migliore modello possibile con cui confrontare le scimmie e le antropomorfe. Molti aspetti della vita sociale umana cambiano drasticamente durante l'adolescenza, e ovviamente anche la relazione tra sessi cambia moltissimo. Tuttavia gli studi sui nostri bambini sono molto importanti, se vogliamo capire come venga acquisita la capacità di fare pace e specialmente se vogliamo guidare questo processo. Una domanda che ci potremmo porre è fino a che punto gli insegnanti debbano interferire nelle dinamiche sociali dei bambini. I bambini che io ospito ogni anno per una settimana introduttiva sull'osservazione delle scimmie mi dicono sempre, quando discutiamo dell'argomento riconciliazione, che odiano essere spinti nella direzione del rivale col suggerimento di stringergli la mano. Non credono nel perdono forzato, almeno non al di fuori della famiglia.

Per rispondere a domande di questo tipo, intendo confrontare i giovani di macaco orsino e di reso. Le madri reso sono del tipo che interferisce, sempre all'erta quando i loro piccoli hanno un conflitto con coetanei. Le madri di macaco orsino hanno un atteggiamento più rilassato: ai gruppi di giovani è permesso di giocare, lottare e riconciliarsi per conto proprio, a meno che l'aggressività non sfugga del tutto di mano. È questa una delle ragioni per cui gli orsini adulti sanno gestire così bene le tensioni sociali? Anche nei bambini umani i supervisori devono raggiungere un equilibrio tra la prevenzione di una violenza eccessiva e un'ingerenza eccessiva. Non si possono imparare le regole di base della riconciliazione se le lotte vengono sempre interrotte prima che venga raggiunto un risultato definito. Per quanto mi ricordo, questo intervento portava soltanto a ulteriori scontri dopo la scuola.

Ancora più importante è l'*esempio* fornito dagli adulti; non come diciamo ai bambini di comportarsi, ma come ci comportiamo noi stessi dopo uno scoppio d'ira. I bambini sono ottimi osservatori che individuano il più piccolo cambiamento dell'espressione facciale. Dovremmo permettere loro di assistere all'intera sequenza di una discordia matrimoniale, dalle accuse alle scuse, o è meglio nascondere i litigi? Le opinioni sono discordi e ci sono pochi dati per guidare i genitori, a parte il fatto che, ovviamente, la violenza fisica all'interno della famiglia turba i bambini. Mark Cummings e collaboratori hanno riportato agitate reazioni di bambini anche a scontri verbali: alcuni di loro cercavano di confortare e riunire i genitori arrabbiati; ma è difficile stabilire se, di fronte ai bambini, questi scontri andrebbero totalmente evitati.

Ai giovani scimpanzé di Arnhem non mancavano drammi cui assistere. Erano presenti anche durante le lotte per il potere tra i maschi adulti, che a volte coinvolgevano l'intera colonia. Si appendevano sotto la pancia della madre per tutta la durata del pandemonio, e venivano lasciati solo dopo che tutti si erano calmati. I giovani erano molto attratti dalle riconciliazioni. Osservavano da fuori campo le tese mosse preliminari, ma reagivano immediatamente all'abbraccio finale, saltando eccitati sui due avversari o girando loro intorno e schiamazzando.

Un modo per studiare l'effetto dell'ambiente sociale sullo sviluppo del comportamento di riconciliazione potrebbe essere di far crescere scimmie reso in un gruppo di orsini. Le due specie sono abbastanza vicine da rendere possibile un'adozione. Ciò fornirebbe al piccolo reso modelli completamente diversi di risoluzione dei conflitti. Non che il nostro soggetto diverrebbe il più grande fautore della pace, poiché il bellicoso temperamento dei reso deve essere in parte innato, ma anche effetti moderati fornirebbero la base per un'ulteriore sperimentazione, volta a determinare i fattori che formano il comportamento di riconciliazione e la tolleranza sociale. Gli educatori potrebbero imparare molte cose da questo tipo di ricerca: se le scimmie sono malleabili a questo riguardo, è più che verosimile che anche i bambini umani lo siano.

Accanto ai riavvicinamenti tra ex avversari, un secondo importante meccanismo è la riconciliazione di interessi contrastanti *prima* che le cose sfuggano di mano. Le osservazioni sulla spartizione del cibo tra antropomorfe, e l'inerente ruolo del comportamento di riconciliazione, indicano che la risoluzione preventiva dei conflitti non è limitata alla nostra specie. I dati a mia disposizione sono scarsi soprattutto perché i conflitti potenziali non sono così facili da definire come le situazioni postconflittuali sulle quali si sono imperniati i miei studi. Sarebbe affascinante studiare come i bambini imparano ad anticipare i conflitti e a fare semplici negoziazioni per prevenire i problemi («Puoi giocare con la mia bambola, se mi dai un po' di *caramelle*»). È soprattutto a questo livello che avere un linguaggio costituisce la differenza.

Due riconciliazioni contemporanee tra giovani orsini dopo un litigio. Due di loro si montano (*sopra*), gli altri due compiono il gesto detto *afferra-il-posteriore*. In questa specie gli adulti lasciano i piccoli abbastanza liberi di giocare, combattere e fare pace. (Wisconsin Primate Center.)

«Le origini di uomo e cultura sono simultanee, per definizione» afferma Leslie White in *The Evolution of Culture* (L'evoluzione della cultura). Poiché l'autore fa risalire l'origine della cultura a un milione di anni fa, ciò significa che secondo lui prima di allora i nostri antenati erano animali. Elemento chiave della cultura, secondo White, è la nostra capacità simbolica. In una nota egli ammette che «una parte del comportamento umano non è simbolica e pertanto non umana», ma gli unici esempi che fornisce sono il tossire, il grattarsi e lo sbadigliare. Da questo punto di vista estremistico, noi saremmo dunque una nostra creazione: siamo ciò che vogliamo essere.

Per un biologo, l'idea di una infinita flessibilità culturale è inaccettabile. Quando mi trovo davanti a un'altra cultura sono sempre colpito dalla familiarità di tutto ciò che vedo: il modo in cui la gente ride, come discute e su che cosa, il modo in cui i ragazzi guardano le ragazze e viceversa, il cambiamento di voce di una madre quando parla col proprio bambino, le arie che si danno gli uomini importanti, e così via. Mi trovo fra miei simili. Un antropologo culturale che facesse lo stesso viaggio noterebbe soprattutto particolari espressioni linguistiche e peculiarità di consuetudini, abbigliamento e istituzioni sociali. Coglierebbe molte marcate differenze e ne trarrebbe una conclusione opposta alla mia: è vero che costoro sbadigliano e tossiscono come tutti gli altri, ma le somiglianze finiscono qui.

I due punti di vista, con lentezza e a gran fatica, si stanno ora avvicinando; ovviamente c'è del vero in entrambi. Gli etologi hanno scoperto che molti animali sviluppano tradizioni comportamentali specifiche del luogo (per esempio, alcune specie di uccelli cantano con «dialetti» diversi in regioni diverse), e questo ci ha resi più attenti alle diversità culturali umane. D'altro canto, recenti studi transculturali hanno dimostrato che certi aspetti del comportamento umano sono troppo universali per dipendere solo dalla cultura (per esempio, nella stragrande maggioranza delle società i ragazzi hanno un comportamento più aggressivo delle ragazze). Molto tempo dovrà ancora passare prima che biologi e antropologi culturali imbocchino una strada comune, ma forse la prossima generazione sarà meno legata a dogmi oggi inconciliabili.

È evidente che la cultura influenza la vita sociale umana, compreso il modo in cui controlliamo l'aggressività e facciamo pace. Le donne indios Yanomamö coltivano una pianta magica le cui foglie vengono lanciate sugli uomini quando fanno battaglie con le mazze. Queste lotte ritualizzate sono una valvola di sfogo per l'alto livello di aggressività che nella cultura Yanomamö gli uomini devono avere per venir presi sul serio. Le foglie, che avrebbero la funzione di tenere sotto controllo la furia degli uomini, fanno sì che le battaglie con le mazze non si trasformino in sanguinosi scontri con armi più pericolose.

Negli Stati Uniti, le donne ispano-americane dicono di provare nostalgia per le serenate notturne tipiche della cultura da cui provengono. In Messico è abbastanza normale che un uomo svegli tutta una strada per dichiarare il suo amore o per fare una sorpresa alla madre. Di solito non si esibisce di persona, ma ingaggia un cantante di professione che si accompagna con la chitarra, un trio o un'orchestrina. Le serenate servono anche per chiedere perdono e riaggiustare un matrimonio. Difficile immaginare un modo più plateale di far pace.

I villaggi dell'isola di Bali hanno una capanna particolare dove la gente viene mandata a risolvere i dissidi. La capanna, situata in un campo fuori dal villaggio, è costituita soltanto da un tetto sorretto da due pali. L'assenza di pareti permette agli abitanti del villaggio di tenere d'occhio i contendenti. I due siedono ciascuno con la schiena appoggiata a uno dei due pali, a qualche metro l'uno dall'altro, e non escono dalla capanna sino a che non hanno raggiunto un accordo.

La grande famiglia di Oscar Bimwenyi Kweshi ha celebrato la sua riunificazione secondo gli usi dello Zaire dopo un contrasto interno, durato anni. Tutta la numerosa famiglia si riunì in un cortile per ascoltare il fratello e la sorella, che avevano causato la divisione, riconoscere i propri errori. Quindi venne sacrificato un pollo e le due parti avversarie versarono vino in un recipiente di zucca e lo bevvero in memoria del seno dal quale tutti erano stati nutriti.

Tra i cacciatori di teste Kiwai-Papua della Nuova Guinea, un villaggio segnala la propria intenzione di porre fine a una guerra mettendo un ramo di traverso sul sentiero che porta al villaggio nemico. Se l'offerta viene accettata, gli uomini si avvicinano al villaggio, con le mogli che li precedono di qualche passo. Portare con sé le donne significa avere buone intenzioni. L'accoglienza è sempre amichevole, vengono scambiati doni, e gli uomini spezzano a vicenda i loro coltelli, altre volte usati per tagliare le teste. La notte, le donne venute dall'altro villaggio dormono con i loro ospiti per «spegnere il fuoco», come dicono loro. La stessa cosa accade quando la visita è contraccambiata, dopodiché la guerra viene dichiarata conclusa.

Una cultura che non mi sembra in accordo con le mie idee sulla necessità di risolvere i conflitti, è la cultura di Samoa. Secondo quanto afferma Margaret Mead in *Coming of Age in Samoa*, i samoani pongono fine alle discordie semplicemente separandosi: «I disaccordi tra genitori e figlio cessano se il bambino attraversa la strada; quelli tra un uomo e il suo villaggio se l'uomo se ne va nel villaggio vicino». L'antropologa ha inoltre descritto i samoani come persone straordinariamente pacifiche e accomodanti. Ora sappiamo che questo era un sogno romantico. Le critiche di Derek Freeman allo studio della Mead, basate sulle sue approfondite osservazioni della stessa popolazione, non lasciano dubbi: i samoani hanno forti legami e, come tutte le altre persone, si sforzano di superare i conflitti, non di sfuggirli.

Benché i rituali di riconciliazione siano numerosi quanto le culture umane, servono tutti a trasformare, in una situazione reciprocamente vantaggiosa, quella che invece potrebbe dare origine a una spirale di vendetta. I conflitti irrisolti rimangono nella memoria come se fossero sotto ghiaccio. Il ricordo rimane vivo e vegeto e intanto si attende un'opportunità di rivincita. Casi estremi sono le faide familiari con catene di uccisioni da ambo le parti, generazione dopo generazione. Uccidere può anche far parte di un negoziato di pace. I Kiwai-Papua, per esempio, possono rifiutare l'offerta di pace che ho appena descritto mettendo un fascio di bastoncini intaccati sul sentiero del villaggio a indicare quanti nemici intendono uccidere prima di parlare di pace. Tra gli uomini, la rappresaglia reciproca (occhio per occhio, dente per dente) è comune come la cooperazione, che ne prende il posto dopo che la pace è stata sancita. Quando il commercio, i matrimoni fra comunità e le feste collettive riprendono, diciamo che gli incidenti sono stati «dimenticati». Questa, ovviamente, è un'assurdità. Il conflitto è stato solo riposto in una casella diversa, un po' meno astiosa.

La scienza si è molto più interessata alle forme di cooperazione che non al loro opposto. Tuttavia, la vendetta in rapporto alla risoluzione dei conflitti è un elemento cruciale, poiché fornisce le basi del nostro senso di giustizia. I miei dati sugli scimpanzé dimostrano che anche loro ricordano le azioni negative, e le ripagano con altre azioni negative. Un simile «sistema di vendetta» non è stato finora riscontrato in nessun altro animale. Gli uomini vanno un po' oltre, creando delle norme, dette *leggi*, che hanno lo scopo di tenere sotto controllo le ostilità. Tra i Masai, pastori nomadi dell'Africa orientale, un assassino viene di solito tenuto nascosto dai parenti, quando la famiglia della vittima lo cerca per vendicare la morte del congiunto. Il colpevole è protetto finché gli animi non si sono calmati e i negoziati possono iniziare. L'ammenda tradizionale per l'omicidio è di quarantanove capi di bestiame. Quando le persone vanno a riscuotere il prezzo di sangue, si armano come per una guerra. In questo modo, il bisogno profondamente radicato di vendetta viene soddisfatto da una simbolica dimostrazione di ira, dalla punizione dell'aggressore e da un compenso ai parenti della vittima. Poiché è la società a stabilire le regole, si tratta di una forma più alta di risoluzione dei conflitti, sconosciuta tra gli animali. Tribunali e giudici sono ulteriori affinamenti di questo principio.

L'esistenza della professione legale può anche non rappresentare un miglioramento. In origine la sua funzione era senza dubbio necessaria, ma l'incredibile cifra di 675.000 avvocati negli Stati Uniti fa ritenere che i conflitti vengano *creati* a fini di lucro. Una delle cose che più colpiscono chi viene dall'Europa è la tendenza degli americani ad affidare la soluzione dei conflitti ad avvocati e autorità. Chi chiamerebbe la polizia (con la conseguente emissione di un mandato e indicazione di un sospetto) per un furto come questo? Oggetti rubati: un sonaglio, una macchinina arancione e un topo di pezza grigio; vittima: un bambino di tre anni; sospettato: un compagno di giochi suo coetaneo. Ricorrere alla legge per perseguire un simile «delitto», come dice la notizia letta sul mio giornale locale, può far sorridere (anche molti americani), ma è anche il segno di una penosa incapacità di appianare le dispute.

Non è certo che negli americani la capacità di risolvere i conflitti sia meno sviluppata che in altri gruppi, ma questa appare un'ipotesi plausibile, se pensiamo che negli Stati Uniti il numero di avvocati pro capite e la frequenza di omicidi hanno valori molti più elevati che nelle altre nazioni industrializzate. Gran parte degli omicidi è dovuta a litigi tra membri della medesima famiglia, amanti, amici, conoscenti o vicini di casa. Io credo che il numero di omicidi in una nazione sia inversamente proporzionale alla capacità dei suoi cittadini di trovare soluzioni ai conflitti sociali, che siano reciprocamente vantaggiose. Pochi americani negano che nella loro lingua «riconciliazione» è quasi sinonimo di «capitolazione». La ricerca di un compromesso non è considerata un'arte raffinata, ma è segno di debolezza.

La durezza in questo Paese è forse così apprezzata perché storicamente ogni uomo ha dovuto combattere per difendersi? Ciò ha forse a che vedere con la fede che i primi pionieri avevano in un Dio punitivo, piuttosto che misericordioso? Oppure sono stati l'orizzonte sconfinato e vuoto e la tradizionale mobilità degli americani? Almeno nel passato, come dice un mio amico americano, «se la gente aveva problemi, poteva sempre spostarsi a ovest». È probabile che, con tanta terra a disposizione, la capacità di coesistenza tra persone con opinioni e storie diverse sia stata trascurata per più generazioni.

La mia terra d'origine rappresenta il caso opposto. I Paesi Bassi hanno una densità di popolazione tra le più alte del mondo, e la «tolleranza» è il tratto dominante del carattere nazionale. Non che gli olandesi ritengano di essere tolleranti al massimo grado, ma gli stranieri notano un livello notevole di non interferenza con gli affari altrui, una pronta accettazione dei modi di vita e delle religioni delle minoranze e un desiderio di consenso.

Anche se gli olandesi sono competitivi come tutti, la loro condizione di «prigionieri» ha promosso una diversa disposizione d'animo nei conflitti, un'inclinazione al compromesso. I Paesi Bassi sono una piccola nazione e, a parte il freddo Mare del Nord, la gente non ha nessun posto dove andare. Che la loro tolleranza non sia un tratto genetico lo dimostra il comportamento dei bianchi che governano il Sudafrica. Queste persone sono di origine olandese, ma circostanze diverse hanno portato a comportamenti diversi.

Gli olandesi costituiscono un buon esempio di una cultura che contraddice le teorie degli anni Sessanta sul sovraffollamento. I meccanismi di regolazione della tensione inficiano l'ipotesi sull'opposto legame tra affollamento e aggressività, come dimostra quello che abbiamo osservato tra le scimmie e le antropomorfe. Le società umane modificano ancora di più le regole e a volte raggiungono risultati completamente opposti. L'abbondanza di spazio può creare individualisti accaniti che non tollerano nessuno sulla propria strada, mentre la limitazione di spazio e l'omogeneità etnica possono portare a una cultura collettivistica come quella dei giapponesi, con le case di carta, le regole di cortesia e il controllo emotivo che li contraddistingue. E tutto questo in una sola specie!

Il giuramento dell'Elba

Il 26 novembre 1983, il corpo di Joseph Polowsky, un tassista di Chicago, fu seppellito a Torgau, vicino al fiume Elba nella Germania dell'Est. In quel luogo Polowsky, in qualità di soldato americano di fanteria, aveva preso parte allo sforzo congiunto degli eserciti russo e americano che aveva posto fine alla resistenza delle truppe di Hitler. Nei successivi trentotto anni, le relazioni tra gli ex alleati erano diventate fredde e ostili, ma Polowsky aveva pronunciato il «Giuramento dell'Elba», che lo impegnava a mantenere vivo lo spirito di fratellanza del tempo di guerra. Questa campagna di un solo uomo per costruire un'amicizia finì con la morte per cancro di Polowsky e fu coronata dalla sua sepoltura lontano da casa, in una cerimonia in cui i soldati americani e sovietici portarono fiori alla sua memoria.

Nel 1942 Nobuo Fujita, un pilota della Marina imperiale giapponese nella seconda guerra mondiale, tentò senza successo di incendiare le foreste intorno a Brookings nell'Oregon, lanciando bombe incendiarie dal suo piccolo idrovolante. Vent'anni dopo, la cittadina invitò Fujita come ospite onorario al suo festival dell'azalea. Nel frattempo lui era diventato un ricco uomo d'affari. Accettò l'invito e ricambiò il gesto di pace invitando in Giappone alcuni giovani del luogo. Poco dopo, però, Fujita perse i suoi beni e, per mantenere la sua promessa, dovette risparmiare per anni. Nel 1985, a settantatré anni, fu finalmente in grado di finanziare la visita in Giappone di tre studenti della Brookings High School. «Quando avranno visitato il Giappone,» ha detto a un giornalista, «per me la guerra sarà finalmente conclusa.»

Durante la seconda guerra mondiale, i due astri dell'etologia, Niko Tinbergen e Konrad Lorenz, si trovavano su lati opposti. Tinbergen, imprigionato dai tedeschi durante l'occupazione dei Paesi Bassi, trascorse anni in un campo per ostaggi, nonostante gli sforzi di Lorenz per ottenerne il rilascio. Lo stesso Lorenz finì in una prigione russa, dopo aver servito nell'esercito tedesco come ufficiale medico. Nel 1949, nella casa di Cambridge dell'inglese William Thorpe, Lorenz e Tinbergen tornarono a incontrarsi dopo dieci anni di separazione. Thorpe descrive l'incontro come qualcosa di commovente, ma non fornisce quei particolari comportamentali che ci saremmo attesi da un etologo. Thorpe racconta che subito dopo la guerra Tinbergen non sopportava il suono della lingua tedesca, ma che questo non modificò «la profondità e la forza del suo desiderio di riconciliazione internazionale a tutti i livelli».

Per le persone comuni gli sforzi di pace possono avere un effetto meno drammatico dell'«Io sono un berlinese» del presidente John F. Kennedy, o di altri gesti compiuti da leader; tuttavia, nei tempi lunghi, i sentimenti della gente comune sono forse più importanti. I sentimenti reciproci dei cittadini di due nazioni influenzano gli scambi culturali, i rapporti d'affari, le amicizie internazionali, il tono dei documentari televisivi e l'atteggiamento dei funzionari pubblici. Benché siano difficilmente prevedibili, questi meccanismi sono perfettamente comprensibili. Non è necessario invocare la comunicazione extrasensoriale o altri fenomeni soprannaturali, come fanno certi difensori della pace. Costoro affermano che il semplice *desiderio* di pace, se presente in un numero sufficiente di persone, ha il potere di cambiare il mondo. Questa convinzione è alla base del best-seller di Ken Keyes *The Hundredth Monkey* (La centesima scimmia), un volume di cui voglio parlare perché è basato su una erronea interpretazione dei dati sui primati.

Il libro fa riferimento agli studi pioneristici di Kinji Imanishi, Masao Kawai e altri sulla trasmissione culturale tra primati. Se la «cultura» viene definita come diffusione di nuove abitudini tramite imitazione e apprendimento, forse è abbastanza comune tra gli animali. I macachi giapponesi che lavano le patate rappresentano il primo caso conosciuto. Una giovane femmina chiamata Imo aveva scoperto un sistema per lavare le patate dolci prima di mangiarle: le puliva dalla sabbia immergendole nell'acqua del mare. Coetanei e parenti di Imo ne seguirono l'esempio, e il comportamento si diffuse nel gruppo. Gli studiosi annotarono ogni tappa del processo.

Lyall Watson lesse i particolareggiati resoconti dei ricercatori giapponesi e, nel 1979, scrisse alcune pagine sul «fenomeno della centesima scimmia», che furono poi lette da Keyes, il quale ne ricavò un libro, da cui fu tratto un film. Alla storia era stato aggiunto un seguito. Dopo che un certo numero di scimmie aveva imparato la nuova abitudine, un individuo in più avrebbe fatto raggiungere il numero — diciamo — di cento individui. E questo, ci viene detto, fu ciò che accadde. Da quel momento, il comportamento improvvisamente si diffuse ad altre popolazioni, e poi perfino a scimmie di altre isole! Ecco la conclusione di Keyes: «Quando una consapevolezza viene raggiunta da un certo numero critico, questa nuova consapevolezza può essere trasmessa da mente a mente». Il resto del libro propugna una consapevolezza collettiva sulla necessità di un mondo libero dalla minaccia nucleare. L'idea è che chiunque si sintonizzi con questa consapevolezza potrebbe essere colui che determina una svolta decisiva nell'opinione pubblica.

Non ho niente contro l'uso dell'immaginazione per proporre un messaggio, ma quel messaggio non deve poi essere presentato come una verità scientificamente fondata. Non c'è nessuna prova a sostegno del seguito aggiunto alla storia delle scimmie (e anche la prima parte è stata recentemente messa in discussione). Le abitudini non scavalcano i confini naturali. I ricercatori giapponesi hanno posto in evidenza fin dal principio la gradualità del processo; non è mai stato osservato un improvviso passo avanti nella consapevolezza. Ron Amundson, dopo aver esaminato attentamente i dati, è arrivato alla conclusione che «la descrizione di Watson è contraddetta dalle stesse fonti che egli cita per sostenerla». Amundson accusa Watson e gli altri di pseudoscienza.

Di fronte alla mistificazione della pace da parte di alcuni gruppi e alla glorificazione della violenza da parte di altri, dobbiamo mantenere la nostra lucidità. Non c'è nulla da guadagnare dalle manifestazioni pacifiste o dagli interminabili negoziati di pace, se non ci sono interessi comuni tra le potenze del mondo, o se c'è un caparbio rifiuto verso uno sviluppo di tali interessi. Nel 1987 siamo entrati in un'era di ottimismo, quando il presidente americano Ronald Reagan e il premier sovietico Mikhail Gorbaciov hanno firmato lo storico trattato per l'eliminazione dei missili a medio raggio. Corre voce di ulteriori drastiche riduzioni nel futuro. Tuttavia, in assenza di un miglioramento delle relazioni, il disarmo nucleare potrebbe avere un effetto molto dannoso. Alcuni esperti militari prevedono un aumento degli armamenti convenzionali e dei contingenti militari in Europa occidentale per controbilanciare la superiorità sovietica in questa area. L'attenzione dell'opinione pubblica è concentrata quasi esclusivamente sul terribile pericolo delle armi nucleari, ma non per questo dobbiamo dimenticare che il valore dei trattati sugli armamenti è limitato. È evidente che le tensioni internazionali sono causate in primo luogo da sfiducia reciproca e interessi contrastanti, visto che le superpotenze spediscono i loro eserciti in tutti gli angoli del mondo, ognuna per impedirne il controllo all'altra. Gli armamenti sono solo sintomi del male.

Le immagini del summit di Washington, l'accordo personale e le battute scherzose tra i due leader, Gorbaciov che stringe la mano ai passanti, la prima visita di un capo sovietico al Pentagono, danno l'impressione di un cambiamento radicale nell'alchimia tra le due superpotenze. Ma è fondamentale che questa nuova distensione si traduca in un'espansione degli scambi economici e culturali. Se i miei studi sui primati non umani contengono una lezione generalizzabile, essa è che parti che, per questo o quel motivo, hanno bisogno l'una dell'altra sono meno propense a combattere e, se combattono, sono più inclini ad accordarsi. Se alla relazione però manca una base solida, sono convinto che le due parti finiranno col combattersi, indipendentemente da quanto il loro rapporto di forza è sbilanciato. Il presidente della Germania Occidentale, Richard von Weizsäcker, una volta ha esposto una simile opinione sui rapporti Est-Ovest: «L'esperienza insegna che non è il disarmo a indicare la strada della pace, sono piuttosto le relazioni pacifiche ad aprire la porta al disarmo. La pace è la conseguenza della cooperazione nei fatti».

Non c'è dubbio che, davanti a un nemico comune, è più probabile che i contrasti vengano superati. Esistono innumerevoli esempi di questo meccanismo tra i primati; in alcuni dei quali figurano persino nemici del tutto inventati. Nella colonia di scimpanzé di Arnhem dopo un conflitto generalizzato, mentre i partecipanti stavano ancora riprendendo fiato, uno di loro, rivolto verso il vicino recinto dei ghepardi, cominciò a emettere richiami aggressivi. Gli altri si unirono a lui, e ne risultò un rumoroso e indignato coro di minacce contro i vicini. Di solito le antropomorfe ignoravano i ghepardi, e questa volta per giunta i felini non erano neanche visibili, perché stavano nell'angolo più lontano del loro ampio recinto. Così, mentre la tensione si allentava, si verificarono tra gli scimpanzé numerose riconciliazioni.

In situazioni simili, ho visto macachi di Giava correre alla piscina per minacciare le loro immagini riflesse nell'acqua, una dozzina di scimmie agitate unite contro l'«altro» gruppo nella piscina. La necessità di un nemico comune può essere così grande che ne viene inventato un sostituto. Se l'invenzione non è necessaria perché già esiste un bersaglio adatto, le tensioni interne possono turbare le relazioni esterne. Secondo Hans Kummer, le battaglie fra bande di amadriadi selvatiche spesso cominciano quando i membri di una banda «risolvono» una disputa interna minacciando tutti insieme i membri di un'altra banda.

Quando Christian Welker cercò di creare nel suo laboratorio una colonia di cebi, incontrò seri problemi, come già altri prima di lui. Attraverso prove ed errori, mediante introduzioni successive di scimmie, scoprì che i cebi si organizzano in sottogruppi e che la coesistenza pacifica richiede che questi sottogruppi siano in equilibrio tra loro. Se un sottogruppo non ha nulla da temere dall'altro, scoppiano lotte violente, non soltanto tra i sottogruppi, ma soprattutto all'interno del sottogruppo più forte. Sembra proprio che vecchie rivalità tra i membri di un sottogruppo si riaccendano non appena questi individui raggiungono la supremazia nella colonia. Una volta ristabilito l'equilibrio, con l'aggiunta di membri al sottogruppo più debole o con la sottrazione di individui da quello più forte, i buoni rapporti riprendono, sia all'interno sia tra sottogruppi. Welker parla della capacità dei cebi «di eliminare le inimicizie» e dell'«incapacità di dimenticarle».

Non è proprio quello che succede a livello internazionale? Gli

alleati occidentali si comportano quasi sempre in modo amichevole tra loro; tuttavia quando il presidente americano visitò nel
1985 il cimitero di guerra tedesco a Bitburg, con l'intento di sanare
vecchie ferite, alcuni si sentirono come se le avesse riaperte. Anche
la protesta contro l'elezione del presidente austriaco Kurt Wald-
heim, accusato di un passato nazista, mostra che la storia non viene dimenticata. Nel mondo di oggi gli ex nemici hanno superato i
loro contrasti per ragioni di sicurezza nazionale, formando due
blocchi di «amici», che rimarranno uniti solo finché l'altro blocco
resterà forte.

Il grosso interrogativo è in che modo questi blocchi potranno
riconciliarsi in assenza di un nemico comune. Forse la minaccia di
una guerra nucleare sta prendendo il posto degli invasori alieni,
che altrimenti avrebbero potuto assumere tale ruolo. Se la prospettiva di una guerra senza vinti né vincitori non porterà gli uomini
alla ragione, nulla potrà portarceli. La capacità di prevedere le
conseguenze delle nostre azioni, che ci ha aiutato a pianificare innumerevoli guerre, può ora aiutarci a pianificare un futuro senza
guerre. Il processo verrebbe certamente stimolato dallo sviluppo di
imprese comuni, come la proposta di organizzare la grande impresa di un viaggio russo-americano su Marte. Come ha detto Carl
Sagan, questo sarebbe un simbolo molto eloquente per l'umanità:
«Non ci troveremmo ad abbracciare il dio della guerra, ma il pianeta che porta il suo nome».

Per un mondo sicuro e pacifico ci vuole molto, molto di più che
la riduzione degli armamenti: Dobbiamo insegnare nuovi obiettivi
ai nostri figli, capacità diverse e una responsabilità globale. Devono imparare che la bandiera della loro nazione non è altro che il
simbolo del particolare gruppo culturale cui appartengono, che
non indica superiorità, e che sotto di essa non ci si raduna per ragioni di offesa. Essi dovrebbero anche imparare che la vittoria è
soltanto una delle possibili forme di risoluzione dei conflitti; un'altra, non meno onorevole, è il compromesso. Io credo che queste cose possano essere insegnate e che la specie umana abbia tutti i meccanismi necessari per passare da una posizione di conflitto a una di
negoziato.

Conclusione

Il messaggio di questo libro è in disaccordo con quello di alcuni
biologi, che unilateralmente hanno sottolineato la natura aggressiva della nostra specie e la lotta implacabile nel mondo animale.

Fin dai tempi di Darwin, la biologia ha puntato il riflettore sull'esito della competizione: chi vince, chi perde. Quando abbiamo a che fare con animali sociali, questa è una terribile semplificazione. Prima di una lotta, gli antagonisti non si limitano a valutare le loro probabilità di vittoria, ma tengono conto del bisogno che hanno dell'avversario. La risorsa contesa spesso non vale tanto da mettere in pericolo un'utile relazione. E se l'aggressione si verifica, entrambe le parti possono sentirsi spinte a riparare il danno. Tra competitori che dipendono l'uno dall'altro, animali o umani che siano, la vittoria è di rado assoluta.

Jean-Jacques Rousseau pensava che nel cuore umano non albergasse il male, e che tutti i guai dell'umanità fossero iniziati con la civilizzazione. Eppure l'aggressività è una delle tante caratteristiche comportamentali umane che superano i confini di linguaggio, cultura, razza, e persino di specie: non può essere compresa appieno senza tenere in considerazione la componente biologica. Con questo libro credo di aver dimostrato che, insieme al comportamento aggressivo, si sono evolute contromisure adeguate, e che gli uomini e gli altri primati applicano queste contromisure con grande abilità. In generale due individui o due parti in conflitto tornano a essere nuovamente in buoni rapporti. Il processo sembra abbastanza semplice, ma è una delle transizioni più complesse in cui ci si possa impegnare.

Il perdono non è, come alcune persone sembrano credere, un'idea misteriosa e sublime frutto di alcuni millenni di cultura giudaico-cristiana. Non è nato nella mente umana e pertanto un'ideologia o una religione non possono appropriarsene. Il fatto che uomini, antropomorfe e scimmie manifestino comportamenti di riconciliazione significa che il perdono ha alle spalle più di trenta milioni di anni e che è antecedente alla separazione evolutiva di questi primati. La spiegazione alternativa, cioè che questo comportamento sia comparso indipendentemente in ciascuna specie, è altamente «antieconomica», perché richiede tante teorie quante sono le specie. Gli studiosi normalmente non prendono in considerazione le spiegazioni antieconomiche, a meno che, a sfavore della più elegante teoria unitaria, non vi siano prove schiaccianti. Poiché in questo caso prove del genere non sussistono, il comportamento di riconciliazione va visto come un'eredità comune dell'ordine dei primati. La nostra specie ha molti gesti pacificatori e forme di contatto in comune con le antropomorfe (tendere la mano, sorrisi, baci, abbracci, e così via). Il linguaggio e la cultura non fanno che aggiungere un certo grado di raffinatezza e di varietà alle strategie umane di riconciliazione.

Sapere tutto questo non basta a risolvere il problema della violenza nelle nostre società, ma io spero che porti a un cambiamento di prospettiva. Invece di concepire la riconciliazione come un trionfo della ragione sull'istinto, va dato avvio allo studio delle origini e dell'universalità dei meccanismi psicologici in gioco. È ora che la scienza scenda in campo. La mistica che oggi avvolge l'argomento pace dovrebbe essere rimpiazzata da un approccio razionale. Non dobbiamo vivere nell'illusione di poterci liberare dalle tendenze aggressive, ma neanche dobbiamo trascurare la nostra eredità di riconciliazione. Nello spostare l'enfasi dall'una all'altra cosa, in nessun modo oltrepasseremmo i limiti della natura umana. Useremmo semplicemente ciò che abbiamo, e faremmo quello che ci riesce meglio: adattarci a nuove circostanze nel nostro interesse.

RINGRAZIAMENTI

Nel 1975, sotto gli auspici dell'Università di Utrecht, iniziai uno studio di post-dottorato sulla «specialissima» colonia di scimpanzé dello zoo di Arnhem, nei Paesi Bassi. Sono profondamente grato a Jan van Hooff, docente di comportamento animale, per essersi prodigato in consigli e incoraggiamenti e per aver discusso con me ogni nuova osservazione. In quel periodo ho fatto da relatore a circa quattro studenti laureati all'anno, per un totale di ventitré persone. Speciali ringraziamenti vanno a quegli studenti che mi hanno aiutato a documentare i drammatici avvenimenti del 1980, Fred van Eeuwijk, Tine Griede, Marion van de Klashorst e Gerald Willemsen, e anche ai custodi, Jacky Hommes, Loes Offermans e Monika ten Tuynte. Devo allo zoo di Arnhem e al suo direttore Anton van Hooff se mi è stato possibile studiare questa colonia di scimpanzé unica al mondo. Ovviamente il fatto che Jan e Anton van Hooff siano fratelli ha facilitato la collaborazione fra zoo e università. Il mio studio è stato finanziato dal Research Pool dell'Università di Utrecht e dalla Nederlandse Organisatie voor Zuiver Wetenschappelijk Onderzoek (Organizzazione Olandese per la Ricerca Pura).

Un giorno d'autunno del 1981, Robert Goy, direttore del Wisconsin Regional Primate Research Center dell'Università del Wisconsin, venne a ricevermi all'aeroporto di Madison per quello che doveva essere un soggiorno di un anno; gli sono estremamente grato per il sostegno e l'apprezzamento che ha mostrato per il mio lavoro, nonché per avermi offerto, insieme a sua moglie Barbara, una calda ospitalità. Sono già trascorsi sette anni e io continuo a lavorare al Centro, dove mi è stato offerto di studiare il comportamento sociale delle scimmie. La mia assistente Lesleigh Luttrell è diventata indispensabile, in virtù della sua efficienza, affidabilità e dedizione ai nostri obiettivi scientifici. Il suo compito è di osservare le scimmie ogni giorno, tenere aggiornati i dati nel calcolatore e condividere con me la gioia di seguire la vita ricca di eventi di oltre cento animali, di cui noi parliamo come se fossero la nostra famiglia. Al nostro gruppo di ricerca hanno partecipato, in forma più o meno saltuaria, anche Kim Bauers, Maureen Libet, Katherine Offutt, RenMei Ren e Deborah Yoshihara, di cui ho apprezzato profondamente i contributi e l'entusiasmo.

La fortuna di disporre di un laboratorio fotografico al Centro è stata davvero inestimabile; Bob Dodsworth ha sviluppato le mie pellicole e ha stampato le foto di questo libro con il suo solito alto livello di professionalità. Mary Schatz e Jackie Kinney hanno battuto a macchina il manoscritto e le interminabili revisioni conservando sempre il loro amabile sorriso; le ringrazio per questo e per i numerosi altri compiti di segreteria che hanno svolto. Infine, sono debitore al personale della biblioteca, allo staff dei veterinari e dei custodi degli animali, ai programmatori dei calcolatori e agli altri impiegati dal cui validissimo aiuto dipendono tutti i ricercatori del Centro. I miei studi a Madison sono finanziati dalla National Science Foundation e da fondi concessi dal National Institutes of Health al Primate Center del Wisconsin.

Nel 1983 sono andato in California per osservare il più grande gruppo di scimpanzé nani (o bonobo) in cattività oggi esistente al mondo. Sono grato alla Zoological Society di San Diego per avermi permesso di compiere questo studio e alla National Geographic Society per averlo patrocinato; ringrazio inoltre i miei colleghi di San Diego per la collaborazione, in particolare Diane Brockman e Kurt Benirschke. Il personale che si occupa degli animali mi ha offerto ogni aiuto che io potessi desiderare, e la mia permanenza è stata resa particolarmente piacevole dall'amicizia di Gale Foland, Mike Hammond, Fernando Covarrubias e Joe Kalla. Tornato a Madison, sono stato aiutato nell'elaborazione dei dati da Katherine Offutt.

Ottime opportunità fotografiche mi sono state offerte da Stephen Suomi e da Peggy O'Neill, che si occupano di un gruppo di scimmie reso tenute in un recinto all'aperto nella campagna del Wisconsin, e da Ronald Noë che mi ha fatto conoscere i babbuini del Uaso Ngiro Baboon Project, nei pressi di Gilgil, in Kenya. Recentemente sono tornato agli scimpanzé e ho studiato i comportamenti di spartizione del cibo, alla Field Station dello Yerkes Regional Primate Center della Università di Emory, ad Atlanta, in Georgia. Molte fotografie e aneddoti di tale periodo sono stati inclusi nel libro, anche se l'analisi dei dati non è stata ancora completata. Questa ricerca è stata resa possibile dalla Harry Frank Guggenheim Foundation e da finanziamenti concessi allo Yerkes Primate Center dal National Institutes of Health.

Le fotografie di questo libro sono state scattate con una macchina semiautomatica Minolta e una Nikon con equipaggiamento. Ho usato quasi sempre una pellicola Kodak Tri-X pan, esposta a 800 ASA, con obiettivi da 50 fino a 400 mm. Unica eccezione è la foto a pagina 177, che è una riproduzione da *Het Artisboek*, di A. Portielje e S. Abramsz (Zutphen: van Belkum, 1922), per gentile concessione della Royal Zoological Society, *Natura Artis Magistra*, Amsterdam.

Il libro è stato arricchito dall'intervento di numerose altre persone. Mia madre ha sfogliato per anni i giornali olandesi alla ricerca della parola *verzoening* (riconciliazione), e io devo a lei molti aneddoti. Ho utilizzato informazioni datemi da Otto Adang, Curt Busse, Ivan Chase, Verena Dasser, Jeffrey Dreyfuss, Wulf Schiefenhövel, Fred Strayer, Andres Treviño, e Christian Welker. Sono grato a Barbara Smuts per aver letto attentamente il manoscritto e per le sue acute riflessioni. David Goldfoot, Jane Hill e Lesleigh Luttrell hanno fornito tutti preziosi commenti al manoscritto, ciascuno da un diverso punto di vista. Ringrazio anche Vivian Wheeler della Harvard University Press per aver curato e rifinito il testo.

L'ultima, o forse la prima lettrice critica del libro, è stata mia moglie Catherine Marin. Spesso annoiata dal gergo scientifico, ma divertita dalle mie storie di scimmie, mi ha aiutato con i suoi commenti a dar forma, giorno per giorno, a ciò che stavo scrivendo. Non potrei neanche immaginare la mia vita senza il nostro amore e sostegno reciproci.

BIBLIOGRAFIA

S. Altmann, *Dominance relationships: the Cheshire cat's grin?* «Behav. Brain Sci.», n. 4, pp.430-431.

R. Amundson, *The hundredth monkey phenomenon*, «Sceptical Enquirer», n. 9, pp.348-356.

E. Aronson, *The Social Animal*, Freeman, San Francisco 1976.

Y. Artaud, M. Bertrand, *Unusual manipulatory activity and tool-use in a crab-eating macaque*. In *Current Primate Researches*, a cura di M. Roonwal et al., University of Jodhpur Press, Jodhpur 1984.

D. van den Audenaerde, *The Tervuren Museum and the pygmy chimpanzee*. In *The Pygmy Chimpanzee*, a cura di R. Susman, Plenum, New York 1984, pp. 3-11.

C. Bachmann, H. Kummer, *Male assessment of female choice in hamadryas baboons*, «Behav. Ecol. Sociobiol», n. 6, pp. 315-321.

A. Badrian, *The bonobo branch of the family tree*, «Anim. Kingdom», n. 87, pp. 39-45.

A. Badrian, N. Badrian, *Social organization of* Pan paniscus *in the Lomako Forest, Zaire*. In *The Pygmy Chimpanzee*, a cura di R. Susman, Plenum, New York 1984, pp. 325-346.

C. Bahn, *Hostage taking - the takers, the taken, and the context: discussion*, «Ann. NY Acad. Sci.», n. 347, pp. 151-156.

A. Bandura, D. Ross, S. Ross, *Transmission of aggression through imitation of aggressive models*, «J. Abn. Soc. Psychol.», n. 63, pp. 575-582.

D. Barash, *Sociobiology and Behavior*, Elsevier, New York 1977 (trad. it., *Sociobiologia e comportamento*, Franco Angeli, 1980).

J. Bauman, *Observations on the strength of the chimpanzee and its implications*, «J. Mammal.», n. 7, pp. 1-9.

B. Beck, *Chimpocentrism: bias in cognitive ethology*, «J. Human Evol.», n. 11, pp. 3-17.

C. Becker, *Sozialspiel in einer gemischten Gruppe Orang-Utans und Bonobos, sowie Spielverhalten aller Orang-Utans im Kölner Zoo*, «Z. Kölner Zoo», n. 26, pp. 59-69.

I. Bernstein, L. Williams, M. Ramsay, *The expression of aggression in Old World monkeys*, «Int. J. Primatol.», n. 4, pp. 113-125.

M. Bertrand, *The Behavioral Repertoire of the Stumptail Macaque*, Bibliotheca Primatologica, Karger, Basilea 1969, vol. 11.

R. Bleier, *Science and Gender*, Pergamon, New York 1984.

P. Bohannan, *Some bases of aggression and their relationship to law*. In *Law, Biology and Culture*, a cura di M. Gruter e P. Bohannan, Ross-Erikson, Santa Barbara, California 1983, pp. 147-158.

L. Bolk, *Das Problem der Menschwerdung*, Gustav Fischer Verlag, Jena 1926.

J. Bond, W. Vinacke, *Coalitions in mixed-sex triads*, «Sociometry», n. 24, pp. 61-75.

P. van Bree, *On a specimen of Pan paniscus, Schwarz 1929, which lived in the Amsterdam Zoo from 1911 till 1916*, «Zool. Garten», n. 27, pp. 292-295.

A. Brehm, *Brehms Tierleben: Allgemeine Kunde des Tierreichs*, Bibliographisches Institut, Lipsia 1916, vol. 13, IV ed. (trad. it., *Vita e storia degli animali*, Editrice Italiana Cultura, 1980).

J. D. Bygott, *Agonistic behavior and dominance in wild chimpanzees*, (dissertazione di Ph.D.), Cambridge University, 1974.

S. Campbell, *Kakowet*. «Zoonooz», n. 53, pp. 6-11.

T. Caplow, *Two against One: Coalitions in Triads*, Prentice-Hall, Englewood Cliffs, N. J. 1968.

N. Chagnon, *Yanomamö: The Fierce People*, Holt, Rinehart and Winston, New York 1968.

M. Chance, *Attention structure as the basis of primate rank orders*, «Man», n. 2, pp. 503-518.

D. Cheney, R. Seyfarth, *The recognition of social alliances by vervet monkeys*, «Anim. Behav.», n. 34, pp. 1722-31.

J. Clavell, *Noble House*, Coronet Books, Philadelphia, Penn. 1981 (trad. it., *La nobil casa*, Mondadori, 1981).

C. Coe, L. Rosenblum, *Male dominance in the bonnet macaque: a malleable relationship*. In *Social Cohesion*, a cura di P. Barchas e S. Mendoza, Greenwood Press, Westport, Conn. 1984, pp. 31-63.

H. Coolidge, Pan paniscus: *pygmy chimpanzee from south of the Congo river*, «Am. J. Phys. Anthrop.», n. 18, pp. 1-57.

H. Coolidge, *Historical remarks bearing on the discovery of* Pan paniscus. In *The Pygmy Chimpanzee*, a cura di R. Susman, Plenum, New York 1984, pp. ix-xiii.

C. Cruise O'Brien, *Religions, cultures and conflict*. In *World without War*, a cura di P. Dorner, Office of International Studies and Programs, University of Wisconsin, Madison 1984.

E. M. Cummings, C. Zahn-Waxler, M. Radke-Yarrow, *Young children's responses to expressions of anger and affection by others in the family*, «Child Development», n. 52, pp. 1274-82.

M. Curie-Cohen et al., *The effects of dominance on mating behavior and paternity in a captive group of rhesus monkeys*, «Am. J. Primatol.», n. 5, pp. 127-138.

J. Dahl, *The external genitalia of female pygmy chimpanzees*, «Anat. Rec.», n. 211, pp. 24-48.

J. Dahl, *Cyclic perineal swelling during the intermenstrual intervals of captive female pygmy chimpanzees*, «J. Human Evolution», n. 15, pp. 369-385.

C. Darwin, *The Origin of Species*, John Murray, Londra 1859 (trad. it., *L'origine della specie*, Zanichelli, 1982).

V. Dasser, *A social concept in Java-monkeys*, «Anim. Behav.», n. 36, pp. 225-230.

R. Dawkins, *The Selfish Gene*, Oxford University Press, New York 1976 (trad. it. *Il gene egoista*, Zanichelli, 1979).

J. Diamond, *DNA map of the human lineage*, «Nature», n. 310, pp. 544.

W. Dittus, *The evolution of behaviors regulating density and age-specific sex ratios in a primate population*, «Behaviour», n. 62, pp. 265-302.

E. Eckholm, *Pygmy chimp readily learns language skills*, «New York Times», 25 giugno 1985.

I. Eibl-Eibesfeldt, *Love and Hate*, Holt, Rinehart and Winston, New York 1971 (1970) (trad. it. *Amore e odio*, Adelphi, 1980).

I. Eibl-Eibesfeldt, *Der vorprogrammierte Mensch*, Deutscher Taschenbuch Verlag, Monaco 1976.

I. Eibl-Eibesfeldt, *Patterns of greeting in New Guinea*. In *Language, Culture, Society, and the Modern World*, a cura di S. Wurm, Australian National University Press, Canberra 1977.

I. Eibl-Eibesfeldt, *Strategies of social interaction*. In *Theories of Emotion*, a cura di R. Plutchnik e H. Kellerman, Academic Press, New York 1980.

P. Ekman, *Emotion in the Human Face*, Cambridge University Press, Cambridge 1982, II ed.

R. Elton, *Baboon behavior under crowded conditions*. In *Captivity and Behavior*, a cura di J. Erwin, T. Maple e G. Mitchell, Van Nostrand, New York 1979, pp. 125-138.

J. Erwin, *Aggression in captive macaques: interaction of social and spatial factors*. In *Captivity and Behavior*, a cura di J. Erwin, T. Maple e G. Mitchell, Van Nostrand, New York 1979, pp. 139-171.

G. Ettlinger, *Comment*. In *The Meaning of Primate Signals*, a cura di R. Harré e V. Reynolds, Cambridge University Press, Cambridge 1984, pp. 109-110.

O. Fallaci, *Intervista con la storia*, Rizzoli, 1977.

L. Fedigan, *Dominance and reproductive success in primates*, «Yearb. Phys. Anthrop.», n. 26, pp. 91-129.

H. Fisher, *The Sex Contract: The Evolution of Human Behavior*, Quill, New York 1983.

J. Fooden et al., *The stumptail macaques of China*, «Am. J. Primatol.», n. 8, pp. 11-30.

C. Ford, F. Beach, *Patterns of Sexual Behavior*, ACE Books, New York 1951.

D. Fossey, *Gorillas in the Mist*, Houghton Mifflin, Boston 1983.

M. Fox, *Are most animals «mindless automatons»?* A reply to Gordon G. Gallup, Jr., «Am. J. Primatol.», n. 3, pp. 341-343.

D. Freeman, *Margaret Mead and Samoa*, Harvard University Press, Cambridge, Mass. 1983.

M. French, *Beyond Power*, Ballantine, New York 1985.

K. von Frisch, *Über die « Sprache » der Bienen*, «Zool. Jahrb. Abt. allg. Zool. Physiol. Tiere», n. 40, pp. 1-186.

G. Gallup, *Self-awareness and the emergence of mind in primates*, «Am. J. Primatol.», n. 2, pp. 237-248.

H. Gerard, G. Mathewson, *The effects of severity of initiation on liking for a group: a replication*, «J. Exp. Soc. Psychol.», n. 2, pp. 278-287.

H. Ginsburg, *Playground as laboratory: naturalistic studies of appeasement, altruism and the Omega child*. In *Dominance Realations*, a cura di D. Omark, F. Strayer e D. Freedman, Garland, New York 1980, pp. 341-357.

D. Goldfoot et al., *Behavioral and physiological evidence of sexual climax in the female stump-tailed macaque*, «Science», n. 208, pp. 1477-79.

W. Golding, *Lord of the Flies*, Capricorn, New York 1954 (trad. it. *Il signore delle mosche — Riti di passaggio - Gli uomini di carta*, UTET, 1987).

J. Goldstein, *Aggression and Crimes of Violence*, Oxford University Press, New York 1986, II ed.

J. Goodall, *In the Shadow of Man*, Collins, Londra 1971 (trad. it. *L'ombra dell'uomo*, Rizzoli, 1974).

J. Goodall, *Population dynamics during a 15-year period in one community of free-living chimpanzees in the Gombe National Park*, Tanzania, «Z. Tierpsychol.», n. 61, pp. 1-60.

J. Goodall, *Social rejection*, exclusion and shunning among the Gombe chimpanzees, «Ethol. Sociobiol.», n. 7, pp. 227-236.

J. Goodall, *The Chimpanzees of Gombe*, Belknap Press, Harvard University Press, Cambridge, Mass. 1986 b.

J. Goodall et al., *Intercommunity interactions in the chimpanzee population of the Gombe National Park*. In *The Great Apes*, a cura di D. Hamburg, E. McCown, Benjamin/Cummings, Menlo Park, Calif. 1979, pp. 13-53.

S. Gould, *Ontogeny and Phylogeny*, Belknap Press, Harvard University Press, Cambridge, Mass. 1977.

J. Gribbin, J. Cherfas, *The Monkey Puzzle*, Pantheon, New York 1982 (trad. it. *Sorella Scimmia. L'enigma dell'origine dell'uomo*, Mondadori, 1984).

T. Griede, *Invloed op verzoening bij chimpansees*, (relazione di ricerca), University of Utrecht, 1981.

A. Guinness, *Blessings in Disguise*, Knopf, New York 1986.

E. Hahn, *Annals of zoology; a moody giant*, «New Yorker», agosto 1982.

S. Halperin, *Temporary association patterns in free-ranging chimpanzees*. In *The Great Apes*, a cura di D. Hamburg e E. McCown, Benjamin/Cummings, Menlo Park, Calif. 1979, pp. 491-499.

J. Hand, *Resolution of social conflicts: dominance, egalitarianism, spheres of dominance, and game theory*, «Q. Rev. Biol.», n. 61, pp. 201-220.

A. Hardy, *Was man more aquatic in the past?*, «New Scientist», n. 7, pp. 642-645.

H. Harlow, M. Harlow, *The affectional systems. In Behavior of Nonhuman Primates*, a cura di A. Schrier, H. Harlow, e F. Stollnitz, Academic Press, New York 1965, vol. 2, pp. 287-334.

H. Harlow, C. Mears, *The Human Model*, Wiley, New York 1979.

R. Herschberger, *Adam's Rib*, Harper and Row, New York 1948.

E. Heublein, *Kakowet's family*, «Zoonooz», n. 50, pp. 4-10.

B. Heuvelmans, *Les bêtes humaines d'Afrique*, Plon, Parigi 1980.

C. Hibbert, *The Rise and Fall of Il Duce*, Penguin Books, Londra 1965.

J. Van Hooff, *A comparative approach to the phylogeny of laughter and smiling. In Non-verbal Communication*, a cura di R. Hinde, Cambridge University Press, Cambridge 1972, pp. 209-241.

A. Horn, *A preliminary report on the ecology and behavior of the bonobo chimpanzee*, and a reconsideration of the evolution of the chimpanzee, (dissertazione di Ph.D.), Yale University, 1976.

S. Hrdy, *The Woman That Never Evolved*, Harvard University Press, Cambridge, Mass. 1981.

J. Huizinga, *Homo ludens: A Study of the Play-Element in Culture*, Beacon Press, Boston 1972 (1950) (trad. it. *Homo ludens*, Il Saggiatore, 1983).

T. H. Huxley, *Struggle for existence and its bearing upon man*, «Nineteenth Century», febbraio 1888.

K. Imanishi, *Identification: a process of socialization in the subhuman society of Macaca fuscata*, «Primates», n. 1, pp. 1-29, (trad. ingl. in *Japanese Monkeys*, a cura di K. Imanishi e S. Altmann, Emory University, Atlanta 1965 (1957)).

J. Itani, A. Mishimura, *The study of infrahuman culture in Japan: a review*. In Precultural Primate Behavior, a cura di E. Menzel, Karger, Basilea 1973, pp. 26-50.

C. Jordan, *Das Verhalten zoolebender Zwergschimpansen* (dissertazione di Ph.D.), Goethe University, Francoforte 1977.

W. Jungers, R. Susman, *Body size and skeletal allometry in African apes*. In The Pygmy Chimpanzee, a cura di R. Susman, Plenum, New York 1984, pp. 131-177.

T. Kano, *A pilot study on the ecology of pygmy chimpanzees*. In *The Great Apes*, a cura di D. Hamburg, E. McCown, Benjamin/Cummings, Menlo Park, Calif., 1979, pp. 123-135.

T. Kano, *Distribution of pygmy chimpanzees in the Central Zaire Basin*, «Folia Primatol.», n. 43, pp. 36-52.

T. Kano, *Observations of physical abnormalities among the wild bonobos of Wamba, Zaire*, «Am. J. Phys. Anthrop.», n. 63, pp. 1-11.

T. Kano, M. Mulavwa, *Feeding ecology of the pygmy chimpanzees of Wamba*. In The Pygmy Chimpanzee, a cura di R. Susman, Plenum, New York 1984, pp. 233-274.

J. Kaplan, *Fight interference and altruism in rhesus monkeys*, «Am. J. Phys. Anthrop.», n. 49, pp. 241-250.

I. Kaufman, *Mother/infant relations in monkeys and humans: a reply to Professor Hinde*. In *Ethology and Psychiatry*, a cura di N. White, University of Toronto Press, Toronto 1974, pp. 47-68.

M. Kawai, *On the system of social ranks in a natural troop of Japanese monkeys*, «Primates», n. 1, pp. 111-148, (trad. ingl. in *Japanese Monkeys*, a cura di K. Imanishi e S. Altmann, Emory University, Atlanta 1965 (1958).

M. Kawai, *On the newly acquired pre-cultural behavior of the natural troop of Japanese monkeys on Koshima islet*, «Primates», n. 6, pp. 1-30 (trad. ingl. in *Japanese Monkeys*, a cura di K. Imanishi e S. Altmann, Emory University, Atlanta 1965).

S. Kawamura, *Matriarcal social ranks in the Minoo-B troop: a study on the rank system of Japanese monkeys*, «Primates», n. 1, pp. 148-156 (trad. ingl. in *Japanese Monkeys*, a cura di K. Imanishi e S. Altmann, Emory University, Atlanta 1965 (1958).

K. Kawanaka, *Association, ranging, and the social unit in chimpanzees of the Mahale Mountains, Tanzania*, «Int. J. Primatol.», n. 5, pp. 411-432.

W. Kellogg, L. Kellogg, *The Ape and the Child*, McGraw-Hill, New York 1933.

K. Keyes, *The Hundredth Monkey*, Vision Books, Coos Bay, Oreg. 1982.

M. King, A. Wilson, *Evolution at two levels in humans and chimpanzees*, «Science», n. 188, pp. 107-116.

A. Kling, J. Orbach, *The stump-tailed macaque: a promising laboratory primate*, «Science», n. 139, pp. 45-46.

W. Köhler, *The Mentality of Apes*, Vintage Books, New York 1925.

A. Kornfeld, *In a Bluebird's Eye*, Avon Books, New York 1975.

A. Kortlandt, *Statements on pygmy chimpanzees*, «Lab. Primate Newsletter», n. 15, pp. 15-17.

H. Kummer, *Soziales Verhalten einer Mantelpavian-Gruppe*, Huber, Berna 1957.

H. Kummer, *Social Organization of Hamadryas Baboons*, University of Chicago Press, Chicago 1968.

H. Kummer, *From laboratory to desert and back: a social system of hamadryas baboons*, «Anim. Behav.», n. 32, pp. 965-971.

H. Kummer, W. Götz, W. Angst, *Triadic differentiation: an inhibitory process protecting pair bonds in baboons*, «Behaviour», n. 49, pp. 62-87.

S. Kuroda, *Interaction over food among pygmy chimpanzees*. In *The Pygmy Chimpanzee*, a cura di R. Susman, Plenum, New York 1984, pp. 301-324.

G. Landtman, *The Kiwai Papuans of British New Guinea*, MacMillan, Londra 1927.

L. Lefebvre, *Food exchange strategies in an infant chimpanzee*, «J. Human Evol.», n. 11, pp. 195-204.

J. Lethmate, G. Ducker, *Untersuchungen zum Selbsterkennen im Spie-*

gel bei Orang-Utans und einigen anderen Affenarten, «Z. Tierpsychol.», n. 33, pp. 248-269.

D. Lindburg, *The rhesus monkey in North India: an ecological and behavioral study*. In «Primate Behavior», a cura di L. Rosenblum, Academic Press, New York 1971, pp. 2-106.

I. Linnankoski, L. Leinonen, *Compatibility of male and female sexual behaviour in Macaca arctoides*, «Z. Tierpsychol.», n. 70, pp. 115-122.

K. Lorenz, *On Aggression*, Methuen, Londra 1967 (1963) (trad. it. *Il cosiddetto male*, Garzanti, 1980).

K. Lorenz, *The Foundations of Ethology*, Simon and Schuster, New York 1981.

C. O. Lovejoy, *The origin of man*, «Science», n. 211, pp. 341-350.

E. Maccoby, C. Jacklin, *The Psychology of Sex Differences*, Stanford University Press, Stanford 1974.

N. Machiavelli, *Il Principe*, Editori Riuniti, 1984.

J. MacKinnon, *The Ape within Us*, Collins, Londra 1978.

B. Malinowski, *Argonauts of the Western Pacific*, Routledge and Kegan Paul, Londra 1922 (trad. it. *Argonauti del Pacifico Occidentale*, 1928).

W. Mason, *Determinants of social behavior in young chimpanzees*. In *Behavior of Nonhuman Primates*, a cura di A. Schrier, H. Harlow, e F. Stollnitz, Academic Press, New York 1965, vol. 2, pp. 335-364.

J. Masserman, S. Wechkin, W. Terris, *«Altruistic» behavior in rhesus monkeys*, «Am. J. Psychiatry», n. 121, pp. 584-585.

A. Massey, *Agonistic aids and kinship in a group of pigtail macaques*, «Behav. Ecol. Sociobiol.», n. 2, pp. 31-40.

W. Masters, V. Johnson, *Human Sexual Response*, Little, Brown, Boston 1966.

C. Mayer, *Caste and Kinship in Central India*, Routledge and Kegan Paul, Londra 1960.

M. McGuire, M. Raleigh, C. Johnson, *Social dominance in adult male vervet monkeys: general considerations*, «Soc. Sci. Information», n. 22, pp. 89-123.

M. Mead, *Coming of Age in Samoa*, Penguin Books, Harmondsworth 1943 (1928) (trad. it. *Il diventar maggiorenni a Samoa*, 1928).

D. Melnick, K. Kidd, *Genetic and evolutionary relationships among Asian macaques*, «Int. J. Primatol.», n. 6, pp. 123-160.

S. Milgram, *Obedience to Authority*, Harper and Row, New York 1974.

H. Montagner, *L'enfant et la communication*, Stock, Parigi 1978 (trad. it. *Il bambino e la comunicazione*, Borla, 1980).

A. Montagu, (a cura di), *Man and Aggression*, Oxford University Press, Londra 1968.

E. Morgan, *The Aquatic Ape*, Stein and Day, New York 1982.

A. Mori, *An ethological study of pygmy chimpanzees in Wamba Zaire: a comparison with chimpanzees*, «Primates», n. 25, pp. 255-278.

D. Morris, *The Naked Ape*, Jonathan Cape, Londra 1967 (trad. it. *La scimmia nuda*, Bompiani, 1984).

L. Morrow, *I spoke as a brother: a pardon from the pontiff, a lesson in forgiveness for a troubled world*, « Time », 9 gennaio 1984.

B. Mussolini, *La mia vita*, Rizzoli 1983.

G. Myers, *A monograph on the piranha*. In *The Piranha Book*, a cura di G. Myers, Tropical Fish Hobbyist Publications, Neptune City 1972 (1949).

P. Nacci, J. Tedeschi, *Liking and power as factors affecting coalition choices in the triad*, « Soc. Behav. Person. », n. 4, pp. 27-31.

J. Napier, *The talented primate. In The Quest for Man*, a cura di V. Goodall, Phaidon, Londra 1975.

K. Nieuwenhuijsen, *Geslachtshormonen en gedrag bij de beermakaak*, (dissertazione di Ph.D.), Erasmus University, Rotterdam 1985.

K. Nieuwenhuijsen, F. de Waal, *Effects of spatial crowding on social behavior in a chimpanzee colony*, « Zoo Biology », n. 1, pp. 5-28.

T. Nishida, *The social structure of chimpanzees in the Mahale Mountains. In The Great Apes*, a cura di D. Hamburg, E. McCown, Benjamin/Cummings, Menlo Park, Calif. 1979, pp. 73-121.

T. Nishida, *Alpha status and agonistic alliance in wild chimpanzees*, « Primates », n. 24, pp. 318-336.

T. Nishida, *Forthcoming. Social structure and dynamics of chimpanzees: a review*. In Perspectives in Primate Biology, a cura di P. Seth e S. Seth, (in attesa di pubblicazione).

T. Nishida et al., *Group extinction and female transfer in wild chimpanzees in the Mahale National Park*, Tanzania, « Z. Tierpsychol. », n. 67, pp. 284-301.

H. Nissen, M. Crawford, *A preliminary study of food-sharing behavior in young chimpanzees*, « J. Comp. Psychol. », n. 22, pp. 383-419.

R. Nixon, *Real Peace: A Strategy for the West*, pubblicato privatamente, citato in « Time », 19 settembre 1983.

R. Nöe, *Lasting alliances among adult male savannah baboons. In Primate Ontogeny*, a cura di J. Else e P. Lee, Cambridge University Press, Cambridge 1986, pp. 381-392.

M. Van Noordwijk, C. van Schaik, *Male migration and rank acquisition in wild long-tailed macaques*, « Anim. Behav. », n. 33, pp. 849-861.

M. Van Noordwijk, *Competition among female long-tailed macaques*, « Macaca fascicularis, Anim. Behav. », n. 35, pp. 577-589.

A. Offit, *Night Thoughts: Reflections of a Sex Therapist*, Congdon and Lattes, New York 1981.

C. Packer, *Reciprocal altruism in Papio anubis*, « Nature », n. 265, pp. 441-443.

C. Packer, *Male dominance and reproductive activity in Papio anubis*, « Anim. Behav. », n. 27, pp. 37-45.

T. Patterson, *The behavior of a group of captive pygmy chimpanzees*, (tesi di Master), University of Georgia.

A. Portielje, *Een Gids bij den Rondgang*, Natura Artis Magistra, Amsterdam 1916.

D. Premack, A. Premack, *The Mind of an Ape*, Norton, New York 1983.

G. Pugh, *The Biological Origin of Human Values*, Basic Books, New York 1977.

A. Pusey, *Intercommunity transfer of chimpanzees in Gombe National Park*. In *The Great Apes*, a cura di D. Hamburg, E. McCown, Benjamin/Cummings, Menlo Park, Calif. 1979, pp. 465-479.

V. Reynolds, *On the identity of the ape described by Tulp, 1641*, «Folia Primatol.», n. 5, pp. 80-87.

H. Rijksen, *Sumatran orang utans* (dissertazione di Ph.D.), Landbouwhogeschool, Wagenigen 1977.

D. Riss, J. Goodall, *The recent rise to the alpha-rank in a population of free-living chimpanzees*, «Folia Primatol.», n. 27, pp. 134-151.

L. Rubin, *Just Friends*, Harper and Row, New York 1985 (trad. it. *Amici*, Frassinelli, 1986).

S. Sackin, E. Thelen, *An ethological study of peaceful associative outcomes to conflict in preschool children*, «Child Development», n. 55, pp. 1098-1102.

C. Sagan, *Dragons of Eden*, Random House, New York 1977 (trad. it. *I draghi dell'Eden*, Bompiani, 1979).

S. Sankan, *The Maasai*, Kenya Literature Bureau, Nairobi 1971.

S. Savage-Rumbaugh, *Pan paniscus and Pan troglodytes: contrasts in preverbal communicative competence*. In *The Pygmy Chimpanzee*, a cura di R. Susman, Plenum, New York 1984, pp. 395-413.

S. Savage-Rumbaugh, B. Wilkerson, *Socio-sexual behavior in «Pan paniscus» and «Pan troglodytes»: a comparative study* «J. Human Evol.», n. 7, pp. 327-344.

R. Schenkel, *Submission: its features and function in the wolf and dog*, «Am. Zool.», n. 7, pp. 319-323.

R. Schropp, *Children's use of objects-competitive or interactive?*, presentato alla 19th International Ethological Conference, Tolosa 1985.

G. Schubert, *Primate politics*, «Soc. Sci. Information», n. 25, pp. 647-680.

E. Schwarz, *Das Vorkommen des Schimpansen auf dem linken Kongo-Ufer*, «Rev. Zool. Bot. Afr.», n. 16, pp. 425-426.

J. Scott, *Animal Behavior*, University of Chicago Press, Chicago 1972 (1958), II ed.

R. Seyfarth, *A model of social grooming among adult female monkeys*, «J. Theor. Biol.», n. 65, pp. 671-698.

C. Sibley, J. Ahlquist, *The phylogeny of the Hominoid primates*, as indicated by DNA-DNA hybridization, «J. Mol. Evol.», n. 20, pp. 2-15.

G. Simmel, *Grundfragen der Soziologie*, Walter de Gruyter, Berlino 1970 (1917).

B. Skinner, *Beyond Freedom and Dignity*, Knopf, New York 1971.

K. Slob et al., *Heterosexual interactions in laboratory-housed stumptail macaques («Macaca arctoides»): observations during the menstrual cycle and after ovariectomy*, «Horm. Behav.», n. 10, pp. 193-211.

D. Smith, *The association between rank and reproductive success of male rhesus monkeys*, «Am. J. Primatol.», n. 1, pp. 83-90.

B. Smuts, *Sex and Friendship in Baboons*, Aldine, New York 1985.

C. Southwick, *Rhesus monkey populations in India and Nepal: patterns of growth, decline, and natural regulation*. In *Biosocial Mechanisms of Population Regulation*, a cura di M. Cohen, Yale University Press, New Haven 1980, pp. 151-170.

C. Southwick, M. Beg, M. Siddiqi, *Rhesus monkeys in North India*. In *Primate Behavior*, a cura di I. DeVore, Holt, Rinehart and Winston, New York 1965, pp. 111-159.

N. Spykman, *The Social Theory of George Simmel*, Russell and Russell, New York 1964.

F. Strayer, J. Noel, *The prosocial and antisocial functions of preschool aggression: an ethological study of triadic conflict among young children*. In *Altruism and Aggression*, a cura di C. Zahn-Waxler, E. Cummings e R. Iannotti, Cambridge University Press, Cambridge 1986, pp. 107-131.

F. Strayer, M. Trudel, *Developmental changes in the nature and function of social dominance among young children*, «Ethol. Sociobiol.», n. 5, pp. 279-295.

R. Susman, *The locomotor behavior of* Pan paniscus *in the Lomako Forest*. In *The Pygmy Chimpanzee*, a cura di R. Susman, Plenum, New York 1984, pp. 369-391.

R. Susman, K. Kabonga, *Update on the pygmy chimp in Zaire*, «IUCN/SSC Primate Specialist Group Newsletter», n. 4, pp. 34-36.

R. Susman, J. Stern, W. Jungers, *Arboreality and bipedality in the Hadar hominids*, «Folia Primatol.», n. 43, pp. 113-156.

A. Suzuky, *Carnivority and cannibalism observed among forest-living chimpanzees*, «J. Anthrop. Soc. Nippon», n. 74, pp. 30-48.

H. Swanson, R. Schuster, *Cooperative social coordination and aggression in male laboratory rats: effects of housing and testosterone*, «Hormones and Behav.», n. 21, pp. 310-330.

D. Symons, *The question of function: dominance and play*. In *Social Play in Primates*, a cura di E. Smith, Academic Press, New York 1978, pp. 193-230.

D. Symons, *The Evolution of Human Sexuality*, Oxford University Press, New York 1979 (trad. it. *L'evoluzione della sessualità umana*, Armando, 1983).

Y. Takahata, T. Hasegawa, T. Nishida, *Chimpanzee predation in the Mahale Mountains from August 1979 to May 1982*, «Int. J. Primatol.», n. 5, pp. 213-233.

J. Teas et al., *Aggressive behavior in free-ranging rhesus monkeys of Kathmandu, Nepal*, «Aggress. Behav.», n. 8, pp. 63-77.

H. Terrace, *Nim: A Chimpanzee Who Learned Sign Language*, Washington Square Press, New York 1979.

B. Thierry, *Clasping behavior in Macaca tonkeana*, «Behaviour», n. 89, pp. 1-28.

B. Thierry, *A comparative study of aggression and response to aggression in three species of macaque*. In *Primate Ontogeny, Cognition and Social Behaviour*, a cura di J. Else e P. Lee, Cambridge University Press, Cambridge 1986, pp. 307-313.

N. Thompson-Handler, R. Malenky, N. Badrian, *Sexual behavior of «Pan paniscus» under natural conditions in the Lomako Forest, Equateur, Zaire*. In *The Pygmy Chimpanzee*, a cura di R. Susman, Plenum, New York 1984, pp. 347-368.

W. Thorpe, *The Origins and Rise of Ethology*, Heineman, Londra 1979 (trad. it. *L'etologia. Origini e sviluppi*, Armando, 1983).

E. Tratz, H. Heck, *Der afrikanische Anthropoide «Bonobo», eine neue Menschenaffengattung*, «Saugetierkundige Mitt.», n. 2, pp. 97-101.

N. Tulp, *Observationum medicarum libri tres*, Amsterdam 1641, citato in Reynolds 1967.

C. Turnbull, *The Forest People*, Touchstone, New York 1962.

J. Vauclair, K. Bard, *Development of manipulations with objects in ape and human infants*, «J. Human Evol.», n. 12, pp. 631-645.

F. de Waal, *The wounded leader: a spontaneous temporary change in the structure of agonistic relations among captive Java-monkeys (Macaca fascicularis)*, «Neth. J. Zool.», n. 25, pp. 529-549.

F. de Waal, Chimpanzee Politics, Jonatan Cape, Londra 1982 (trad. it. *La politica degli scimpanzé. Potere e sesso tra le scimmie*, Laterza, 1984).

F. de Waal, *Coping with social tension: sex differences in the effect of food provision to small rhesus monkey groups*, «Anim. Behav.», n. 32, pp. 765-773.

F. de Waal, *Sex differences in the formation of coalitions among chimpanzees*, «Ethol. Sociobiol.», n. 5, pp. 239-255.

F. de Waal, *Integration of dominance and social bonding in primates*, «Q. Rev. Biol.», n. 61, pp. 459-479.

F. de Waal, *Tension regulation and nonreproductive functions of sex in captive bonobos (Pan paniscus)*, «Nat. Geogr. Research», n. 3, pp. 318-355.

F. de Waal, *Reconciliation among primates: a review of empirical evidence and theoretical issues*. In *Primate Social Conflict*, a cura di W. Mason e S. Mendoza, Alan Liss, New York (in attesa di pubblicazione).

F. de Waal, *The myth of a simple relation between space and aggression in captive primates*, «Zoo Biology» (in corso di stampa).

F. de Waal, L. Luttrell, *The similarity principle underlying social bonding among female rhesus monkeys*, «Folia Primatol.», n. 46, pp. 215-234.

F. de Waal, *Mechanisms of social reciprocity in three primate species: symmetrical relationship characteristics or cognition?*, «Ethol. Sociobiol.», n. 9, pp. 101-118.

F. de Waal, R. Ren, *Comparison of the reconciliation behavior of stumptail and rhesus macaques*, «Ethology», n. 78, pp. 129-142.

F. de Waal, A. van Roosmalen, *Reconciliation and consolation among chimpanzees*, «Behav, Ecol. Sociobiol.», n. 5, pp. 55-66.

F. de Waal, D. Yoshihara, *Reconciliation and redirected affection in rhesus monkeys*, «Behaviour», n. 85, pp. 224-241.

J. Walters, *Interventions and the development of dominance relationships in female baboons*, «Folia Primatol.», n. 34, pp. 61-89.

L. Watson, *Lifetide*, Simon and Schuster, New York 1979.

C. Welker, *Zum Sozialverhalten des Kapuzineraffen (Cebus apella) in Gefangenschaft*, «Philippia», n. 4, pp. 331-342.

L. White, *The Evolution of Culture*, McGraw-Hill, New York 1959.

E. Wilson, *Sociobiology: The New Synthesis*, Belknap Press, Harvard University Press, Cambridge, Mass. 1975 (trad. it. *Sociobiologia. La nuova sintesi*, Zanichelli, 1979).

R. Witt, C. Schmidt, J. Schmitt, *Social rank and Darwinian fitness in a multimale group of barbary macaques*, «Folia Primatol.», n. 36, pp. 201-21.

R. Wrangham, *Sex differences in chimpanzee dispersion*, In *The Great Apes*, a cura di D. Hamburg, E. McCown, Benjamin/Cummings, Menlo Park, Calif. 1979, pp. 481-490.

R. Yerkes, *Almost Human*, Century, New York 1925a.

R. Yerkes, *Traits of young chimpanzees*. In *Chimpanzee Intelligence and Its Vocal Expressions*, a cura di R. Yerkes e B. Learned, Williams and Wilkins, Baltimora 1925b.

R. Yerkes, *Conjugal contrasts among chimpanzees*, «J. Abnorm. Soc. Psychol.», n. 36, pp. 175-199.

A. York, T. Rowell, *Reconciliation following aggression in patas monkeys*, Erythrocebus patas, «Anim. Behav.», n. 36, pp. 502-509.

A. Zihlman, *Body build and tissue composition in «Pan paniscus» and «Pan troglodytes» with comparisons to other Hominoids*. In *The Pygmy Chimpanzee*, a cura di R. Susman, Plenum, New York 1984, pp. 179-200.

A. Zihlman, J. Lowenstein, *A few words with Ruby*. «New Scientist», aprile n. 14, pp. 81-83.

S. Zuckerman, *The Social Life of Monkeys and Apes*, Harcourt, New York 1932.

INDICE ANALITICO

INDICE

Finito di stampare nel mese di ottobre 1990
dalla RCS Rizzoli Libri S.p.A - Via A. Scarsellini, 17 - 20161 Milano

Printed in Italy